KB100493

백작가의
망나니가
되었다

백작가의 망나니가 되었다 2

초판 1쇄 인쇄 2022년 08월 19일
초판 1쇄 발행 2022년 08월 25일

지은이 유려한
펴낸이 서경석
총괄 서기원 **책임편집** 황창선 서지혜
편집 박현성 김범석 이준영 김우진 이신영 양준 김수아
편집디자인 이문영 **표지디자인** 코마

펴낸곳 도서출판청어람
출판등록 1999년 05월 31일(제38-7-1999-000006호)

본사 경기도 부천시 부일로483번길 40, 3층
지사 서울특별시 구로구 디지털로272, 404호
전화 02-6956-0531
팩스 02-6956-0532
메일 chungeoram_book@naver.com

ISBN 979-11-04-92444-6 04810
979-11-04-92442-2 (세트)

2

THE BIRTH OF A HERO

LOUT OF COUNT'S FAMILY LOUT OF

유려한 장편소설

백작가의 망나니가 되었다

제 1 부
영웅의 탄생

CONTENTS

10장
어쩌다 보니

10장
어쩌다 보니

이미 마차 안도 난장판이었다. 달달달. 케일은 다리를 떨고 있는 네오를 보며 속으로 혀를 찼다. 어지간히도 혼란스럽고 걱정이 가득한 듯했다. 물론 현재 대부분의 귀족 자제들이 이와 비슷한 혼란스러움을 보이고 있기는 했다.

'하긴 베니온의 얼굴은 엉망이었지.'

케일은 마차에 올라타기 전 슬쩍 보았던 베니온 스텐의 얼굴을 떠올렸다. 베니온은 아주 분노로 가득 차 있었다.

어느 누가 상상했겠는가.

버려진 장남, 테일러 스텐이 휠체어에서 벗어나 두 발로 걷게 될 줄, 그리고 스텐 후작가 사람이 왕세자 알베르의 곁에 설 줄. 누구도 상상 못 했을 것이다.

'용케도 '치유의 별'을 얻어냈어.'

대략적인 사건의 전말을 아는 케일은 테일러와 케이지가 무슨 거래로 왕세자에게서 고대의 힘인 '치유의 별'을 얻어냈을지 궁금했다. 하지만 케일은 테일러를 쳐다보지 않았다.

네오 톨스는 이제 테일러는 아예 쳐다도 보지 않은 채 다리를 달달 떨고 있었다. 그때 아미르가 입을 열었다.

"테일러 공자, 다리가 완전히 회복되신 것입니까?"

조심스레 건네는 물음은 정중했다. 테일러는 미소를 지으며 답했다.

"천운이 닿아 나을 수 있었습니다. 이제 완전히 회복되었지요."

"축하드립니다."

"감사합니다."

크흠, 큼. 네오 톨스가 헛기침을 하며 테일러의 다리와 그를 힐끗힐끗 쳐다봤다. 그리고 조심스레 입을 열었다.

"테일러 공자는 이제 다리가 다 나으셨으니, 후작가로 돌아가시겠습니다?"

버려진 장남이 될 수밖에 없던 가장 큰 이유, 하반신 불구가 해결되었으니 네오를 비롯한 다른 귀족가 자제들 입장에서는 그가 다시 후작가로 돌아가 후계자 경쟁에 뛰어드는지가 궁금할 것이다. 특히 네오는 베니온의 부하이니 더 궁금할 테고.

테일러는 네오를 보며 말했다.

"돌아간다니요."

부드러운 목소리였지만 그 안에는 단호함과 함께 네오를 향한 차가운 칼날이 가득했다.

"그곳이 원래 제 집입니다. 제 자리가 그곳 아니겠습니까?"

네오는 그 서늘함에 고개를 주억거리며 더 쪼그라들었다. 하지만 이 광경에 케일은 시선 한 번 두지 않았다.

케일은 이따금씩 마차 창문으로 슬쩍슬쩍 테일러의 눈빛을 보았다. 물론 테일러는 다른 이들에게 티 나도록 케일을 쳐다보지 않았다. 그저 그도 케일을 따라 마차 창밖을 보듯 보내는 시선이었다.

그 눈동자와 케일의 눈동자가 마주쳤을 때, 케일은 그가 보내는 신호를 읽을 수 있었다.

'케일 공자! 내가 다 말해주고 싶습니다! 아주 흥미로운 이야기입니다.'

그런 의미를 담은 테일러의 반짝이는 눈빛이 케일은 영 떨떠름했다. 케일로서는 이제 그냥 후작가를 테일러가 차지하고, 그의 성정으로 온건한 영지 정책을 펼쳐 아무런 일도 일어나지 않길 바라는 마음뿐이었다. 굳이 그와 대화를 나누고 싶지는 않았다. 그러나 케일과 테일러가 대화할 순간은 찾아왔다.

"크흠, 그럼 저는 이만 내려가 보겠습니다."

마차가 행사장인 영광의 광장 옆 공터에 서자마자, 네오 톨스가 바로 마차에서 내려 그들을 벗어났다. 아주 대놓고 베니온 밑에서 일했으니 여간 불편한 듯싶었고, 베니온에게 테일러의 상태를 보고하기 위해서도 있을 것이다.

"케일 공자, 에릭 공자와 함께 오겠습니다."

아미르는 홀로 먼저 마차를 벗어났다. 이는 혹시 다른 동북부 귀족들과 함께 탄 에릭과 길버트를 케일과 함께 만나러 갔다가 다른 귀족과 케일이 시비라도 걸릴까 싶어 배려하는 마음이 담긴 행동이었다.

'테일러 공자와 케일 공자는 접점도 없으니. 별일 없겠지.'

케일 공자 성격상 누군가와 먼저 말을 할 리도 없고. 그렇게 생각하며, 아미르는 입장 전에 에릭과 만나기 위해 바삐 움직였다.

그 결과 케일은 테일러의 환한 미소를 받아야 했다.

"드디어 둘만 남았군요."

케일의 마음에 상당히 들지 않는 말이었다. 그 감정이 얼굴에 고스란히 나타났는데, 그것이 웃긴지 테일러는 작게 웃으며 직구를 던졌다.

"후작가의 우두머리가 되는 것으로 다리를 고쳤습니다."

"충성을 바치기로 한 겁니까?"

"아뇨, 거래를 했습니다."

케일은 고개를 끄덕였다.

"잘됐네요. 다리 나은 것 축하드립니다."

그 뒤로 할 말이 없다는 듯 케일은 테일러에게서 시선을 돌렸다. 그 행동에 테일러는 그답다 생각하면서, 품에서 작은 서신을 꺼내어 케일에게 내밀었다.

"거래 내용입니다."

"……이걸 굳이 저에게."

케일은 떨떠름한 표정을 지었고, 그 표정에 테일러가 답했다.

"알아두면 좋을 겁니다, 공자."

그러고는 직구 하나를 더 날렸다.

"케이지는 파문당합니다."

"단독 행동 때문입니까?"

"그렇죠. 좋아하고 있습니다."

드디어 케이지는 미친 신관의 길로 들어서게 되었다. 파문당한 신관으로 세속적인 행동을 하면서도 용맹한 신관이라 평가받았던 그 성정 그대로, 그녀는 나아갈 것이다.

"잘됐네요."

케일은 자신의 말에, 감격에 가득 찬 얼굴로 고개를 끄덕이는 테일러를 볼 수 있었다. 그는 온갖 감정들이 소용돌이치는 듯 얼굴을 찡그리며 말했다.

"이제 시작이죠. 우리는 승리할 겁니다, 케일 공자. 그렇지요?"

우리의 승리에 왜 나를 포함시키는 건가. 케일은 그것이 궁금했지만, 일단 답해주었다.

"승리할 겁니다."

"감사합니다. 그럼 먼저 내리지요."

테일러는 자리에서 일어섰다. 그는 제 두 발을 내려다보다가 마차에서 내리기 전 케일에게 마지막 인사를 건넸다.

"승리한 후 셋이서 술 한잔합시다."

"헤니투스 와인은 맛있죠."

케일의 답에 테일러는 그제야 문을 열고 마차 밖으로 향했다. 홀로 남은 케일은 곧바로 서신을 펼쳤다.

왕세자는 내전을 피하고 싶어 한다.

그리고 그대로 구겨 버렸다.

"쯧."

가볍게 혀를 찬 케일은 서신을 안주머니 깊숙한 곳에 쑤셔 넣어버렸다. 역시 왕세자는 출생의 비밀이 있다. 케일은 고개를 저으며 마차 밖으로 내려섰다.

"케일."

케일은 에릭 일행의 부름에 고개를 돌렸다. 그러자 그들 어깨 너머로, 수많은 인파로 바글바글한 영광의 광장을 볼 수 있었다.

"케일 공자, 가시죠. 이제 저희들이 입장할 차례입니다."

'영웅의 탄생'에서 최한은 왕국민들보다 조금 더 높은 단상의 자리를 차지하는 이들에 대해 궁금해했다. 그리고 오늘 케일은 평민들보다 조금 더 높은 자리에 올라선다. 그래 봤자 왕족이나 신료들에 비하면 바닥이었다.

케일은 광장의 입구에 세워진 종탑을 바라봤다. 저 종탑에는 시계도 하나 달려 있었다.

현재 시각 8시 25분. 귀족과 신료들이 입장하는 시간이자, 평민들의 출입이 서서히 통제되는 시간.

"가죠."

케일은 에릭과 다른 이들을 앞세우며 걸음을 내디뎠다. 광장으로 가까워질수록 그곳에 자리한 수많은 관중들을 볼 수 있었다. 너무 많은 사람들이 있어서 얼굴도 제대로 잘 파악되지 않을 정도였다.

하지만 빽빽하게 모여 있진 않았다. 그만큼 영광의 광장은 넓었고, 왕실에서 인원을 잘 통제하고 있었다. 국왕과 축제의 시작을 보러 온 이들 중 광장에 들어서지 못한 이들은 광장 근처의 가게나 건물 위에 모여 있었다.

"케일 공자, 광장은 처음 보십니까?"

길버트의 물음에 케일은 고개를 여유로이 끄덕였다.

"네, 잠깐 마차로 지나갔지만, 실제로 보는 건 처음이네요."

그렇게 말하며 그는 광장 주위를 둘러보았다.

남쪽 방향의 찻집.

서쪽 여관.

동쪽에 꽃집 하나.

북쪽의 도예가 협회 건물 꼭대기.

총 네 곳이 케일의 시야에 담겼다.

"광장이 상당히 넓군요."

케일은 마법 폭탄 설치 장소를 확인했다. 동시에 남쪽 분수대 쪽을 바라봤다. 한 소년이 국왕을 환영할 것처럼 깃발을 흔들고 있었다. 그 소년은 라크였다.

'계획은 순항 중이군.'

케일은 분명 자신을 주시하고 있을 검은 용과 최한을 확신하며 종탑을 바라봤다. 현재 시각 8시 30분.

"입구를 통제합니다."

각 방향의 광장 입구를 병사들이 막아서기 시작했다. 그와 동시에 케일은 살짝 검지와 엄지를 부딪쳤다. 탁. 아무도 모를 아주 간단한 동작.

라크가 사라졌다. 숨은 그림 찾기가 시작되었다. 물론 굳이 할 필요 없는 숨은 그림 찾기였다.

'9시 1분이면 정답이 나올 테니까.'

하지만 미리 정답을 알면 편하니까. 그리고 케일이 움직이는 것도 아니니 숨은 그림 찾기도 할 만한 일이었다.

"여기에 모두 앉아주시면 됩니다."

각자의 이름표가 적힌 좌석이 마련되어 있었다. 아직 왕과 왕족들은 나타나지 않았다. 함께 온 왕세자도 마찬가지였다.

케일은 자신의 자리에 앉았다. 그러다가 미간을 찌푸렸다.

"자주 뵙네요, 케일 공자."

"그렇군요, 테일러 공자."

만찬장에서와 위치가 똑같았다. 케일은 테일러의 옆에 앉으며 단상 아래의 사람들을 내려다봤다. 그리고 종탑을 바라봤다. '영웅의 탄생' 속 이야기가 떠올랐다.

최한은 처음으로 그 녀석들의 모습을 보았다. 하얀 별에 붉은색 별이 다섯 개. 심장 위에 그 문양을 새긴 자들이 광장에 모습을 드러냈다.

그들 중 대장으로 보이는 자는 종탑 지붕 위에서 국왕은 물론이거니와 모두를 내려다봤다. 동시에 그 사람이 마나를 담은 손을 휘두르자, 광장은 참혹한 시간을 맞이했다.

'영웅의 탄생'에 나왔던 광장의 가장 높은 자리. 케일은 종탑의 꼭대기를 무감각하게 바라봤다.

'영웅의 탄생'에서 최한이 유일하게 발견했던 마법 폭탄. 이번에는 그 위치에 나타나지 않았다. 이미 계획에는 변수가 많아졌다.

그러나 적어도 책 내용과 달리 건물이 무너져 죽어갈 이들은 이제 없을 것이다.

저 종탑 아래에 마나 교란 장치가 심어져 있었다.

현재 시각 8시 40분. 케일은 자신의 왼편에 앉은 에릭의 목소리에 그를 돌아봤다.

"케일, 가만히. 알지?"

"형님."

에릭은 자신을 부르는 케일의 말투에 괜히 긴장이 되었다. 재작년까지만 해도 화려하게 옷을 입고 뽐내기를 좋아하던 녀석이 어느 순간부터 어두운 계열의 정장만 입고, 분위기가 달라졌다.

"저는 오늘 가만히 있을 겁니다. 아무것도 하지 않을 겁니다."

그 말에 이끌리듯 에릭은 저도 모르게 고개를 끄덕였다. 케일은 그 행동에 만족스럽다는 듯 웃어 보이고 시계를 바라봤다.

8시 40분. 검은 용의 목소리가 들려왔다. 역시 용은 자신을 보고 있었다.

-15분 남았다.

역시 만능 용이었다. 마법으로는 못 하는 게 없었다. 케일은 마음속으로 검은 용을 칭찬하며 자리에서 일어섰다.

"크로스만 왕가의 별들이 입장하십니다."

유일하게 열린 광장의 입구. 북쪽 왕궁 방향의 입구에서 왕세자를 필두로 2, 3왕자, 그리고 다른 왕족들이 입장하고 있었다. 그들은 모두 화려한 금발을 지녔다.

태양신의 가호를 받은 왕가. 로운 왕국의 자랑거리.

와아아아아-

왕국민들의 환호가 광장 안을 가득 채웠다. 그 환호에 땅이 울리는 것 같았다. 케일은 검은 용이 했던 말을 떠올렸다.

'왕세자 머리색과 눈동자는 갈색이었다.'

가장 평범하다고 알려진 색. 케일은 왕족들을 보며 대충 박수를 쳤다. 그리고 마침내 8시 50분.

"로운 땅의 태양이신 제드 크로스만 국왕 전하께서 입장하십니다."

와아아아아-

국왕이 모습을 드러냈다. 퍼레이드용 마차를 타고 오는 50살의 건장한 체격의 왕. 케일은 왕에게서 무심히 시선을 돌렸다. 북쪽 도예가 협회 건물 옥상에 올려진 화분을 하나 볼 수 있었다. 현재 시각 8시 55분.

'해제되었군.'

케일의 입꼬리가 올라갔다.

이제 로잘린과 검은 용, 온과 홍이 모습을 감춘 채 광장 속으로 스며들 것이다.

국왕 제드는 왕궁 방향 저 멀리에서 아주 천천히 광장으로 향했다. 전대 국왕의 갑작스러운 죽음으로 스물이라는 어린 나이에 왕위에 오른 제드 크로스만. 그는 평화로운 시대를 그럭저럭 잘 보냈다. 자신의 형제들을 차례차례 모두 죽이면서.

와아아아ー

여전히 국왕을 향한 환호는 엄청났다. 국왕 제드는 입구를 지나 자신을 위한 가장 높은 단상으로 향했다. 단상은 종탑 앞에 자리해 있었다.

국왕은 왕비와 함께 손을 흔들며 단상 맨 위에 올랐고 왕비는 자신의 자리 앞에 섰다. 국왕 제드가 마법 확성기 앞에 섰다.

케일은 시계를 확인했다.

현재 시각 8시 58분.

국왕은 손을 들었다.

광장을 울리던 환호성이 차츰 줄어들어 갔다. 그리고 마침내 광장이 조용해졌을 때, 국왕은 입을 열었다.

"짐이 태양의 가호를 받아 이 나라를 다스리기 시작한 지도 30년이 되었다."

국왕은 참으로 기뻐 보였다. 그러나 아쉽게도 현재 시각은 9시.

"어?"

에릭은 어벙한 소리를 뱉어내며 어딘가를 바라봤다.

"저게 무슨-"

테일러는 당황을 감추지 못했다. 케일은 여유롭게 고개를 들어 종탑 위를 바라봤다.

"뭐야?!"

"저들은 누구지?"

"무슨 일이야?"

곳곳에서 웅성거리는 소리들이 커져갔다. 국왕 제드가 자신의 뒤를 쳐다봤다. 그의 시선이 점점 종탑 위로 향했다. 케일은 종탑 위를 보며 미소를 그렸다.

국왕 제드는 외쳤다.

"너희들은 누구냐?"

기사와 마법사들이 빠르게 종탑으로 향했다. 왕국민들은 그 광경을 보며 불안해했다. 그럴 수밖에 없었다. 종탑 위에 한 사람이 나타났고 그 뒤를 이어 근처 건물 곳곳 위에 검은 복장의 사람들이 나타났다.

"당장 내려와라!"

"다들 당장 건물 위로 올라가!"

케일은 근처 기사가 주변에 지시를 내리는 것을 들으며 종탑 꼭대기 위에 서 있는, 검은 복장에 마스크를 쓴 남자를 쳐다보았다. 피에 미친 마법사 레디카.

'이것도 책과 달라져서 안 나타나면 어쩌나 했네.'

만약 책과 달리 안 나타났다면, 최한이 이 마법사를 죽일 수 있도록 각 마법 폭탄 중앙 제어구로 오는 마나를 역순으로 보내 숨어 있는 이자를 찾아야 했다.

그러지 않아서 다행이라는 생각을 하는 케일에게 '영웅의 탄생' 속 대사가 떠올랐다.

최한은 미친 마법사가 참혹한 시간을 알리는 말을 들을 수 있었다.

레디카의 손에 붉은색 마나가 드리워졌다. 그는 거침없이 마나를 휘둘렀다. 그리고 '영웅의 탄생'에서처럼 말했다.

"재밌겠다."

"재밌겠다."

마스크에서 소름 돋는, 철을 긁는 것 같은 목소리가 울려 퍼졌다. 그리고 붉은 마나가 광장 곳곳을 향해 날아갔다.

그 순간이었다.

9시 1분.

우우우우웅—

종탑 아래에서 진동이 시작되었고.

삐이이이—

위이이잉—

곳곳에서 마법 장치들이 울리기 시작했다. 붉은색 마나가 여러 갈래로 나뉘어 마법 폭탄 속 중앙 제어구를 향해 날아가다가, 그 힘을 잃고 제자리에서 빙글빙글 돌기 시작했다.

마나 교란이었다.

그리고 광장 안.

위이이이잉-

네 곳에서 유독 크게 소리가 울렸다.

"찾았다."

케일의 작은 목소리는 마법 폭탄을 포함한 마법 장치들의 알람 소리에 파묻혔다.

가장 큰 알람 소리가 터져 나오는 저 네 곳에 마법 폭탄의 소지자들이 있다.

'역시 마법 폭탄에는 오작동에 대한 알람이 있었어.'

케일은 그 네 곳을 향해 달려가는 최한과 로잘린, 라크를 볼 수 있었다.

10분. 그 시간은 마법 폭탄을 해제하지는 못하더라도 마법 폭탄을 저 멀리 수도 뒤편, 사람의 출입이 통제된 산 위 하늘로 이동시키기에는 충분했다. 로잘린과 검은 용이 있었으니까.

-인간 하나 찾았다.

투명화한 검은 용의 보고를 들으며 케일은 미소를 그렸다.

10분은 이제 시작이었다.

검은 용의 보고와 함께 케일은 최한에게 붙들린 사람을 한 명 볼 수 있었다. 검은 용이 판단한 마법 폭탄 소지자였다.

케일은 그 사람의 목에 채워진 목걸이가 보였다.

'저거군.'

케일은 최한이 그 사람의 목걸이를 집어 뜯는 것을 볼 수 있었다. 그와 동시에 케일의 몸이 틀어졌다. 누군가 케일의 팔을 잡았다.

"케일!"

에릭 휠스만이었다. 케일은 천천히 주위 상황을 둘러보았다. 먼저 종탑 위.

"하하하하─"

피에 미친 마법사 레디카가 웃고 있었다. 위이이이잉. 시끄러운 소리와 함께 쇠를 긁는 소리가 함께 울려 퍼져 공포스러운 소음을 만들어냈다.

"전하! 일단 자리를 피하셔야 할 것 같습니다!"

종탑 아래. 왕족들과 국왕의 곁으로 왕실 기사단과 마법사 몇몇이 자리를 지키며 그들을 대피시키려 했다. 케일은 제일 먼저 왕세자를 확인했다. 그의 머리칼은 아직 금색이었다.

'마나를 통한 마법이 아닌가?'

전에 검은 용이 왕세자를 두고 했던 말이 하나 생각났다.

'다른 용이 염색시켰나? 아닌가, 다른 힘인가?'

케일은 의문이 일었지만 바로 묻어버리고는 다른 곳을 살폈다.

왕족 곁으로 가지 않은 왕실 기사단과 마법사들은 반은 광장 안정화와 마나 교란 장치를 찾기 위해 뛰어다녔고, 반은 비밀 단체에게 달려들고 있었다. 한참 웃던 레디카는 말했다.

"짜증 나네."

그 말과 함께 레디카를 제외하고, 하얀 별과 붉은색 별 무늬를 가슴 위에 새긴 비밀 단체 정단원들이 원거리 공격을 시작했다. 투창, 단도, 은사, 마법. 여러 공격들이 쏟아지기 시작했다.

콰앙! 위이이잉- 삐이이이.

케일은 시끄러웠다. 검은 용의 보고가 이어졌다.

-한 인간 더.

-하나 더.

9시 4분. 3명째.

"케일! 우리도, 그러니까. 얼른 나가자!"

"공자, 얼른 나가요!"

케일은 에릭과 아미르, 길버트, 테일러를 바라봤다. 어느새 그의
곁으로 달려온 이들이었다. 에릭은 혼란스러운 얼굴로 주위를 둘러
보고 있었다. 케일도 그를 따라 주위를 둘러보았다.

"이게 무슨 일인가? 어서 길을 열게!"

"당장 밖으로 안내해!"

귀족 자제들이 앞다퉈 광장을 벗어나려고 했다. 물론 몇몇 차분한
이들도 있었다. 하지만 단상 아래는 달랐다.

"왜 입구를 막냐고!"

"길을 열라고!"

왕국민들이 입구를 열어달라고 아우성을 지르며 뒤에서부터 입구
를 향해 밀려왔다. 그런 이들에게 기사와 병사들은 외쳤다.

"잠시 다들 진정하십시오!"

"잠시만 대기하십시오!"

"이 상황에서 대기라니! 길 열어!"

"미친, 귀족들은 지금 떠나려고 하잖아! 우리도 입구를 열라고!"

케일은 그 혼란한 틈 사이로 번쩍 들리는 손들을 관찰했다.

"이, 이게 무슨 짓이야!"

최한은 입구로 뛰어가는 한 노인의 어깨에 매달린 가방을 뜯어 그 대로 높이 들어 올렸다. 세 명째였다. 케일은 고개를 돌려 제 주위 사람들을 바라봤다.

귀족 자제들과 신료들이 입장한 문은 이미 열려 사람들이 나가고 있었다. 수많은 왕국민들이 들어선 광장과는 입구가 달라서 그나마 나가기 수월해 보였지만, 그래도 서로 나가려고 아우성이었다.

그래서.

"개판이네."

난장판이었다. 케일은 근심 걱정으로 어쩔 줄을 몰라 하는 에릭의 어깨를 꽉 잡았다.

"형님."

"아."

그 통증에 에릭이 정신이 들었을 때 케일이 말했다.

"진정하세요."

에릭은 케일의 차분한 눈동자에 정신이 들었다. 그리고 주위를 둘러보았다. 기사들과 정체 모를 이들이 싸우고 있었고, 왕족들은 대피 중이었다. 왕국민들은 혼란스러워했다. 그걸 모두 눈에 담고 케일을 다시 돌아보는 에릭에게, 케일은 말했다.

"이제 형님답네요."

"……고맙다. 정신이 드네."

케일은 어깨를 으쓱이며 고개를 돌렸다. 길버트와 아미르도 케일이 에릭에게 한 말 덕에 정신이 들어 그를 바라봤다. 지금 귀족들 출입구를 향해 가봤자 저 혼란에 휩쓸려 나가는 것이 늦을 터. 이미 다른 지역의 수장 가문 귀족 자제들은 출입구에서 나가려고 허둥대는 이들은 내버려 둔 채 제 지역 사람들을 모아 진정시키며 탈출을 시도하고 있었다.

길버트는 그 광경을 바라보다가 제 주위를 둘러보았다. 다른 동북부 귀족 자제들이 그나마 동북부 자제들이 모여 있는 이쪽으로 다가왔다. 그들은 에릭을 바라보고 있었다. 하지만 에릭과 길버트는 케일을 바라봤다.

"……이게 무슨."

케일은 테일러를 바라봤다. 테일러는 다른 이들과 달랐다. 그는 왕국민들이 나갈 입구가 아직도 덜 열린 것을 보며 걱정했다. 입구는 너무나도 천천히 열리고 있었다. 아마도 통제 때문에 그러할 것이다.

테일러는 상당히 이타적이고 착한 사람이었다. 그러니 자신보다 왕국민들 걱정을 먼저 하는 것이겠지. 케일은 에릭을 향해 시선을 돌렸다. 이 자리의 리더감은 에릭이니까.

"갑시다."

케일의 말에 에릭은 고개를 끄덕이며 동북부 자제들을 데리고 입구로 향했다. 케일은 시계를 확인했다.

9시 8분. 마법사들이 마나 안정화에 들어갔다. 이제 조만간 마나 교란 장치는 그 힘을 잃게 된다. 이것도 광장 안에 사람이 많고 혼란스러워서 이만큼 시간을 끌 수 있었던 것이다. 이 정도 마나 교란 장치로 왕실 마법사들이 있는 가운데 이만큼 버텼으면, 충분히 제몫을 했다고 할 수 있었다.

-한 명 더 제거.

이제 네 명이다. 둘만 더 나오면 된다. 2분. 충분히 할 수 있을 것이다.

여전히 레디카의 붉은 마나 기운이 허공에서 빙글빙글 돌고 있었다. 마나가 안정화되는 순간 저 마나들은 마법 폭탄을 향해 다시 날아갈 것이다.

케일은 종탑의 시계를 바라보며 걸음을 옮겼다. 그때 검은 용이 보고했다.

-끝이다.

"……뭐?"

"공자, 왜 그러십니까?"

옆에서 걷던 테일러가 의아한 얼굴로 케일을 바라봤지만, 케일은 그에 대해 신경 쓸 틈이 없었다.

'네 개가 끝이라고?'

책 속에서는 마법 폭탄이 10개였는데? 달라진 것인가? 케일은 걸음을 멈춘 채 주위를 둘러보았다. 산 하나 범위의 마나 교란 장치. 다른 장소에 묻혔다면 그 장소에서도 알람 소리가 들릴 것이다.

하지만 최고급 마법 장치를 보호하기 위한 소리는 오로지 광장 안에서만 들렸다.

'이야기가 틀어져서 폭탄 개수가 줄어든 것인가?'

9시 9분을 넘어 시간이 얼마 남지 않았을 때, 확성 마법을 펼친 한 마법사의 목소리가 울려 퍼졌다.

"마나 안정화 가동!"

그러자 여덟 개의 방향에서 마법사들이 마법을 펼쳤다. 하늘을 향해 여덟 개의 구가 쏘아 올려졌고.

파앙-

그것이 터지며 얇은 막처럼 퍼져 나갔다. 그리고 마침내.

위이이이-

소리가 줄어들었다. 마나가 안정화되어 갔다. 9시 9분 55초.

케일은 그 순간 하늘로 솟구치는 4개의 물건을 볼 수 있었다. 로잘린과 검은 용의 마법이었다. 그 4개의 물건들은 전보다 안정된 마나 궤도를 따라 수도 남쪽의 산으로 날아갔다. 마나 감응력이 뛰어난 둘은 이 정도의 마나 교란은 감당할 수 있었다.

출입이 통제되는 험한 산. 그 산의 하늘 위로 날아가는 4개의 물건. 한 줄기의 빛을 사람들은 멍하니 바라봤다.

"마나 안정화 완료!"

9시 10분 5초. 마법사가 외쳤고. 레디카의 붉은 마나 기운이 한 줄기 빛이 되어 그 빛줄기 뒤를 따라갔다. 그리고 마침내, 4개의 물건에 붉은 마나 빛줄기가 닿은 순간.

콰아아아앙-!

하늘에 거대한 폭발이 일어났다. 거대한 빛이 사람들의 시야를 순간 하얗게 만들었다. 그 뒤로 하늘을 향해 검은 연기가 솟아올랐다. 광장에서 멀리 떨어진 남쪽 산임에도, 그곳에서부터 거대한 바람의 폭풍이 밀려와 사람들의 머리카락을 헤집었다.

순간 광장이 조용해졌다. 특히 마법사들의 얼굴이 하얗게 변했다. 마나 교란을 바로잡아 안정화를 시키자 제대로 궤도를 따라 움직인 붉은 마나. 그것의 정체와 목적을 알았기 때문이었다.

"……저건 마법 폭탄."

테일러 스텐은 침음을 삼키며 저 힘의 정체를 유추해 냈다. 마법에 대해 좀 아는 귀족이라면 저 정도 파괴력의 물건은 단 하나임을 안다.

마법 폭탄.

더불어 피신하던 왕족 중 국왕과 왕자들 몇 명의 움직임이 멈췄다. 사람들은 떠올렸다. 그 물건들이 모두 광장 왕국민들 사이에서 솟구쳐 올랐고, 남쪽 산에서 터졌음을.

케일은 폭발 여파로 밀려온 바람으로 헝클어진 머리칼을 쓸어 넘겼다.

'4개가 끝인가 보군.'

아무도 죽지 않았다.

-우리가 살렸다.

검은 용의 목소리가 머릿속으로 들려왔다. 케일은 그 말을 가만히 음미했다. 언제 아수라장이었는지 광장 안은 분위기가 가라앉아 있었다. 아니, 서늘해져 있었다.

그들은 여기서 생겼을지 모를 참혹한 광경을 떠올리고 있을 것이나. 그래서 두려움과 안도감에 힙싸인 것일 터.

-내가 살렸다!

검은 용의 목소리는 머릿속에서 울리는 것임에도 조금 들떠 있고 기뻐 보였다. 어린 검은 용은 죽을 날만 기다리다가, 절망에서 구해만지다가, 처음으로 무언가를 제대로 구해보았다.

케일은 검은 용의 감정을 음미하며 마법 폭탄이 솟구쳐 올랐던 장소로 시선을 돌렸다. 기사와 마법사들이 그곳으로 다가가고 있었다.

하지만 이미 최한을 비롯한 일행은 모두 몸을 피신한 상태였다. 검은 용과 함께, 케일이 빌로스에게 빌린 투명화 마법 장치를 통해 광장 가장 구석에서 은신할 것이다.

'그리고 최한은 저 마법사를 죽이기 위해 그 뒤를 쫓겠지.'

케일은 종탑 위를 바라봤다. 이미 에릭을 비롯한 이들은 걸음을 멈췄다. 그들은 마법사와 몇몇 이들의 말로, 이 광장 안에서 터지려던 마법 폭탄이 저 멀리 남쪽 산 위에서 터졌음을 파악했다.

그럴 수밖에 없었다.

종탑 위의 레디카가 말했으니까.

"아쉽게 아무도 안 죽었네. 저게 왜 저기서 터지지?"

쇠를 긁는 듯 유쾌한 목소리.

"이건 실패네."

그런 그에게 국왕이 소리쳤다.

"이게 무슨 짓이냐? 네놈들의 정체는 무엇인가? 이런 일을 하고도 무사할 줄 아느냐!"

단순한 공격이 아닌 마법 폭탄임을 알자, 국왕 제드는 반응이 달라졌다. 이건 전쟁의 선포나 다름없었다.

그 순간 케일은 다른 생각을 했다.

'……'이건' 실패라고?'

그럼 뭐가 더 있단 말인가? 케일의 표정이 굳어졌다. 그 행동에 이제 괜찮은 것 같다고 말하러 다가오던 테일러 스텐이 걸음을 멈췄다. 그리고 케일을 따라 종탑 위를 바라봤다.

"어쩔 수 없네."

쇠로 긁는 듯한 목소리가 광장 안에 울려 퍼졌다. 그는 국왕과 기사단장이 외쳐대고, 마나를 안정화시킨 마법사들이 비행 마법을 펼치며 다가와도 눈 하나 깜짝하지 않았다.

딱. 그가 손가락을 부딪치며 소리를 내자 그의 양옆에 두 사람이 나타났다.

하얀 별과 붉은색 별이 없는, 그저 검은 복장의 두 사람. 그들은 가방을 하나씩 메고 있었다.

케일의 미간이 구겨졌다.

'저거다.'

저 두 사람은 분명 비밀 단체 암살단의 일원일 것이다. 그들은 죽어도 상관없는 자들. 케일은 마법 폭탄 2개의 향방을 이제 알 수 있었다.

그리고 그자들은 마법 스크롤 세 개를 꺼내더니 한꺼번에 찢었다.

실드와 가속, 그리고 스스로의 몸을 태우는 마법.

"가라."

레디카가 명하자 그 두 사람은 종탑 꼭대기에서 아래로, 사람들에게 쏘아져 내렸다. 그런 두 사람에게 레디카는 붉은 마나를 쏘아 보냈다.

"마, 막아!"

마법 폭탄은 해제하지 못하면 무조건 터진다.

암살 단원 두 사람과 레디카의 거리가 다른 이들보다도 가까웠다. 자살 폭탄 테러를 감행하는 이들의 가방에 붉은 마나가 닿았다.

이제 곧 터진다.

가속 마법을 펼친 두 사람이 광장으로 미친 듯이 다가왔다.

두 요원 중 한 명은 왕족들 쪽으로, 그리고 다른 하나는.

'이쪽으로 오네.'

귀족 자제들을 향해 날아왔다.

이 모든 일들이 10초가 되지 않아 벌어졌다.

-내가 간다!

용의 목소리를 들으며 케일은 손을 들었다.

"으아아악!"

"도, 도망가!"

"피해!"

피하기에는 늦었다. 몇 초 도망간다고 폭탄 범위를 벗어날 수 없었다.

"가, 가자. 케일!"

"케일 공자, 어서 가요!"

에릭과 테일러, 길버트, 아미르가 다른 이들처럼 도망부터 가지 않고 어서 오라며 케일을 챙겼다. 그래 봤자 늦었다.

케일은 짜증이 치밀어 올랐다. 도망가다 폭탄이 터지면 케일은 그냥 팔 하나가 날아갈 것이다. 하지만 심장의 활력이 있어 재생될 것이다.

그러나 지금 자신을 향해 어서 이리 오라고, 같이 도망가자고 하는 저들은 아무리 뛰어봤자 다칠 것이고, 팔다리 하나는 날아갈 것이다. 재생도 안 될 것이다.

그것보다는.

"……하."

깊은 한숨과 함께 케일은 허공을 향해 손바닥을 펼쳤다.

계획 변경이다.

그 순간, 검은 용에 의해 순간 이동된 로잘린이 이중 실드를 펼치며 케일과 그녀를 감쌌다.

그와 동시에.

"폭발!"

레디카가 유쾌하게 외쳤고.

"어?"

로잘린이 마법을 펼친 채로 멍한 표정을 지었다.

이쪽으로 쏘아져 오던 자살 폭탄 테러범을 거대한 날개가 감쌌다. 은빛 방패가 광장 아래의 사람들을 지키듯 하늘로 향했고, 방패와 날개는 테러범을 완전히 가둬 버렸다. 그리고 은빛에 가려 잘 표 나지 않는 단단한 마법 실드 하나가 그 모든 것을 감쌌다.

-나도 막는다.

용이 케일에게 말했다.

태양 아래. 성스러워 보이는 은빛 방패를 펼친 사람. 은빛 방패에서 뻗어져 나온 은빛 선과 이어진 손을 하늘로 향하고 있는 붉은 머리칼의 남자. 케일은 그 적발을 휘날리며 욕을 내뱉었다.

"……제길!"

그리고 폭탄이 터졌다.

콰아앙-

콰아아앙-

이전과는 비교도 할 수 없는 어마어마한 폭발음이 연달아 광장을 가득 채웠다. 모두 몸을 수그리며 본인의 머리를 두 손으로 감쌌다.

"으아아악!"

"커헉. 내, 내 팔!"

"크허억!"

고통과 두려움에 가득 찬 소리가 곳곳에서 터져 나왔다. 그리고 그 뒤.

쏴아아-

마치 비라도 오는 것 같은 바람 소리가 사람들 위를 스치고 지나갔다. 사람들은 광장 바닥의 흙먼지를, 분수대 근처의 사람들은 분수대의 물을 뒤집어쓴 채 천천히 고개를 들었다.

그러자 그들의 정면, 북쪽 방향이 제일 먼저 보였다. 마법사들이 왕족을 위한 실드를 펼쳐 국왕과 왕자들은 무사했지만 그 근처에 있던 자들이 다쳐 있었다.

국왕을 보기 위해 누구보다도 빨리 와서 기다리고 있던 평민들, 시종들, 하급 관료들, 아직 실력이 낮은 기사들, 차마 시간이 부족해 실드를 펼치지 못한 마법사들.

모두가 다치고 죽어 있었다.

검은 연기로 인해 왕족들의 찬란한 금발은 하나도 보이지 않았다.

살아남은 자들은 이내 고개를 들었다. 그들은 귀족 자제들과 그 옆에 일반 왕국민들이 있는 방향의 하늘을 바라봤다.

채애앵-

유리처럼 서서히 부서지는 은빛 방패가, 무너져 내리는 은빛 날개가, 동시에 그 사이로 흘러나오는 검은 연기가 하늘을, 사람들의 눈동자를 가득 채웠다. 분명 방패와 두 날개 안에 사람이 있었는데, 이제는 그 안에 피도, 조금의 살 조각도, 무엇도 보이지 않았다.

사람들은 온몸에 소름이 돋았다. 비로소 폭탄의 위력을 실감할 수 있었다. 그들의 시선이 저절로 한곳으로 향했다. 은빛 선의 끝.

"케일 공자!"

로잘린은 황급히 케일을 부축했다. 케일의 한쪽 무릎이 힘없이 구부러졌다. 로잘린은 부서져서 사라지는 은빛 방패와 케일을 번갈아 바라봤다. 그리고 왕족들 방향을 바라봤다. 어마어마한 폭발력이었다.

물론 그녀는 검은 용이 폭발력의 대부분을 흡수한 것을 알고 있지만, 그래도 케일의 저 은빛 방패가 엄청난 일을 한 것은 사실이었다. 그렇다면 반동도 어마어마할 것이다.

로잘린은 고개를 숙인 케일의 팔을 잡고 부축하며 그를 불렀다.

"케일 공자, 괜찮아요? 케일 공자!"

그리고 케일은 생각했다.

'아, 따끔거려.'

막판에 검은 용 덕에 은빛 방패에 쏟은 힘을 줄였다. 그래서 반동이 적었다. 그래도 손바닥이 따끔거리는 것이 아팠다. 케일은, 김록수는 아주 엄살이 심했다.

조금 아픈 것도 아픈 것이었다. 그는 숙였던 고개를 들려고 했다.

"케일 님!"

"공자님!"

케일은 자신을 부르는 목소리들이 가까워지는 것을 느낄 수 있었다. 그리고 고개를 든 순간.

"케일, 괜찮아?"

"괜찮, 쿨럭!"

"피, 피……!"

다가오던 에릭의 얼굴이 하얗게 질리다 못해 그의 몸이 뒤로 넘어갈 뻔했다.

그와 동시에 작게 피를 내뱉은 케일은 편안해졌다.

'역시 심장의 활력.'

몸의 부담이 사라지고, 그의 몸은 급속도로 안정화되어 갔다. 오히려 '심장의 활력' 힘이 활발해지면서 케일의 몸은 어느 때보다도 건강해졌다.

마치 론이 휴가를 갔을 때 자고 일어난, 그런 개운함과 상쾌함이 케일을 감쌌다. 그는 천천히 눈을 감았다. 그리고 스스로의 몸을 느꼈다.

'팔다리는 붙어 있고. 아까 조금 손바닥이 따끔했지만 그건 종이에 베인 것보다 안 아팠고. 기침 한 번 하니 몸 상태는 요 근래 들어 가장 좋아지는군.'

꽤 괜찮은데? 케일은 왜 영웅들이 고대의 힘을 곁다리임에도 버리지 않고 사용했는지 알 것 같았다. 써보니 생각보다 안 아프고, 편했다.

흡족함에 케일의 입가로 옅은 미소가 맺혔다.

그리고 주변은 난장판이 되었다.

"지금 웃음이 나오십니까? 웃지 마십시오!"

케일은 질책과 슬픔이 담긴 듯한 테일러의 목소리에 감고 있던 눈을 슬쩍 떴다. 몸 상태 확인이 끝나고 상쾌한 기분으로 뜬 눈이었다. 그런데 햇살에 눈이 부셔서 그는 살짝 눈가를 찡그렸다.

"애써 눈도 뜨지 마십시오!"

얘 왜 이래? 케일은 테일러의 모습을 이상하다는 듯이 바라보며 로잘린의 부축을 받아 자리에 털썩 앉았다. 귀족 체면상 이러면 안 되겠지만, 상황이 상황이니만큼 이 정도는 괜찮지 않겠는가. 케일은 대충 널브러지듯이 주저앉았다.

그런 그의 귓가로 검은 용의 목소리가 계속해서 들렸다.

ㅡ약한 인간아, 죽으면 안 된다! 넌 너무 약하단 말이다! 너 죽으면

다 죽여 버린다! 아주 다 죽여 버린다. 네 시체도 없이, 아예 다 날려 버리고 나도 죽어버릴 거다!

걱정하는 말 같기는 한데 그게 꽤 살벌했다. 케일은 그 목소리들 때문에 머리가 지끈거려 미간을 찌푸렸다.

"공자, 신관을 불러올게요!"

"저도 다녀오겠습니다!"

아미르와 길버트가 케일에게 그리 말하고는, 입구로 들어서는 신관에게 달려갔다. 드레스와 정장이 엉망이 된 것도 모른 채 달리는 그들을 보며 케일은 차마 아픈 곳이 하나도 없다고 말할 수 없었다.

'뭐, 검사하면 좋은 거니까. 그리고 아픈 티도 내야 하고.'

신관이 와주면 좋을 일이었다. 케일의 옆에 에릭 휠스만이 섰다. 그는 웅성거리는 동북부 자제들과 귀족 자제들에게 다가오지 말라는 듯 날카로운 눈초리로 쏘아보았다.

케일은 그 광경보다 더 살벌한 광경이 펼쳐질 것 같은 곳을 바라보았나.

"……비키십시오."

"안 된다. 일반인들은 여기에 들어와서는 안 된다."

"……일반인? 그딴 의미는 누가 만든 것입니까?"

최한이 서늘한 얼굴로 귀족석을 지키는 병사와 대치하고 있었다. 케일이 절대 앞으로 나서지 말라고 했건만. 그는 자신의 말을 어긴 최한에게 인상을 팍 찡그리며 손을 휘휘 저어 보였다.

그 행동에 최한은 입술을 깨물더니, 고개를 숙였다.

"죄송합니다."

나서지 말라고 했지만, 죄송할 것까지는 아닌데. 최한 뒤에는 라크가 있었고, 최한과 라크 두 사람의 어깨에 온과 홍이 매달려 있었다. 케일은 아주 멀쩡하다는 신호로 간만에 씩 웃어 보이고는 이를 멍하니 바라보는 이들에게서 시선을 돌렸다.

"……공자, 괜찮아요?"

케일은 로잘린의 물음에 고개를 끄덕이며 입가에 살짝 묻은 피를 닦아냈다.

"네, 아주 괜찮습니다."

자신의 머리 색깔만큼 빨간 피를 닦아내는 케일의 행동은 무심했고 건조했다. 하지만 로잘린은 방금 케일이 한 일을 보았다. 왕족인 자신도 그렇게 할 수 있을까. 그녀는 작게 중얼거렸다.

"……도통 당신은 알 수가 없군요."

하지만 이내 케일이 자신을 바라보자 로잘린은 입을 꾹 닫은 채 그를 바라봤다. 케일의 표정이 심각해졌다. 그녀는 그가 자신을 바라보지 않고 그 너머를 보고 있음을 깨달았다. 그를 따라 고개를 뒤로 돌렸다.

"아."

피를 마시던 마법사. 그가 종탑 꼭대기가 아닌 하늘에 선 채로 아래를 내려다보고 있었다.

"정말 생각도 못 했는데. 이것도 아주 재밌네."

피에 미친 마법사 레디카는 그렇게 말하며 왕족 쪽을 바라봤다. 다시금 마법사들이 비행 마법을 펼쳤고, 이제는 수도 경비를 하는 병사들도 다가오며 화살을 그에게 겨누었다.

레디카는 시선을 돌렸다. 순간 케일과 그의 시선이 맞닿았다. 레디카의 눈동자가 케일 옆의 로잘린에게도 향했다. 지금은 갈색으로 염색했어도, 푸른 늑대족 마을에서 본 로잘린을 알아보았으리라. 쇠를 긁는 듯한 목소리가 광장 안에 울려 퍼졌다.

"세상에, 내가 좋아하는 피 색이 여러 개네?"

수많은 공격 마법들이 그의 자리를 향해 쏟아졌다.

"공격!"

마스크를 써서 그 표정을 완전히 알 수 없었지만 레디카의 눈가가 초승달처럼 휘었다.

"장식장에 넣고 싶은데."

케일의 표정이 떨떠름해졌다. 그는 저도 모르게 제 속마음을 내뱉었다.

"미쳤나."

원래 저런 정신 살짝 나간 캐릭터는 단명할 상인데. 케일은 그렇게 생각하며 최한을 쳐다봤다. 최한이 고개를 끄덕이며 이내 사라졌다.

당연히 저 마법사를 잡아 죽이려고 움직이는 것이었다. 하지만 최한의 방향은 레니카 쪽이 아니었다.

레디카는 쏟아지는 마법 공격들이 자신에게 닿기 바로 직전 국왕 쪽을 내려다보며 말했다.

"그럼 다음에 봐!"

그리고 사라졌다. 그것도 혼자가 아닌 함께 나타난 인원들을 모두 데리고 사라졌다. 이 녀석의 주특기인 이동 마법이었다. 공격하던 이들은 저들이 어디로 갔는지 아무도 알 수 없었다. 하지만 '영웅의 탄생'에서는 이렇게 이동한 그의 도착 장소가 나왔다.

최한은 온, 홍, 라크와 함께 그곳으로 갔다.

만약 그 장소로 레디카와 비밀 단체가 이동했다면 아마 최한의 손에 죽을 것이다.

'최한이 폭주할까 봐 걱정이지.'

그래서 케일은 온과 홍, 라크를 딸려 보냈다. 그들이 있다면 최한은 이성을 붙잡을 것이다. 최한은 어리고 약한 것들에 약하니까.

케일은 자리에서 일어섰다.

국왕이 다시 단상 위에 올라서고 있었다. 광장은 다시 웅성거리기 시작했다. 악당으로 보이던 이들이 사라지고, 참혹한 광경만이 남았다. 이를 안정시키기 위해 국왕이 움직이는 것이리라.

"오늘 이 참혹한 사건을 복구하기 위해 최선을 다하겠다. 그러니 모두 왕실의 말에 잘 따라, 안정에 최선을 다했으면 한다. 축제는 뒤로 미룬다."

케일은 국왕이 말하는 모습에서 시선을 돌려 로잘린을 바라봤다. 원래 그녀는 이 장소에서 모습을 최대한 숨기기로 했다. 그런데 케일을 위해 모습을 드러냈다.

'아마 검은 용을 드러낼 수 없으니, 본인이 나선 것이겠지.'

로잘린은 케일과 시선이 마주치자, 싱긋 미소를 그렸다. 그리고 입모양으로 케일의 눈빛에 답해주었다.

'비밀.'

케일은 살짝 미소를 그려 보였다. 역시 말이 통하는 사람이었다.

오늘 케일은 여섯 존재들에게 몇 가지를 명시해 두고 이 일을 진행했다.

첫 번째, 용과 이종족은 정체를 들키지 말 것.

최우선 사항이었다.

그리고 두 번째, 최한과 로잘린은 존재를 들키더라도 우연히 이곳에 있었던 것으로 할 것. 각 장소에 숨겨진 마법 폭탄은 왕실이 알 길이 없고, 하늘로 솟구친 마법 폭탄들은 누가 처리했는지 정확히 잡지 못할 것이라 예상됐기에 가능한 일이었다.

세 번째, 서로에게 피해를 주지 말 것.

케일과 로잘린은 눈짓 한 번으로 서로가 해야 할 일의 방향을 알 수 있었다. 그렇기에 그는 옷에 묻은 먼지를 털며 옷차림을 가다듬었다.

그리고 다가오는 이에게 미소를 지어 보였다.

"공자님, 괜찮으십니까?"

신관이 아미르와 길버트에게 끌려오다시피 와 숨을 헐떡이며 물었다. 로잘린이 뒤로 물러섰고 케일은 신관에게 손을 뻗으며 말했다.

"상당히 아픕니다. 진찰 부탁드립니다."

케일은 자신에게 다가오는 왕세자를 보았다. 왕세자는 분명 로잘린을 알아볼 것이고, 그녀의 이중 마법을 보았을 것이다. 그리고 케일과 그녀 사이를 궁금해할 터.

이럴 때는 이 상황을 이용해 뽑아 먹을 건 다 뽑아 먹는 게 나았다. 이를 위해 케일은 신관과 주위에 있는 귀족 자제들에게 다 들리도록 무덤덤하게 말했다.

"역시 지키는 일은 힘든 일이군요."

이왕 내가 가진 패를 하나 보였다면, 고대의 힘을 썼다면, 빼먹을 건 다 빼먹어야 하지 않겠는가?

희생을 하고서 아무것도 받지 않고 명예만 얻는 것? 그딴 건 케일의 취향이 아니었다. 명예보다 돈이고, 영웅보다는 돈 많은 부자가 나았다.

"아, 그, 그렇지요. 공자님의 그 은빛 방패를 봤습니다. 대단한 일을 하셨습니다."

신관은 침을 꿀꺽 삼키며 케일의 손을 잡고 진찰을 하려 했다. 케일 주위의 귀족 자제들이 그와 신관의 모습을 힐끗 쳐다보며 의구심과 호기심을 삼키고 있었다.

망나니라고 알려진 케일 헤니투스. 그런 그가 펼친 힘. 그것은 어느 힘보다도 시각적으로 큰 충격을 주었다. 그리고 그가 한 행동. 방패로 폭발을 막고 쓰러지며 피를 토하던 모습. 그럼에도 아무렇지 않은 얼굴로 똑바로 서 있는 저 자세.

귀족 자제들은 그 모습을 눈에 담았다. 국왕도 자리를 뜬 바람에 이쪽으로 시선을 보내는 왕국민들도 많았다. 그들은 그 은빛을 잊을 수가 없었다.

케일은 호기심으로 가득 찬 귀족 자제들의 얼굴을 대충 둘러보았다. 그럴 때마다 저마다 각자의 반응을 보였다. 그대로 호기심을 드러내거나, 외면하거나, 혹은 미소 지어 보이거나.

케일은 이를 모두 확인하고는 다시 신관에게로 시선을 돌려 그의 말에 호응해 주었다. 여전히 무심하고 평온한 목소리였다.

"고대의 힘을 처음 보시나 보군요."

"아."

신관의 입에서 탄성이 흘러나왔다.

고대의 힘. 우연히 얻을 수 있는 과거의 유산. 그 힘의 위력과 특성이 천차만별로 다르다고 전해진다.

"그렇군."

케일은 등 뒤에서 익숙한 목소리와 함께 자신의 어깨 위에 올려진 손을 보며, 올 것이 왔다는 것을 깨달았다.

"왕세자 저하."

케일은 뒤돌아서며 왕세자 알베르 크로스만과 눈이 마주쳤다. 그리고 이 순간이 글에서 읽은 어느 장면과 비슷하다는 느낌이 들었다.

광장 테러 사건을 구한 영웅. 안전에 대한 비난과, 도망가려던 왕족과 귀족들에 대한 힐난을 막고자 구실로 내세워졌던 최한. 그 최한을 만든 이가 바로 눈앞의 왕세자 알베르였다.

케일은 왕세자 알베르의 눈빛을 본 순간, 이미 예감하고 있던 순간이 왔음을 깨달았다. 고대의 힘을 사용한 순간부터 예견했던 순간이었고, 그랬기에 그는 계획을 수정했다. 케일은 지금부터 철저히 이 상황을 이용해 먹을 작정이었다.

그리고 왕세자도 케일을 알아보았다. 자신과 동류라는 것을.

"……케일 공자."

한껏 감격한 얼굴로, 감동 어린 얼굴로 왕세자는 케일을 덥석 포옹했다.

"고맙네. 장하네."

누가 보아도 감격한 왕세자가 신분을 뛰어넘어 보이는 감동의 표현이었다.

그 순간, 케일은 오직 자신에게만 들릴 왕세자 알베르의 속삭임을 들을 수 있었다.

"케일 공자, 자네는 나와 동류지?"

그럼 동류지.

동류에 대한 떨떠름함이 한가득 담긴 알베르의 목소리였다.

"귀찮은 일 없도록, 그리고 보상은 철저하게 하겠네. 어떤가?"

그렇다면야.

케일은 두 팔을 들어 올렸고 선한 미소를 지으며 왕세자 알베르를 마주 안았다. 그리고 말했다.

"아닙니다, 저하. 제 할 일을 한 것뿐입니다."

케일의 머릿속으로 어린 용의 목소리가 들려왔다.

—……뭔가 이상하다.

이 모든 것을 다 본 검은 용은 어렸지만 판단이 꽤 정확했다.

케일은 거짓된 감동의 포옹을 끝내고 왕궁으로 가야 했다. 치료와 진상 조사가 명목이었으나, 이왕 이렇게 된 거 케일은 왕세자궁 기둥 하나, 딱 그 정도는 뽑아 먹을 마음으로 왕세자와 함께했다.

당연히 왕세자의 얼굴은 떨떠름했다.

왕세자와 함께하는 마차에 오르는 길. 왕세자는 끝까지 어떤 퍼포먼스를 원했다. 당연히 케일이 타는 마차는 왕실에서 긴급하게 가져온 왕세자 마차였다.

"케일 공자, 먼저 타게. 오늘만큼은 나는 그대를 존경하네."

언제 떨떠름한 표정을 지었냐는 듯, 마차 근처에 다른 사람들이 보이자 왕세자는 바로 한없이 자애로운 표정을 지었다.

"아닙니다. 어찌 이 왕국민의 마음속 별이신 저하보다 먼저. 제가 그럴 수 없습니다."

─……인간, 머리 괜찮나?

케일은 검은 용의 말씀은 가벼이 무시했다. 그런 케일의 어깨를 두드리며 왕세자는 말했다. 툭 툭. 어깨를 두드리는 힘이 꽤 셌다.

"아닐세. 내 존경의 표현이네."

"그럼, 이 모자란 이가 먼저 타보겠습니다."

다른 왕족들이 돌아갔음에도 테러 현장에 남아서 기사들에게 뒤처리를 지시하고, 케일을 먼저 챙기는 왕세자 알베르. 그리고 오늘 이곳에 있던 이들의 머릿속에 가장 크게 남은 케일 헤니투스.

두 사람의 모습은 마치 그림처럼 멋지면서, 동시에 대해처럼 넓은 마음이 느껴졌다.

케일은 왕세자의 마차에 올라타며 슬쩍 시선을 옆으로 돌렸다. 마차 근처에는 귀족 자제들이, 그리고 그 뒤에는 왕국민들이 있었다. 케일은 에릭, 길버트, 아미르, 테일러에게 살짝 눈짓으로 인사하고는 자신을 멍하니 바라보는 네오 톨스에게 선한 미소를 지어 보였다.

순간 네오가 흠칫했고, 네오 근처에 있던 베니온 스텐의 표정이 묘해졌다. 그뿐만 아니었다. 대귀족들이 케일을 주시하고 있었다.

'어떻게 저 망나니가 저런 힘을? 아니, 저런 행동을?'

이런 의미가 담긴 눈빛이 더러 보였으나, 케일은 이를 무시하며 네오를 빤히 바라봤고 네오는 흠칫하며 고개를 돌렸다.

'조잡한 악역 하나는 치울 수 있겠네.'

케일은 그리 생각하며 마차에 올라탔고 곧바로 선한 미소를 입가에서 지웠다. 뒤따라 왕세자 알베르가 마차에 올라타며 자신의 시종에게 명했다.

"뒤의 여성분은 최고의 대우로 모셔 오도록."

당연히 로잘린을 가리키는 말이었다. 마차 문이 천천히 닫히고, 그 틈으로 케일과 로잘린의 눈이 마주쳤다. 로잘린의 미소가 믿음직했다.

달칵. 마차 문이 닫혔고 케일은 의자 등받이에 몸을 기댔다.

'역시 왕실 마차는 급이 다르네. 이런 의자 가죽은 어떻게 구하는 거지?'

좌석의 안락함을 느끼며 표정 없이 앉아 있던 케일은 마찬가지로 자애로운 미소 따위는 집어치운 무표정한 얼굴의 왕세자를 볼 수 있었다.

"치료가 필요한가?"

왕세자의 물음에 케일은 무심한 투로 답했다.

"몸은 건강하지만, 최고의 의료진과 신관이 보살펴 주고 치료해 주는 대우가 필요하지 않을까요? 저는 한 삼사 일 드러누워 있었으면 하는데."

"하."

왕세자는 탄성처럼 웃음을 터뜨리며 고개를 끄덕였다.

"그래. 그게 좋지. 모두를 지키기 위해 나선 귀족가 자제가 아프다. 그리고 그걸 왕궁에서 최고급 대우로 간호하고. 아주 좋아."

동류라는 것을 알았기 때문인지, 왕세자는 연기 따위는 집어치웠다. 그래서 바로 본론부터 던졌다.

"케일 공자, 당신과 그들이 관련이 있나?"

그들. 오늘 광장에 나타난 이들을 말한 것이다. 케일은 왕세자 알베르와 시선을 마주했다. 검은 용은 지금쯤 마차 위에서 투명화한 채 자신을 따라오고 있을 것이다.

검은 용이 그랬다.

-저 왕세자는 왜 다른 인간이 죽어도 안 나섰지? 힘이 있는데.

왕세자는 힘을 감추고 있다. 자신의 시종 중 하나가 죽고, 젊은 기사의 팔다리가 날아가도 나서지 않았다. 그저 약한 척하며 몸을 숨겼다.

'타인을 이용해도 착한 인간인 줄 알았는데.'

아니었다.

그랬기에 케일은 편히 답했다. 그의 입가에는 환한 미소가 걸려 있었다.

"저하, 제가 그리 귀찮은 짓을 왜 합니까?"

"그렇겠지."

왕세자는 곧바로 수긍했다. 망나니로 자신을 숨기던 이가 그런 짓을 할 리도 없었다. 그리고 이번에 나선 것도, 정말 어쩔 수 없이 나섰다는 게 적어도 왕세자 알베르 눈에는 보였다.

"왕실에서는 쓸데없는 조사를 자네에게 하려고 할지도 모르네."

"저하께서 막아주실 거지요?"

"당연한 걸 왜 묻고 그래."

막아준다는 소리였다. 왕세자 알베르는 커튼을 걷어버렸다. 마차 밖으로 수많은 왕국민들이 보였다. 그는 자애로운 미소를 지으며 말했다.

"대화는 내가 병문안을 하러 갔을 때 마저 하도록 하지."

왕세자가 귀족 자제 병문안을 오는 것. 그리고 그가 하고자 하는 대화. 대화할 거리는 아주 많았다. 케일은 로잘린과 고대의 힘, 보상 등을 떠올리며 말했다.

"저하."

"그래."

"이 나라의 별이신 저하와의 대화라면, 이 케일은 언제든 시간이 됩니다."

자애로운 미소의 끝이 살짝 구겨졌다.

"저는 이번 일로 제가 한 일이 과대 포장되는 것은 싫습니다."

"적당히 포장하지. 비난만 왕실로 오지 않으면 되니까."

왕세자는 이어서 툭 던지듯 말했다. 그 어투는 기름칠은 되어 있지 않았지만 진심이었다.

"어쨌든 고맙네. 덕분에 다친 이들이 줄었어."

좋은 인간인지 나쁜 인간인지 알기 어려운 인간이 왕세자 알베르였다. 아니, 인간인지도 확실치 않았다. 하지만 케일은 그딴 건 신경 쓰지 않았다. 대신 제 할 말을 했다.

"네, 보상을 기대합니다."

"하."

왕세자는 고개를 절레절레 가로저었다. 하지만 보상을 기대하지 말란 소리는 하지 않았다. 두둑이 챙겨준다는 소리였다.

그렇게 케일은 왕궁에 다시 한번 입성했고, 이전과는 급이 다른 대우를 받게 되었다. 타국의 왕족들이 왔을 때 머무는, 그 화려하고 최고의 시설을 자랑하는 별궁의 가장 좋은 방이 케일에게 주어졌다.

'하긴 최한 일행도 여기 머물렀지.'

케일은 저택의 침대와는 비교도 안 되는 푹신함과 안락함을 자랑하는 최고급 침대에 드러누워 포도를 한 알씩 먹었다.

그런 그에게 별궁에 머무는 또 다른 이가 찾아왔다.

"케일 공자."

로잘린이었다. 그리고 당연히 그녀는 홀로 오지 않았다.

"케일 님."

최한이 함께 왔다. 그의 뒤에는 고양이들과 라크가 하얗게 질린 얼굴로 서 있었다. 하지만 케일은 그 뒤의, 맨 마지막 사람을 보고 얼굴을 구겼다.

"고, 공자니이이임!"

부집사 한스였다. 그는 울 것 같은 얼굴이었다. 한스와 최한, 라크는 케일의 시중 겸 호위로 왕성에 들어올 수 있었다. 케일은 달려올 것 같은 한스를 향해 손을 뻗었다.

"정지."

그 말에 한스는 정지했고, 케일은 침대에서 일어서며 다른 이들에게 말했다.

"들어오세요."

마치 이 궁의 주인인 깃처럼 아주 자연스러운 모습이었다.

케일은 제일 먼저 한스와 대화를 나눴다. 한스는 언제 울 것 같은 얼굴을 했냐는 듯, 케일의 상태를 확인한 후에는 평소처럼 보고했다.

"가문에 연락을 드렸습니다. 아무래도 왕실을 통해 전해지는 것보다 빨리 소식을 전해 드리는 게 더 좋을 것 같아 마법사를 통해 통신구로 보고했습니다. 그래서 돈이 조금 많이 들었습니다."

"잘했어."

"그리고."

한스는 힐끗 로잘린을 바라봤다.

'역시.'

케일의 입꼬리가 살짝 올라갔다. 한스는 유능한 집사 후보였다. 케일보다 귀족가 자제들에 대한 정보를 많이 파악한 이였다. 그런 이가 다른 정보가 없겠는가.

"계속 말해."

케일의 허락에 한스는 보고했다.

"로잘린 님에 대해 일단 함구하라고 저택 고용인들에게 말해두었습니다."

"잘하셨어요."

"잘했어."

로잘린과 케일이 한스를 칭찬했다. 말을 맞추기 전이니, 아예 함구하는 편이 로잘린과 케일이 움직이기 편했다.

"저, 공자님."

"그래."

"제가 보고를 드렸지만, 나중에 통신구로 가문에 연락을 드려야 할 것 같습니다. 안 그러면 가주님께서 올라오실 것 같습니다."

아버지인 데르트 백작이라면 충분히 그러할 것이다. 케일은 바센의 후계자 지위에 영향을 안 미치면서 이를 해결할 방법에 대해 생각하며 대충 고개를 끄덕였다. 한스는 그 모습에 자리에서 일어섰다. 그는 눈치가 있는 편이었다.

로잘린과 최한, 라크. 그들과 대화할 케일을 위해 자리를 비켜야 했다.

"그럼 저는 이 별궁의 관리인을 만나 이야기를 나누겠습니다."

"그래."

한스가 방을 나갔고 그제야 검은 용이 모습을 드러냈다. 검은 용

은 케일의 침대로 가 그 위에 놓인 과일들을 뜯어 먹었다. 그러면서
보고했다.

"이 안에는 영상구도, 녹음 관련 장치도 없다."

참, 안 그런 것 같으면서도 시킨 건 잘한단 말이야. 케일은 그리
생각하며 자신이 머무는 방을 둘러보았다.

타국의 왕족들이 머무는 공간. 그곳에 어떤 기록 장치를 심어둔
다? 이건 협력이고 뭐고 한판 붙자는 소리였다. 그래서 대개 그들이
머무는 장소보다는, 따로 식사를 나누는 자리에서 녹화와 녹음을 위
한 보이지 않는 전쟁이 펼쳐진다.

즉, 이 안에서는 어떤 말을 해도 된다는 소리였다. 그럼에도 로잘
린은 소리 차단 마법을 펼쳤다.

"안전한 게 좋잖아요?"

"로잘린 씨의 그런 점이 훌륭하다고 생각합니다."

케일은 그녀의 말에 호응해 주며 최한을 바라봤다. 최한은 아까
전부터 고개를 숙이고 있었다. 케일은 그런 최한을 보며 직감했다.

레디카를 죽이지 못했구나.

"말해봐."

최한은 고개를 들었다.

"말씀하신 장소에 그 마법사가 나타났습니다. 그래서 죽이고자 했
는데, 그자의 부하들이 덤벼들었습니다."

"죽을 각오였겠지."

"……네."

비밀 단체는 희한하게 레디카를 많이 아꼈다.

"그래서 놓쳤나?"

"……네."

최한은 고개를 숙인 채 이어 말했다.

"왼쪽 어깨부터 팔 하나만 잘라 버릴 수 있었습니다."

음?

"혹시 다시 돌아와 잘린 팔을 가져가 이어붙이는 그런 일을 할까 봐 팔은 태워 버렸습니다. 아, 왼쪽 눈도 다쳤을 겁니다."

……그 정도면 마법사로서는 치명상 아닌가? 두 손으로 마법 캐스팅을 해야 마나 균형이 용이하다. 때문에 한쪽 팔을 잃은 레디카는 타격이 상당히 클 텐데. 케일은 떨떠름한 얼굴로 최한을 바라봤다.

최한은 주먹을 꽉 쥔 채 고개를 숙이고 있었다.

"죽여 버렸어야 했는데. 죄송합니다."

"아니, 뭐 죄송할 것까지야. 고생했다."

케일은 최한 옆에 앉아 있는 라크와 온, 홍을 바라봤다. 온, 홍은 평소와 달리 검은 용 근처에 가지도 않고 라크의 품에서 굳어 있었다. 라크는 뭔가 간절한 눈빛으로 케일 자신을 바라보고 있었다.

'설마 폭주한 건가?'

케일은 최한을 보고 물었다.

"그자의 수하들은?"

"죽이는 게 낫겠다 생각해, 깔끔하게 처리했습니다."

붉은 고양이 홍은 그 말에 제 누나 온의 몸통에 얼굴을 비볐다. 최한은 그들을 깔끔하게, 세상에 흔적도 없게 검은 오러로 녹여 죽여 버렸다. 오러로 사람을 녹일 수도 있다는 것을 홍은 처음 알았다.

"뒷말 안 나오려면 깔끔한 게 낫지. 건물을 부수거나 하지는 않았 겠지?"

케일은 혹시 최한이 폭주해 건물이나 일대를 부쉈을까 싶어 걱정되었다. 최한에게 해리스 마을과 푸른 늑대족 사건은 트라우마였다. 이 트라우마를 일으킨 단체의 사람을 눈앞에서 목도했을 때 혹여 눈이 뒤집혀 달려들까, 케일은 그게 염려스러웠다.

'폭주하면 그 뒤처리를 내가 해야 할지도 모르니까.'

최한이 케일의 저택에 머물고 있었기에 뒤처리는 케일의 몫이 될 확률이 높았다. 그리고 케일은 그 뒤처리가 상당히 하기 싫었다.

"네, 당연하죠. 케일 님 말씀대로 최대한 건물이나 주변 지형에 피해 가지 않게 했습니다."

고양이들은 최한이 수하들을 죽이며 했던 말을 떠올렸다.

'내 소중한 사람들이 너희들 때문에 다 죽거나 죽을 뻔했다. 오늘도!'

건물은 그대로였지만, 산 채로 녹여 죽이는 최한의 모습은 상당히 무서웠다. 폭주는 하지 않았다. 하지만 그래서 무서웠다. 온과 홍은 결국 검은 용에게로 다가가 그 옆에서 마음의 안정을 취했다. 여기서 가장 착하고 귀엽고 강한 이가 검은 용이었으니까.

케일은 침대로 가는 고양이들을 보다가 최한에게 말했다.

"그래. 고생했다."

최한은 그 말에 케일을 바라봤다. 케일은 최한뿐만 아니라 모두를 보며 말했다.

"오늘 모두 대단한 일을 했어. 너희들 덕에 모두가 살았다. 로잘린 씨도 고생하셨습니다."

꽉 쥐고 있던 최한의 주먹에 살짝 힘이 풀렸다. 로잘린은 라크와 최한, 그리고 꼬리를 살랑살랑 흔드는 고양이들을 보다가 케일을 마지막으로 바라봤다. 묘한 유대감이 그녀를 감싸 안았다.

그때, 검은 용이 툭 내뱉었다.

"너도 고생했다."

그 말에 케일은 픽 웃으며 고개를 끄덕였다.

"그렇지. 고생했지. 그러니까 보상을 받아야지."

그리고 그 보상에 대해 첫 논의를 할 시간이 곧 찾아왔다.

"나가보게."

"네, 저하."

왕세자 알베르는 치료를 하지 않고 멍하니 시간을 때우다가 돌아가는 신관을 내보내며 케일과 마주했다. 케일은 왕세자가 찾아와 감격한 표정을 얼굴에 그렸다. 그 순간, 달칵, 문이 닫혔고, 알베르가 말했다.

"그런 표정은 소름 돋네."

"감사합니다."

케일은 평소의 여유로운 표정으로 돌아왔다. 알베르는 차라리 그게 편하다는 듯 환자 행세를 위해 침대에 누운 케일 옆 의자에 대충 걸터앉았다.

"자네는 현재 요양 중인 것으로 했네. 왕국민에게는 귀족으로서 현 상황의 혼란을 다스리고자 몸이 힘겨운 와중에도 다시 일어선 것으로 했어."

알베르는 씩 웃으며 덧붙였다.

"자네가 고대의 힘을 소지했다고 그 자리에서 밝혔으니, 그에 맞춰서 그리 강하지 않은 방어용 고대의 힘이라고 해두었네. 자네가 원한 게 그거지?"

"음."

케일은 고심하는 척하며 답했다.

"약하지만, 왕국을 위해 나선 어린 귀족 자제. 좋네요."

"그렇지."

이왕 케일이 힘을 썼다면 '강하지 않다'고 소문나는 편이 나았다. 그리고 약한 건 사실이었다.

"내일쯤이면 자네에 대한 소문이나 현 상황에 대한 보고를 관리인이 자네 집사를 통해 전해줄 걸세. 보도록."

확실히 왕세자 알베르는 케일을 대하는 모습이 최한 때와는 달랐다. 다정한 표정 같은 것은 하나도 없었고 오히려 상당히 떨떠름해 보였다. 마주하기 싫은 인간이지만 일을 위해 마주한다. 딱 그 자세였다. 케일이 원하는 바였다.

케일은 자신을 빠히 쳐다보는 왕세자와 시선을 마주했다. 그 여유로운 모습에 왕세자는 미간을 찡그린 채 무언가를 생각하더니 입을 열었다.

"……그런데 말이야."

굉장히 망설이는 태도이면서도 무언가를 기대하는 것 같은 모습이었다. 왕세자에게서 보기 드문 행동이었기에 케일은 가만히 기다렸다.

그 순간, 침대 밑에서 자고 있다가 깨어난 검은 용이 케일의 머릿속으로 말했다.

─이제 확실히 알겠다. 쟤 인간은 아니다.

그리고 왕세자는 질문을 던졌다.

"……너, 인간이지?"

이건 또 뭘까. 직구는 예기치 않게 훅 들어왔다. 케일은 갑자기 아프고 싶었다.

왕세자 알베르는 갑자기 떨떠름해지는 케일 헤니투스의 표정을 보았다. 그리고 그와 함께 내뱉는 목소리를 들을 수 있었다.

"……인간이죠?"

뭐 이런 질문을 다 하냐는 표정이었다. 알베르는 저도 모르게 탄식을 터뜨렸다.

"하. 그래, 그렇지. 인간이지."

케일은 자신과 왕세자 본인을 가리키는 알베르의 손가락을 볼 수 있었다.

"너도, 나도 모두 인간이지."

그 순간 검은 용이 말했다.

─거짓말이다. 완전한 인간은 아니다.

용아, 그만하면 안 되겠니. 케일은 표정 관리 하는 것이 힘들었다. 그러나 검은 용과 케일 사이에는 치명적인 단점이 존재했다. 검은 용은 시도 때도 없이 케일에게 말할 수 있으나, 케일은 불가능하다는 점이었다. 일방 소통이었다.

마법 실력이 약한 게 죄였다.

─위대한 용생 4년 만에 처음 보는 분위기를 지닌 존재다.

용생 4년. 검은 용은 4년 동안 본 것이 본인과 인간, 그리고 근래에 만난 고양이족과 늑대족 인간들이었다. 왕세자는 이 범위 밖이란 소리였다. 케일은 자신을 쳐다보는 왕세자에게 말했다.

"그렇죠. 인간이 별다른 게 있습니까. 같이 살면 인간이지."

그러니 검은 용의 말은 잊자. 케일은 그리 마음먹었다. 왕세자 알베르는 입을 꾹 다문 채 케일을 바라보다가 입을 열었다.

"그렇지. 별다를 것 없지. 그런데 말이야."

그런데 말이야. 그런데. 이런 단어는 그만 들을 수 없는 것일까. 고민하는 케일에게 왕세자는 말했다.

"만찬장에서는 긴가민가했는데 너에게서, 네 근처에서 이상한 냄새가 나."

"……냄새요?"

케일은 정색했다.

"방금 씻었습니다."

왕세자는 케일의 정색에 몇 번 입을 날싹이나가 닫았다. 케일은 왕세자 알베르의 미간에 깊이 파이는 주름을 볼 수 있었다. 그는 무언가를 고민하는 것 같았다. 그러나 이내 그런 기색을 지우며 본론을 꺼냈다.

"이미 수를 다 아는 이들끼리 쓸데없는 포장을 할 필요는 없을 것 같고. 그래서 보상은 무엇을 원하지?"

보상에 대해 언급한 알베르는 팔짱을 낀 채 케일의 답을 기다렸다. 그가 밤이 다 되어서야 케일의 병문안을 온 것은 뒤처리 때문에 정신이 없어서란 이유도 있었지만, 케일 헤니투스에 대한 자료를 확인하기 위해서이기도 했다.

그런데 자료가 없었다. 있긴 했지만 그건 자료가 아니었다.

망나니로 동북부에서 유명함.

재작년부터 후계자 자리에서 완전히 밀려났으나,

이에 대한 불만을 전혀 보이지 않음.

가문 내에서는 어떤 불화의 기미도 보이지 않음.

그냥 놀기 좋아하는, 술만 마시면 개가 되는 망나니 케일 헤니투스. 그건 자료가 아니었다. 알베르 눈앞의 케일은 망나니가 아니었다.

지금도 봐라.

"저하, 그러면 보상에 앞서 제가 무엇을 해야 하는지부터 말씀해 주시겠습니까?"

망나니가 이런 말을 할 리는 없지 않은가. 왕세자는 솔직하게 말했다.

"귀족들에게 아무 말도 하지 않았으면 하네."

그게 가장 어려운 일이었다. 그리고 이것이 왕가가 케일에게 보상을 내걸면서까지 요구하는 것이었다. 광장에서 벌어진 일은 왕가에는 부끄러운 일이었다. 트집이 되어선 곤란했다. 이는 케일이 중립인 헤니투스여서 내걸 수 있는 조건이기도 했다.

"그리고 가끔씩 왕가에 대해 물으면 칭찬을 해줬으면 하네."

"더불어 왕세자 저하의 그 넓은 마음에 대해서도요?"

"그렇지."

알베르와 케일은 둘 다 한쪽 입꼬리를 올리며 미소를 지었다. 그 미소가 상당히 닮아 있었다.

"어차피 고대의 힘이니, 자네는 오늘 보인 게 다 아닌가?"

"그렇죠. 사실 그것 말고는 쓸모없는 힘이죠."

케일은 대답하는 자신을 대놓고 탐색하는 알베르의 눈빛에 어깨를 으쓱여 보였다. 케일이 책에서 읽기로, 알베르 왕세자는 고대의 힘에 대해서 다른 이들보다 잘 알고 있는 편이었다.

물론 지금의 케일보다는 잘 몰랐지만, '치유의 별' 소지자인 만큼 어느 정도는 알았다.

'그리고 보니 '치유의 별'을 왕세자의 어머니가 주었다지?'

케일은 문득 떠오른 기억을 머릿속에 새겨두었다. 그런 그에게 왕세자는 보상에 대해 다시 언급했다. 그 말투는 무엇이라도 들어줄 듯 대범했고, 그의 자세는 편안했다.

"무엇을 원하지? 가문? 동북부 해안 투자 건? 아니면 동북부 권력 안정화?"

그래서 케일은 그처럼 편히 답했다.

"그건 제 것이 아니잖습니까."

"……네 것이 아니라고?"

케일은 자신을 빤히 바라보는 알베르의 앞에서 손가락으로 자신을 가리켰다.

"저한테 주십시오."

케일이 원하는 것은 자신에게 필요한 것이었다.

잠시 말이 없던 알베르는 코웃음을 쳤다. 그는 이 망나니의 속내를 알아챘다. 망나니로 살아왔지만, 결국 인간은, 아니, 살아 있는 존재는 더 높은 곳을 향해 올라가고 싶고, 모든 것을 손에 쥐고 싶은 법이었다. 결국 가족보다, 주위 사람들보다 중요한 것은 자신이었다.

"그럼 자네는 무얼 갖고 싶지? 작위? 훈장? 수도에서 본인의 권력 기반을 다지고 싶은가?"

질문을 던진 알베르의 표정이 미묘해졌다. 케일은 알베르의 예상과 달리 그의 말에 고개를 천천히 가로저었다. 모두 아니란 소리였다. 그리고 한 글자를 말했다.

"돈."

"……뭐?"

멈칫하며 되묻는 알베르에게 편히 사는 것이 가장 강한 욕구인 케일은 자신이 원하는 바를 정확히 짚어주었다.

"돈으로 주십시오. 훈장도 싫고, 작위도 싫습니다."

뭐든 현금이 최고였다. 전쟁이 나는데, 작위? 훈장? 현금을 받아 식량이나 땅, 실물 자산으로 바꿔놓는 게 훨씬 이득이었다. 그리고 '바람의 소리' 다음으로 찾을 마지막 고대의 힘은 돈을 쓰는 대로 강한 힘을 얻을 수 있었다.

케일은 왕세자가 손을 들어 제 눈가를 가리는 것을 볼 수 있었다. 왕세자는 한참 동안 그 자세 그대로 있다가 천천히 손을 내렸다. 그의 시선이 케일에게로 향했다.

"술이라도 사 먹게?"

케일은 그 말에 반문했다.

"어떻게 아셨습니까?"

알베르는 피식 웃었고, 그것으로 케일의 조건은 받아들여졌다. 그는 자리에서 일어서며 케일에게 말했다.

"내일 보고서 오면 그거 보고 원하는 보상금을 나에게 말해주게."

"또 병문안 오실 겁니까?"

"왜, 싫은가?"

케일은 천연덕스러운 표정으로 답했다.

"무한한 영광입니다, 저하."

그 대답에 알베르는 소름이 돋는다는 표정으로 케일에게 쉬어라 손짓하고는 바로 방을 나서 사라졌다. 케일은 왕세자가 사라지고 닫힌 문을 가만히 응시했다.

-그런데 마나가 아닌데도 염색이 되는 힘이 있는 건가? 인간, 대답해 봐라. 나는 궁금하다.

케일은 검은 용의 말을 무시하며 곧바로 잠이 들었다. 이제부터 자신은 환자였다.

하지만 편히 쉴 수 있는 환자는 아니었다. 케일은 아침부터 한스에게서 론의 편지를 받아야 했다.

"론 씨는 예정한 대로 떠나셨습니다."

케일은 그 말에 고개를 끄덕이며 편지를 펼쳤다.

도련님, 한 달에 한 번씩 보고하겠습니다.

우리 도련님이 그런 힘을 숨기고 계신 줄은 몰랐군요.

그자의 인상착의를 최한에게 들었습니다. 기억해 두겠습니다.

그리고 비크로스에게도 말해두었습니다.

레디카는 론의 눈에 띄어도 죽을 것 같다. 케일은 그렇게 생각하며 한스 다음으로 방문한 이들을 가만히 쳐다봤다.

"……많이 아프다고 들었다."

에릭 휠스만. 케일은 살면서 이렇게 근심 걱정이 가득한 표정의 사람은 처음 보았다. 그러나 케일은 괜찮다는 말은 하지 않았다. 역할에는 충실해야 하는 법.

"몸에 힘이 하나도 없군요."

"……케일."

하루 종일 자서 몸에 힘이 하나도 없었다.

"속도 더부룩하고."

하루 종일 누워서 뭘 주워 먹었더니 배가 더부룩했다. 더 이상 들어갈 곳도 없었다.

침통한 얼굴의 에릭과 굳은 표정의 길버트, 단단히 무언가를 결의한 듯한 아미르. 그 세 사람과 케일을 번갈아 보던 고양이들은 둘이서 고개를 절레절레 가로저었다.

"혹 필요한 게 있다면 말해."

"맞아요. 뭐든 구해다 드릴게요."

케일은 그들의 말에 고개를 끄덕이며 물었다.

"단순히 병문안은 아닌 것 같습니다만?"

그의 말에 에릭은 아미르, 길버트와 시선을 교환했다. 두 사람이 고개를 끄덕여 보이자, 에릭은 품에서 서류를 꺼내 케일에게 내밀었다.

"동북부 해안 관광 투자 건에 대해 수정한 내용이다. 네 병문안 겸 들고 왔어."

케일은 서류의 앞장을 넘겼다. 제일 먼저 보이는 단어. 해군. 아미르뿐만 아니라 길버트도 마음을 굳힌 듯했다.

케일은 아미르를 힐끗 쳐다봤다. 그녀는 싱긋 웃어 보였다. 에릭의 행동으로 보아, 아미르는 케일이 부탁한 비밀을 잘 지킨 듯했다.

"곧 헤니투스 백작가에도 소식이 닿을 거야. 제안도 함께."

"그렇군요. 그럼 왕세자 저하를 만나실 겁니까?"

"그래. 오늘 저녁에 만나기로 했어. 일단 그쪽에서 흥미를 보여야 우리도 제대로 움직일 수 있으니까."

케일은 아미르와 길버트를 보며 흘러가듯이 말했다.

"잘될 겁니다."

확신에 가득 찬 목소리였다. 실제로 확신하고 있었다. 그리고 그 말에 에릭을 비롯한 세 사람의 마음은 편안해졌다. 그런 셋에게 케일은 서류를 흔들어 보이며 말했다.

"앞으로 이런 서류는 시종을 통해서 보내주시면 됩니다. 병문안 오시기도 힘들 텐데. 안 오셔도 돼요."

"아니, 계속 오마. 너도 나 알아야지."

꼭 온다는 에릭과 길버트, 아미르의 모습에 케일은 대충 고개를 끄덕이며 그들을 쫓아냈다. 침대에 기대어 환자복을 입은 채로 사람을 맞이하는 것도 힘들었다. 그래서 케일은 그나마 다음에 들어온 이들은 이불을 걷어차고 편히 앉아서 맞이했다.

그는 꼭 죄인처럼 서 있는 최한에게 말했다.

"가라."

로잘린이 입술을 깨물었다. 그녀는 어느새 마법을 풀고 붉은 머리칼과 눈동자를 그대로 드러내고 있었다. 옷차림도 로브를 벗어 던지고 정장 차림이었다.

"미안해요, 케일 공자. 하지만 저에게는 최한과 라크가 필요해요."

로잘린은 이제 로운 왕궁에 정체를 드러낸 이상, 최대한 빨리 브렉 왕국으로 돌아가야 했다. 자신이 살아 있음이 알려졌으니 살수를 펼쳤던 자들이 증거를 감출 수가 있었다.

그렇다고 홀로 돌아갈 수도 없었다. 이번 일로 상급 이상의 마법사임을 들켰으니 적은 그에 맞춰 대응하려 할 것이다. 그렇기에 강한 이들이 필요했다.

라크는 문가에 서서 가까이 다가오지도 않고 손가락을 꼼지락대고 있었다. 케일은 최한과 라크에게서 잠시 머물렀던 시선을 돌려 로잘린을 바라봤다.

"뭐가 미안할 일입니까? 로잘린 씨, 당신은 우리의 힘든 일을 도왔습니다. 그러면 우리도 도와야지요."

로잘린은 미소 짓는 케일을 볼 수 있었다.

"로잘린 씨는 라크의 누나이고, 최한의 친구 아닙니까."

"……그렇게 말해줘서 고마워요."

로잘린은 이번 암살로 죽을 위험에 처했었지만, 적어도 이 시간들이 자신의 전환점이 될 것이라 확신했다.

케일은 한 걸음 앞으로 나서는 최한을 바라봤다.

"케일 님, 제가 지켜 드려야 하는데."

"최한."

케일은 최한이 떠나야 운신이 편했고, 전쟁 때 숨어 살 대비를 할 수 있었다. 최한은 케일 특유의 여유로운 미소를 볼 수 있었다.

"나는 결코 죽지 않는다."

돈 많이 모으고, 적당히 도망 다닐 정도로 강해져서 편하게 살 것이다. 그래서 천수를 다 누릴 계획이다. 거기다가 용도 있는데, 최한이 지켜준다니. 최한 자체가 짐이었다.

"그렇군요. 제가 쓸데없는 걱정을 했습니다."

한결 편안해진 최한에게서 시선을 돌린 케일은 라크에게 다가오라고 손가락을 까딱거렸다. 그 까딱임에 라크는 멈칫하며 주춤주춤 다가왔다. 이 소심한 녀석은 왜 이렇게 쪼그라져 있는 것일까. 하지만 케일은 그런 반응을 일일이 생각해 줄 마음이 없었다.

"라크, 네 동생들은 돌봐줄 테니, 갔다가 3개월 뒤에 우리 영지로 와라."

"……네?"

"네는 무슨. 나와의 거래 잊었나?"

"아."

멍하니 바라보는 라크에게 케일은 이 녀석을 써먹을 순간을 떠올리며 지도를 하나 건넸다. 한스에게 받아둔 동북부 영지 지도였다.

"헤니투스. 그곳으로 와라. 네 동생들과 내가 있을 테니까. 반드시 돌아와야 해."

"……돌아갈 곳–"

케일은 어벙하게 중얼거리는 라크가 영 탐탁지 않아 그의 어깨를 꽉 잡으며 말했다. 이 녀석이 와줘야 일이 수월했다.

"그래, 돌아올 곳. 제대로 기억해라. 3개월 안이다."

"네– 네! 반드시 3개월 안으로 돌아오겠습니다."

제대로 알아들은 듯 힘차게 고개를 끄덕이는 라크까지 해결한 케일은 해방감이 밀려왔다.

이야기가 이미 많이 틀어졌지만, 그래도 어느 정도는 큰 틀대로 흘러가길 원했다. 그래야 자신이 아는 것이 늘기 때문이었다. 비크 로스를 로잘린 일행에 함께 딸려 보내지 못해 아쉬웠으나, 나중에 론이 휴직을 끝내고 돌아올 때 같이 보내도 되었다.

케일은 어느 때보다도 평온한 마음으로 침대에 누워, 제 방 곳곳에서 시간을 보내고 있는 일행을 바라보다가 문을 열고 들어서는 한스를 쳐다봤다.

한스는 문 앞을 기사처럼 지키고 있는 최한, 고양이들과 노는 라크, 그리고 여유로이 마법 서적을 보는 로잘린, 마지막으로 침대에 기대 나른한 분위기를 풍기는 케일을 보고는 슬쩍 케일에게 다가갔다. 그리고 나직이 말했다.

"국왕 전하께서 공자님께 훈장을 하나 내리고 싶어 하신다는 말이 있습니다."

순간 모든 방 안의 움직임이 멈췄다.

한스는 슬그머니 서류를 하나 내밀었다. 광장 테러 사건을 두고 도는 소문에 대한 자료였다. 서류를 받아 든 케일은 첫 문장을 보자마자 한마디를 내뱉었다.

어둠의 숲으로부터 왕국을 지키는

헤니투스 가문의 긍지를 이어받은 공자, 케일 헤니투스

"하."

깊은 한숨이었다.

예상했지만 가관이 따로 없었다.

일주일 뒤, 케일은 마차에서 내려섰다. 그가 내린 마차에는 헤니투스 백작가의 황금 거북이가 새겨져 있었다.

-오랜만이다.

케일은 머릿속에 전해지는 검은 용의 말에 동의했다.

지금 케일이 있는 곳은 수도 영광의 광장이었다. 광장 북쪽에는 폭발로 부서진 구역을 복구하기 위한 커다란 가림막이 둘러져 있었다.

케일은 자신의 자리를 향해 앞만 보고 걸었다. 그런 그의 옆에 곧바로 헤니투스 가문 기사단의 부단장과 기사들이 따라붙으며 그를 호위했다.

그때, 걸어가는 케일의 귓가로 아주 소름 끼치는 말들이 들려왔다.

"오, 은빛 공자!"

"방패 공자셔!"

케일의 얼굴이 삽시간에 구겨졌다.

"크흠, 큼."

케일은 부단장이 헛기침을 하며 어깨를 쫙 펴는 것을 보았다. 부단장의 씰룩이는 입가까지 본 순간, 케일은 얼굴을 구겼다. 부단장이 슬쩍 몸을 숙이며 케일의 귓가에 속삭였다.

"공자님을 은빛 공자님이시라고 부르나 봅니다. 크흠, 본디 멋진 이들에게는 자랑스러운 이름이 붙는 법이지요."

제길. 케일은 터져 나오려는 거친 말을 삼켰다.

은빛 공자니, 방패 공자니. 그딴 오글거리고 부끄러운 말을 좀 들지 않으면 좋을 것 같았다. 하지만 케일은 그나마 왕세자가 소문을 잠재워서 이 정도라는 것을 알았기에 그 부분에 대해서는 아무 말 하지 않았다.

다만 어깨를 으쓱이는 부단장에게 나직이 말했다.

"여기서 내가 술 한잔 마시고 평소대로 하면 아무도 그렇게 안 부르겠지?"

"크흠, 큼!"

부단장은 아무 대답도 못 하고 고개를 돌렸다. 케일은 그제야 시원한 기분에 입꼬리가 살짝 위로 올라갔다. 하지만 그는 이내 미소를 지웠다. 이어진 부단장의 말 때문이었다.

"아직 몸이 회복되지 않으셨으니, 술은 삼가시는 게 좋을 것 같습니다."

케일은 아직 공식적으로 아픈 중이었고, 회복이 덜 된 상태였다. 가진 바 힘보다 더 무리하게 고대의 힘을 사용하는 바람에 몸이 다쳤으며, 그 덕에 기적적으로 마법 폭탄의 폭발을 막았다.

그 기적과도 같은 이야기는 당연히 왕세자 알베르의 입에서 흘러나왔다. 그랬기에 수도에 있는 헤니투스 백작가 가솔들은 아픈 케일을 보호하느라 지극정성이었다.

물론 수도만이 아니었다. 케일은 며칠 전 영지에서 올라오던 데르트 백작을 떠올렸다. 그는 영상통신구에 대고 케일에게 말했다.

─케일, 그 녀석들 얼굴을 보았느냐? 이 애비가 다 죽여주마. 검 하나 휘두르지 못하는 너에게 감히!

케일이 고대의 힘을 하나 얻은 것을 알면서도, 어찌 되었든 가문에서 여동생보다 검을 못 다루는 케일을 약하다고 판단한 데르트 백작이었다.

　-우리 헤니투스가 가만히 있는 건 약해서가 아니다. 그걸 기억해
라. 우리는 강하기 때문에 지금까지 가만히 있었던 것뿐이다. 이 일
로 너를 건드는 이들은 누구도 없을 것이다.

　바이올란 백작 부인은 데르트 백작을 말리며 그렇게 말했다. 그리
고 그 말이 사실이었는지, 왕성을 나와 저택으로 돌아온 케일에게 서
신을 보내거나 찾아오는 귀족들은 없었다. 에릭 일행마저 안 왔다.

　'그 덕에 좋았지.'

　그 시간을 아주 유익하게 보낸 케일이었다. 앞을 보며 걷던 케일
은 입구를 지키는 기사와 병사를 마주칠 수 있었다.

　"아, 케일 공자님."

　"신분 확인해야 하나?"

　케일의 물음에 기사는 고개를 가로저으며 정중히 입구를 내어주
었다. 여기서부터는 케일 혼자 들어가야 했다. 이전 탄신일 기념 축
사 때와는 비교도 안 되게 출입이 엄격하게 통제되었으니, 케일은
예외였다.

　"공자님, 들어가시면 됩니다."

　"그래, 고맙네. 수고하게."

　"……네!"

　케일은 힘차게 답하며 고개를 숙이는 기사에게 고생한다는 듯 그
의 어깨를 두드리고는 입구 안으로 들어섰다. 기사는 그런 뒷모습을
한참 동안 바라봤다.

　케일은 여전히 거침없이 걸음을 옮겼다.

　영광의 광장.

오늘 이곳에서 국왕은 지난 폭탄 사건으로 죽은 이들을 기리고, 몇몇 이들에게 훈장을 수여할 예정이었다. 그리고 그 대상이 되는 이들은 오늘 이 광장에서 국왕 다음으로 높은 자리에 설 수 있는 자격이 주어졌다.

케일은 평소보다 더 깔끔한 검은 정장을 차려입은 채 자신의 자리에 도착했다.

"케일."

"형님, 미리 오셨군요."

케일은 자신을 부르는 에릭 휠스만에게 평소와 같은 미소를 지어 보이며 자리에 섰다.

귀족 자제들이 모이는 자리. 케일은 그곳에 섰다.

그런 그를 에릭 휠스만은 물론이거니와 아미르, 길버트를 비롯한 귀족 자제들이 아무 말도 못 하고 바라봤다. 모두 케일에 대한 소식을 하나 들었기 때문이다.

케일 헤니투스는 명예의 상징인 훈장을 거부했다. 그리고 이 훈장을 다른 이에게 양보했다. 또한 그는 아직 덜 회복되었다고 알려진 몸을 이끌고 이 자리에 참석했다.

아미르 우바르는 케일을 바라봤다. 케일은 고개를 들어 하늘을 올려다보고 있었다.

"떠난 이들을 위한 것인지 날씨가 참 좋네요."

담담하게 말하는 케일의 붉은 머리칼이 바람에 휘날리며 검은 정장과 대비를 이뤘다. 아미르는 평소처럼 담담한 그 모습에 희미한 미소를 입가에 그렸다.

"공자의 마음 덕분인 것 같아요."

"제 마음이요?"

이건 뭔 소리인가 싶어 의아한 얼굴로 케일이 아미르를 쳐다봤다. 아미르는 케일의 반응에 그저 차분하면서도 따뜻한 미소를 보냈다. 케일은 그 행동이 의아했지만 제 할 말을 했다.

"오늘 떠나시죠?"

"네, 공자는 내일 출발하시죠? 영지에서 뵙겠네요."

케일은 아미르 우바르, 그녀 가문의 영지인 우바르에 가게 되었다.

"네. 바다가 보고 싶어서요."

"그래요. 요양이시라고?"

"네, 아무래도."

요양은 무슨. 말짱한 몸으로 더 강해지러 가는 길이었다. 하지만 케일은 속내를 말하지 않고 그저 고개를 끄덕여 보였다. 그리고 덧붙였다.

"물론 그 때문만은 아니지만요."

"아, 그렇죠."

아미르와 대화를 듣고 있던 길버트, 에릭의 입가에 미소가 생겼다. 케일과 비슷한 미소였다. 오늘이 지나면 아마 귀족들의 귀에 한 가지 소식이 전달될 것이다.

동북부 해안 군사 기지 개발 및 투자. 그 소식이 여러 귀족들의 귀로 전해질 터. 그래서 아미르와 길버트는 오늘 밤 수도를 급히 떠난다. 쓸데없는 이야기가 나오는 것을 막기 위해서였고, 왕실도, 이들도 빨리 일을 진행하고 싶기 때문이었다.

물론 헤니투스 백작가가 아미르와 길버트의 영지에 막대한 돈을 빌려주기로 했기에 가능한 일이었다. 그리고 그 때문에, 케일이 아미르와 길버트의 영지를 방문할 일이 생겼다.

'케일, 우리 가문에서도 사람을 보낼 것이지만, 네가 가는 길이라면 한번 보고 오너라.'

'아버지, 저보다는 전문가가 낫지 않겠습니까?'

'눈은 여러 개일수록 좋지.'

케일은 데르트 백작의 부탁을 받아들였다.

"잘 부탁드려요."

"잘 부탁드립니다, 공자."

케일은 아미르와 길버트에게 걱정 말라는 듯 손을 휘휘 저어 보이며 시선을 앞으로 두었다. 국왕 제드가 모습을 드러냈다.

추모식 및 훈장 수여식이 시작되었다.

국왕 제드는 어느 때보다도 힘찬 목소리로 말했다. 광장은 저번 주처럼 사람이 많았지만, 분위기는 전혀 달랐다. 숙연했다.

"우리는 결코 공포에 움츠러들지 않음을 알리기 위해, 이곳에서 한 번 더 모이게 되었다."

국왕은 다시 한번 광장으로 왕국민들을 불러 모았다. 적을 향한 경고이자 과시였다. 국왕 제드는 가장 높은 단상에서 발아래 광장을 둘러보며 말했다.

"많은 이들이 용감한 행동을 해주었다. 그 덕에 지금까지의 역사처럼 이 땅을 지켜낼 수 있었다."

그 순간 케일은 국왕과 눈이 마주친 것 같았지만, 아니기를 바랐다. 케일은 슬그머니 시선을 돌려 국왕 너머의 하늘을 쳐다봤다. 그는 검은 용이 했던 말이 떠올랐다.

'태양신의 가호? 저딴 하찮은 인간들에게서는 어떠한 신의 힘도

느껴지지 않는다. 특이한 존재는 왕세자뿐이다.'

크로스만 왕가에 전해진다는 신의 힘은 없었다. 또 하나의 쓸데없는 진실을 알게 된 케일은 결국 모든 것을 모른 척하기로 했다. 검은 용은 둘만의 비밀로 하자는 케일의 말에, 무엇이 신났는지 날개를 파닥이며 알겠다고 했다.

"그런 의미에서 이번에도 용감한 행동을 보여준 이들에게 훈장을 수여하겠다!"

국왕 제드가 훈장 수여식에 대해 알리자 한 사람씩 올라와 훈장을 받았다.

와아아아아-

언제 침체된 분위기였냐는 듯, 이제는 환호가 광장을 가득 채웠다. 검은 용의 목소리가 케일의 머릿속으로 들려왔다.

-인간은 신기하다.

와아아아아-

검은 용의 목소리와 함께, 훈상을 받은 한 기사를 향해 환호하는 사람들의 목소리가 들려왔다. 케일은 검은 용이 무엇을 신기해하는지 대충 알 것 같았다.

하지만 케일은 인간이기에, 신기해하는 검은 용보다 살아남은 이들의 마음에 공감했다. 슬픈 것은 슬픈 것이고, 기쁜 것은 기쁜 법이었다.

짝짝짝.

그래서 그도 훈장을 받은 이들에게 박수를 보냈다. 분위기는 한결 풀어져 있었다. 다들 축제처럼 훈장 수여식을 즐겼다. 그 자유로운 분위기 덕분에 누군가 케일에게 다가올 수 있었다.

"케일 공자."

케일은 나지막이 부르는 목소리에 시선을 돌렸다. 테러로 수도가 위험하다고 판단해 영지로 돌아간 귀족 자제들이 꽤 많았다. 그랬기에 이 자리에 함께하는 귀족 자제들은 전보다는 적었는데, 그중에 한 명이 케일의 옆으로 다가와 그를 불렀다.

"왜 그러십니까, 베니온 공자?"

베니온 스텐. 그는 아직 이곳에 있었다. 그뿐만이 아니다. 각 지역 수장 가문의 귀족 자제들은 모두 남아 있었다.

"훈장을 거부하셨다고 들었습니다. 아쉽지 않으십니까?"

단상 위를 보던 귀족들의 시선이 베니온과 케일에게로 향했다. 케일은 지금 부드럽게 미소 짓고 있는 베니온이 왜 이 물음을 던졌는지, 그가 무슨 의도를 가졌는지 모른다.

─죽여 버리고 싶다.

다만 여기서 베니온의 몸이 터지며 죽어버릴까 걱정될 뿐이었다. 케일은 검은 용이 진정하길 바라며 훈장에 대해 생각했다.

케일은 훈장을 거절했다. 그 이유는 간단했다. '기록'되기 싫었다.

왕궁 도서관의 제일 위층에는 당대 왕에 대한 기록이 있었다. 그리고 그 아래층에는 여러 단계의 훈장을 받은 '영웅'들이 기록되어 있었다.

그리고 왕실은 훈장을 받은 이들에게 다달이 보상금을 준다는 이유로 그들의 위치를 파악하고 관리했다.

'그게 명예일 수도 있지만. 왠지 나는 족쇄가 될 것 같았거든.'

케일은 어디에도 기록되지 않기를 원했다. 기록이 되지 않으면 잊힌다. 곧 전쟁이 곳곳에서 터지는데 어느 누가 이 광장에서의 일을 오랫동안 기억하고 있겠는가. 기억해도 다른 것이 먼저였다.

그걸 알기에 이번 일에 나선 것이었고, 이것이 기록을 피하고 싶은 이유였다.

케일의 입가에 살짝 미소가 맺혔다. 그는 베니온을 바라보며 말했다.

"아쉬울 게 무엇 있습니까."

케일은 아쉬울 것 없었다. 보상도 두둑이 받았고 무엇보다도.

"살아남았으면 그것으로 충분한 것 아니겠습니까."

크게 다치지 않고 살아남았다. 그게 케일에게, 김록수에게 가장 중요하고 또 중요한 사실이었다. 케일의 주변이 조용해졌다. 베니온은 한참 만에 그 침묵을 깨며 말했다.

"······그렇군요."

"네. 제가 또 훈장을 받기에는 담이 조금 작고 소박한 편이거든요."

베니온의 표정이 묘하게 변해갔다. 하지만 케일은 어깨를 으쓱이며 시선을 돌려 새로이 훈장을 받는 이를 향해 박수를 보냈다.

검은 용은 베니온을 어떻게 죽일까 고민하다가, 케일과 그의 주변을 살펴보며 고개를 절레절레 가로저었다. 케일을 쳐다보는 이들이 참으로 많았다. 귀족이라는 자들부터 단상 아래의 사람들까지.

여기서 베니온을 죽이면 귀찮은 일이 많겠다 싶어, 검은 용은 케일처럼 그저 가만히, 정말로 가만히 행사를 지켜봤다.

"이로써 오늘의 행사는 끝이 난다. 하지만 짐은 오늘 이 순간을 잊지 않을 것이다. 기억하고 또 기억하며 용감한 이들을 잊지 않을 것이다!"

국왕의 마지막 말과 함께 행사는 끝이 났다.

쏴아아아— 마치 빗소리와 같은 거친 바람이 광장을 스치고 지나갔다. 케일은 바람에 헝클어진 머리칼을 쓸어 넘겼다.

왕세자는 케일에게 오늘 추모식에 오지 않아도 된다고 했다. 하지만 케일은 왔다. 누군가의 죽음이 가지는 무게를 알았기 때문이다. 그는 자신만의 추모를 끝내고 오른손을 들어 왼쪽 가슴 위에 올렸다. 지켜보던 에릭의 표정이 다급해졌다.

"케일! 무리했어? 심장이 아파?"

근심 걱정 가득한 표정에 케일은 무슨 헛소리냐는 듯 쳐다봤고, 그 명백한 눈빛에 에릭은 어색한 미소를 지으며 슬금슬금 뒤로 물러섰다. 상당히 창피해하는 얼굴이었다.

케일은 그 모습에 픽 웃음을 흘리며 제 왼쪽 가슴 위를 툭툭 두 번 두드렸다. 그러자 상의 안주머니에 있는 황금패의 존재감이 느껴졌다. 왕세자로부터 받은 보상이었다.

'왕세자가 생각보다 통이 커.'

황금패. 무엇이든 딱 두 번, 금액과 상관없이 구매할 수 있는 기회.

빵을 두 개 사는 것이나 산을 두 개 사는 것이나 상관없이, 두 번이라는 기회만으로 따지는 황금패. 케일이 아주 유용하게 사용할 것 같은 황금패였다.

'왕세자는 '네가 두 개를 사봤자 뭘 사겠냐?'는 생각으로 이걸 줬겠지만.'

아니면 '네가 어떤 것까지 살 수 있지?' 그런 시험하는 생각에서 건네준 것일 수도 있지만.

'생각을 아주 잘못했어.'

케일의 입꼬리가 올라갔다. 세상에는 살 수 있는 물건이 무궁무진하게 많았다. 그 물건을 살 방법만 안다면 말이다.

-또 뭘 꾸미냐? 약한 인간, 조심히 지내라.

케일은 그의 표정을 보고 건넨 검은 용의 말은 가벼이 무시했다. 그는 자신이 선 자리에서 주위를 둘러보았다. 마주치는 시선들이 많았다.

하지만 이 시선들은 자신이 수도를 떠나면 곧 사라질 것이라, 그는 믿었다.

그렇기에 다음 날, 일찍 수도를 떠나기 위한 준비를 끝낸 케일은 검은 용에게 스테이크와 동시에 세 개의 물건을 내밀었다. 검은 용은 스테이크 그릇을 품에 안으며 물었다.

"이걸 뭐 하게?"

세 개의 물건. 그것은 마법진이 해제된 마법 폭탄이었다. 이 안에는 아직 응집된 마나의 힘이 존재했다. 일단 케일은 이 셋 중 하나를 사용할 생각이었다. 그의 입가에 음흉한 미소가 걸렸다.

"소용돌이를 부숴 버리려고."

케일은 아무도 모르게 로운 왕국 동북부 바다를 뒤엎어 버릴 작정이었다. 아직 인어도, 고래족도 살지 않을 동북부 바다였기에, 충분히 가능했다.

원래는 소용돌이를 부술 생각이 아니었다. 방패와 심장의 활력을 사용해 해결할 생각이었다.

'그건 검은 용이 없을 때고.'

있는데 굳이 자신이 많은 고생을 할 필요는 없지 않은가?

케일은 검은 용과 온, 홍에게 먹을 것들을 잔뜩 먹이고, 배부른 평균 나이 7세 이종족을 밖으로 내보낸 후 첫 번째 손님을 맞이했다.

"뭘 훔쳤는지 모르겠지만 크게 한 건 하셨네요."

빌로스였다.

"내가 요즘 좀 유명하지?"

빌로스는 아프기는커녕 말짱한 모습의 케일이 건네는 말에 어쩔 수 없다는 듯 고개를 가로저었다. 그의 눈에는 아프다면서 술을 마시는 케일이 담겼다.

"네, 유명하시죠. 그런데 술을 드셔도 됩니까?"

"네 앞에서 내가 거짓을 보일 필요는 없잖아?"

빌로스는 씨익 웃으며 케일의 빈 잔에 술을 채웠다. 그리고 마법 상자를 하나 내밀었다.

"부탁하신 물건입니다. 돌려주신 물건들은 잘 받았습니다."

빌렸던 물건은 최한을 통해 돌려준 케일이었다. 케일은 새로이 쓰기 위해 받은 마법 상자를 쓰다듬으며 빌로스를 쳐다봤다.

황금패를 어디에 쓰면 좋을까. 케일은 그중 하나는 정해두었다.

그는 시간을 사기로 했다.

로운 왕국의 실질적인 위험 요소인 자들, 아니, 로운뿐만 아니라 브렉 왕국을 비롯한 중북부를 차지하는 여러 나라에 위험이 되는 존재. 북쪽의 기사들이 내려올 때, 그 순간을 위해 케일은 시간을 사기로 결정했다.

정확히 말하면, 사실 그들보다 서대륙 중심에 있는 제국과 마법사 학살자, 남부의 정글 여왕, 그 모든 것들로부터 벗어나기 위해 시간을 사기로 마음먹었다. 혼자라면 몰라도 이제는 제 영역 안에 들어온 이들이 생겼으니까.

"빌로스."

"네."

"너 무역도 하나?"

"무역은 안 하지만, 요즘 들어 그건 알고 있죠."

빌로스는 확실히 상인이었다. 정보에 참으로 빨랐다.

"서대륙이 폭발 직전이고, 그때 상인들은 돈을 벌기 쉽다는 것을요."

"돈이 되면 상인은 달려들겠지."

빌로스는 상인에 대해 잘 이해하는 케일이 좋았다. 그리고 재지 않고 바로 들어가는 본론이 좋았다.

"위퍼 왕국이 곧 크게 뒤집힐 거야. 짐작했겠지?"

빌로스는 고개를 끄덕였다. 현재 마법사와 비마법사 간의 갈등이 극에 달한 위퍼 왕국이었다.

"그래서 그 순간을 이용해 무엇으로 돈을 벌까 고민이죠. 공자님은 무엇이 가장 돈이 될 것 같으십니까?"

빌로스가 넌지시 건넨 물음에 케일은 즉답했다.

"사람이지."

마법사 연맹은 내전에서 진다. 그리고 마탑이 무너진다. 그렇다면 남은 마법사들은 어떻게 될까?

내전 후 모든 마법사들이 죽는 것은 아니다.

서대륙 최대 마법 장치 생산국. 그곳에는 권력과 정치를 멀리하는 마법사들도 많았다. 그러나 그들은 내전 후 설 자리를 잃는다. 이를 노린 자가 바로 왕세자 알베르 크로스만이었다. 그리고 무너진 마탑을 새로운 장소에 세울 이로 떠오른 인물이 최상급 마법사 로잘린이다.

빌로스는 말귀가 참 밝았다.

"마법사들이 몰락할 것이라 생각하시는군요."

케일은 딱히 대답을 하지 않았다.

마법사들은 망해야 한다. 그래야만 한다. 그게 위퍼 왕국이 미래로 나아가기 위한 방향이었다.

하지만 케일은 그런 것들에 크게 의미를 두지 않았다. 그가 원하는 것은 다른 것이었다.

서대륙 최대 마법 장치 생산국인 동시에, 최고의 마법 장치들을 생산해 내는 곳이기도 한 위퍼 왕국. 케일은 내전 후에 남은 것들이 필요했다.

"마탑이 무너지면, 무조건 나에게 즉시 말해."

"……이유를 물어도 될까요?"

케일은 어깨를 으쓱였다. 그리고 가벼이 답했다.

"그건 그때 되면 알 거야."

마탑.

케일은 그것을 살 것이다.

내전 후 복구 불가 상태로, 망가진 마법 장치들로 뒤덮여 있을 마탑. 그는 그것을 살 방법을 알고 있었다. 그리고 알베르는 이런 케일의 행동을 거절할 수 없을 것이다.

"기대되네요."

빌로스의 말에 케일은 고개를 끄덕이며 동의했다. 자신도 기대되었다.

그것을 사면 시간을 얻는다. 위험으로부터 지킬 수 있는 시간이 생긴다. 물론 매우 비싸겠지만.

'내 돈도 아니잖아?'

케일의 입가에 지어지는 사악한 미소를 보며 빌로스는 기대감을 더욱더 높였다.

"그럼 연락드리겠습니다."

"그래. 기대하고 있겠어."

케일은 첫 번째 손님 빌로스를 떠나보냈다. 그리고 마지막 손님을 맞이했다. 사실 맞이했다기보다는 그쪽이 쳐들어왔다.

케일은 무심코 열어둔 테라스 창을 쳐다보다가 안으로 들어서는 존재를 보며 흠칫 몸을 떨었다.

"뭐야, 이거?"

손바닥만 한 웬 진흙 인형이 아장아장 테라스 창을 넘어 케일에게 다가왔다. 그런 케일의 품으로 온과 홍이 안겨 공포에 질렸다.

진흙 인형의 얼굴이 상당히 공포스러웠기 때문이다. 사실 인형보다는 좀비 같았다. 그때 검은 용이 마법으로 케일의 머릿속에 말을 전했다.

─신의 힘이 느껴진다.

"아."

케일은 한 사람의 이름을 내뱉었다.

미친 신관.

"케이지."

그 순간, 눈과 귀가 없고 입만 있는 진흙 인형의 입이 열렸다.

"역시 알아보시네요, 케일 공자. 이건 저와 의식이 닿아 있는 인형입니다. 일회용으로 듣고 말하는 것만 가능하죠."

역시 네크로맨서라 불리던 이의 실력다웠다.

케일은 검은 용을 바라봤다. 검은 용은 머릿속으로 케일에게 말했지만 투명화하지 않았다. 진흙 인형을 보자마자 인형이 볼 수 없음을 물론 귀가 없음에도 들을 수는 있음을 알아챈 듯싶었다.

'도대체 얼마나 강한 거야?'

케일은 문득 용의 강함이 궁금했다. 그러나 진흙 인형이 하는 말 때문에 오래 생각할 수 없었다.

"우리는 오늘 수도를 떠납니다. 케일 공자는 분명 우리가 이렇게 연락하는 게 싫으시겠죠?"

맞다. 정답이다.

"그래도 테일러가 전하고 싶은 말이 있다고 합니다."

미친 신관 케이지는 스텐 후작가의 장남, 테일러의 뜻을 전했다.

"'케일 공자, 제가 다시 제자리를 찾았을 때, 아니, 제자리보다 한 단계 높은 자리에 올라섰을 때. 그때 은혜를 갚으러 가겠습니다', 이렇게 전해달래요."

"필요 없습니다만."

"알아요."

징그럽게 생긴 진흙 인형과 케일은 서로를 마주했다.

"그래도 저도, 테일러도 원하던 것을 얻었을 때, 그 소식을 전할 곳이 한 곳은 필요해서요."

"알아서 하세요."

그 말에 진흙 인형의 입꼬리가 히죽 위로 올라가더니 서서히 녹아내리기 시작했다. 그 광경을 본 온과 홍이 더욱더 케일에게 파고들었다.

"그럼 건강하시길 바랍니다, 케일 공자."

진흙 인형은 마침내 흔적도 없이 사라져 버렸다. 검은 용이 그 광경을 물끄러미 바라보다가 케일에게 말했다.

"그럼 그때 나는 복수를 하는가?"

버려진 장남 테일러 스텐이 스텐 후작가의 주인이 되었을 때, 현 후작과 베니온 스텐, 그들은 검은 용의 분노를 받아야 할 것이다.

"그래. 네가 하고 싶은 대로 해도 돼."

"좋다."

검은 용은 케일에게 스텐 후작가의 상황을 듣고 복수의 때를 결정했다.

베니온 스텐과 현 후작이 가장 비참하고 절망에 빠져 있을 때. 그때 검은 용은 그들을 더 비참하게 만들고 발악하게 만들다 죽이고 싶다고 했다.

검은 용이 기분 좋다는 듯이 날개를 파닥였다. 역시 살벌한 녀석이었다.

케일은 검은 용이 상상하는 복수 스토리를 자장가로 들으며 힘겨운 밤을 보냈다.

다음 날, 그는 이른 아침부터 마차 앞에 섰다. 그런 그와 일행을 로잘린, 최한, 라크가 배웅했다. 케일은 그런 세 사람을 떨떠름한 표정으로 쳐다봤다.

"케일 님, 그 마법사 녀석이 보이는 것 같으면 용에게 바로 죽이라고 하십시오. 저처럼 쓸데없이 팔을 자르는 것이 아니라, 바로 머리를 날려 버리라고 하시면 될 겁니다."

최한은 아침부터 살벌한 소리를 해댔고.

"내가 꼭 강해져서 돌아갈게! 그동안 공자님 말씀 잘 듣고. 저번에 내가 이야기한 거 신중히 생각해 봐. 너희들의 미래가 결정되는 일이니까. 우리는 이제 강해져야 돼."

라크는 제 동생들 10명에게 둘러싸여 더듬더듬 자기주장을 했다. 그리고 로잘린은 다른 이들이 보지 못하게 마차 안에서 검은 용과 쑥덕이고 있었는데, 케일에게는 들리지 않을 작은 목소리였다.

"드래곤님, 이게 로운 왕국어 글자 교재이고, 이건 대륙 공용어 교재입니다."

"고맙다, 인간. 나는 위대해서 글자를 금방 배운다."

"맞습니다. 드래곤님은 위대하세요. 꼭 멋진 이름을 지으시길 바랍니다."

"이름은 지어달라고 할 거다."

"……케일 공자가 드래곤님께 어떤 의미인지 알겠군요."

"흥."

케일은 무슨 이야기를 하는지 모르겠으나 로잘린이 검은 용을 흐뭇하게 쳐다보는 것을 찝찝한 얼굴로 바라보다 최한에게 다가갔다. 아직까지 최한은 케일에게 어떻게 하면 살아남을 수 있는지에 대해 말해대고 있었다.

"케일 님, 그리고 뭐든 처음에 한 방을 날려 버리고 도망을 가면 살 확률이 높아집니다. 또-"

"쓸데없는 소리 됐고."

입을 닫는 최한에게 케일은 무심히 말했다.

"너나 다치지 마."

"……네, 꼭 그러겠습니다."

선하게 웃는 최한의 얼굴이 썩 보기 싫어 케일은 마차에 올라탔다. 그 행동에 로잘린이 마차 밖으로 내려갔다.

케일은 온과 홍, 그리고 자신의 무릎 위에 앉은 투명화한 검은 용의 무게를 느끼며 마차 창밖으로 부집사 한스에게 말했다.

"출발하지."

그 말이 끝난 순간, 저택 밖으로 나와 있던 고용인들이 케일에게 인사했다. 케일은 자신들의 할 일을 미루고 저택 앞까지 나와 인사하는 고용인들을 이해할 수 없었다. 하지 말라고 해도 굳이 배웅을 하겠다며 나온 이들이었다.

"공자님, 무사히 돌아가시길 바랍니다!"

"다음에 꼭 다시 뵈었으면 합니다."

"공자님을 모실 수 있어 기뻤습니다."

"다음에 또 뵐 날을 기대하고 있겠습니다!"

끔찍한 소릴. 케일은 다시 수도에 올 생각이 눈곱만큼도 없었다. 그는 대충 손을 흔들어 보이고는 마차 창 커튼을 쳐버렸다.

그 행동이 출발 신호였다. 전보다 두 대의 마차가 더 늘어난 케일의 일행은 수도를 나와 동북부로 향했다.

우바르. 수백 넌째 소용돌이치는 비다를 가진 그곳으로 케일은 향했다.

"쓰읍! 짠내가 나는데! 이게 바다예요?"

붉은 고양이 홍이 살짝 열린 마차 창문을 보며 냄새를 킁킁 맡았다. 케일은 대충 고개를 끄덕이며, 검은 용이 건네는 주먹보다 작고 동그란 물건을 받았다.

"이게 폭탄에서 분리한 마나 응집인가?"

검은 용이 고개를 끄덕이며 답했다.

"그렇다. 마법 폭탄을 이제 새로 만들 수 있다."

케일은 그 확언에 기분이 좋아져 마차 창문을 활짝 열었다. 시원한 바닷바람과 함께 드넓은 동북부 바다가 나타났다. 바다 위에는 수많은 섬들이 있었다. 동북부 바다에는 섬이 많았다.

은색 고양이 온이 감탄했다.

"오! 절벽이 엄청나요."

깎아지르는 해안 절벽이 감동과 함께 어마어마한 압박감을 주었다. 마차는 그 깎아지르는 해안 절벽을 따라 형성된 도로를 달리고 있었다.

케일은 저 멀리 우바르 영지의 가장 절경이라는 '바람의 절벽'을 바라봤다. 그 맞은편에는 작은 섬들이 몇 개 있었다.

절벽과 섬, 그 사이 바다에서 회오리치는 소용돌이가 몇 개 보였다. 저 소용돌이가 우바르 영지 앞바다를 위험한 곳으로 만드는 범인이었다.

'마법사 학살자가 저 섬들 중 하나에 표류되면서 '바람의 소리'를 발견했지.'

영리한 야만인이라는 평을 받기도 하는 자. 푸른 늑대족이자 늑대왕이 될 라크보다 뛰어난, 서대륙 최고의 신력을 지녔다고 평가받는 인물. 폭군 툰카.

'그 녀석보다 빨리 얻으면 될 일이야.'

소설 흐름대로라면, 툰카는 아직 이곳에 오기까지 시간이 어느 정

도 남아 있었다. 케일은 툰카를 마주할 일이 없으리라 생각하며 드
넓은 바다를 흐뭇한 눈빛으로 바라봤다. 툰카만 피하면 걱정할 일
없는 여행길이었다.

편한 마음으로 창밖을 내다보던 케일의 시야에 저 멀리 수평선 너
머의 무언가가 보였다.

"음?"

케일은 자신의 눈을 비볐다. 그러나 보이는 것은 그대로였다.

"……저건 고랜데?"

거대한 고래 떼가 하늘에 물을 뿜으며 동북부 바다 앞을 지나 북
쪽으로 향하고 있었다. 케일은 괜히 불안함에 마법 폭탄 재료를 두
손으로 감쌌다.

고래들은 주로 북쪽 바다에 살았다. 고래족도 마찬가지였다. 그들
은 인어와의 전쟁 때에야 비로소 남쪽으로 내려왔다.

'그냥 지나가던 고래 떼들이겠지? 북쪽으로 향하는 고래 떼가 얼
마나 많은데, 설마. 아니겠지?'

케일의 귓가로 검은 용의 목소리가 메아리처럼 울렸다.

"강한 힘이 느껴지는데?"

그 메아리는 정확히 케일의 뇌리에 꽂혔다.

그래서 잠시 뒤, 바람의 절벽을 코앞에 둔 작은 마을에 도착해 마
차에서 내린 케일의 얼굴은 잔뜩 구겨져 있었다.

"공자님, 멀미하셨습니까?"

한스가 다가오며 건넨 말에 케일은 고개를 가로저었다.

"아니. 그냥 불안해서."

"아, 하긴 해안 절벽이 가팔라서 조금 불안하기는 하죠. 하지만 우

리 마부 삼촌은 베테랑이니 걱정 안 하셔도 됩니다."

케일은 듬직하게 쓸데없는 말을 하는 한스를 외면하며 다가오는 이에게 손을 내밀었다.

"오랜만이군요, 아미르 영애."

"그러네요, 케일 공자."

아미르가 특유의 차분한 미소를 지으며 케일과 그의 일행을 반겼다.

우바르 영지의 작은 바닷가 마을. 특별한 발전도 없이 조용하게 어업만으로 생계를 이어오던 그곳에, 지금 어느 때보다도 많은 사람들이 찾아오고 있었다.

마을의 모습이 하루가 갈수록 점점 달라지고 있었다. 하지만 조만간 그 속도와는 비교도 안 될 만큼 마을이 크게 바뀔 계기를 얻을 것이다. 내일 밤, 바다 깊숙한 곳에서 케일이 마법 폭탄을 터뜨릴 예정이었으니까.

하지만 그것보다 먼저, 케일에게 터져서는 안 될 일이 터져 버렸다. 그 일은 아미르에게 보고를 하는 한 기사로부터 시작되었다. 그 기사는 급히 다가와 나직한 어조로 말했다.

"소가주님, 조난자가 정신을 차렸습니다."

"아, 그래요?"

조난자?

그 단어에 순간 케일은 어떤 사람이 떠올랐다. 설마 하는 심정으로 케일이 미간을 찌푸릴 때, 아미르는 케일의 표정을 보고 친절히 설명해 주었다.

"며칠 전, 근처에서 해안선 탐사 겸 섬을 조사하다가 표류하던 이를 한 명 구했습니다. 그 사람이 정신을 차린 듯하군요."

불길하다.

"그때 그 사람이 정신을 잃고 소용돌이에 휘말리려고 해서 어떻게 해야 하나 생각했었는데, 케일 공자가 광장에서 했던 일을 떠올리며 구해야겠다 생각했습니다."

아미르는 케일에게 말했다.

"사람의 생명은 귀중한 것이니까요. 그렇죠?"

케일은 한참 만에 그 물음에 답했다.

"……그렇죠."

"역시 공자라면 그리 답할 줄 알았습니다."

케일은 미소 짓는 아미르의 얼굴은 하나도 눈에 들어오지 않았다. 대신 '영웅의 탄생'에 나왔던 툰카에 대한 묘사가 자꾸만 케일의 머릿속을 왔다 갔다 했다.

11장
소용돌이 속으로

11장
소용돌이 속으로

머릿속이 복잡한 케일을 알 리 없는 아미르는 심각해진 케일의 표정을 보며 역시 그답다는 생각에 말을 이었다.

"구할 때 외양을 보니, 위퍼 왕국 부족의 사람 같더군요. 옷차림이나 체격을 보면요."

확실히 툰카다.

아미르의 말이 이어질수록 케일의 얼굴이 하얘졌다.

마법사 연맹에 대항하는 비마법사 연맹에 속한 사람들은 한때 위퍼 왕국 내에서 야만인이라고 무시당하던 부족민들이었다.

하지만 세상에 야만인은 없다. 인간은 모두 같은 두뇌를 지녔고, 세월이 지나고 역사가 흐르면서 각자의 방식에 맞게 성장하고 발전할 뿐이었다.

마법을 쓰지 않고 위퍼 왕국의 험한 산과 해안가를 차지한 부족민들. 그들은 인간 본연의 신체 힘을 극대화시키는 데 집중했다. 그리고 마법사만이 득세하는 권력 구조로 이루어진 위퍼 왕국을 무너뜨리고 태초의 모습을 찾고자 했다.

위퍼 왕국의 왕국민들은 그 부족민들을 따랐다. 타국 사람들이야 야만인이 나라를 차지했다고 떠들었으나 왕국민들에게 그들은 야만인이 아니었다. 그저 자유로운 사람들이었을 뿐.

이성의 나라를 본능이 무너뜨렸다.

'문제는, 툰카는 정말로 무식하다는 점이지.'

영리한 야만인? 그딴 표현도 있었으나, 케일이 보기에 툰카는 단순하고 무식한, 힘만 센 인간일 뿐이었다.

그리고 무식한 놈이 제일 무섭다.

말이 안 통하기 때문이다.

"공자, 그 사람 걱정은 많이 안 하셔도 될 겁니다. 신체 회복이 상당히 빠르더군요."

케일은 아미르의 말에 굳은 얼굴로 손사래를 쳤다.

"전혀 걱정하지 않습니다. 오래 치료를 받았으면 하는군요."

케일은 자신이 떠날 때까지 그와 마주치지 않았으면 좋겠다는 소망을 담아 말했다. 아미르는 물론이거니와 수도에서부터 그녀를 호위했던 기사들은 따뜻한 눈빛으로 그런 그를 바라봤다.

케일은 그런 눈빛 따위에 신경 쓸 틈이 없었다. 툰카가 왜 지금 나타났을까? 그 생각만으로도 머리가 아픈 케일이었다.

"아미르 영애, 숙소 안내 좀 부탁드려도 되겠습니까?"

"그럼요. 아직 몸이 덜 회복되셨지요?"

"네, 아직 아픕니다."

"……이런, 얼른 가요."

아미르는 심각한 얼굴로 걸음을 서두르다가 이내 그의 걸음에 맞춰 걸었고, 케일은 한 가지 생각을 떠올리고 있었다.

'빌로스가 플린 상단 사람이고 가진 능력이 뛰어나다고 해도, 어떻게 내전이 일어날 것을 그렇게 확신할 수 있었을까? 이렇게 빨리 알 수 있을까?'

케일은 빌로스의 능력을 알고 있었기에, 일전에 그와 만나 나눴던 대화 내용을 예사로 생각했다. 하지만 지금 빌로스는 상단 내에서 서자로 배척받는 이였다. 정보 수집에 한계가 있을 것이다.

그럼에도 빌로스가 내전에 대해 알고 있다는 소리는 한 가지 유추를 가능하게 했다.

'내전이 책 속 내용보다 빨리 벌어지는구나.'

그렇게 생각하면 모든 사건의 아귀가 맞았다. 그렇다면 무엇이 내전을 앞으로 당긴 것일까.

하지만 케일은 그 사실에 의문을 깊이 두지 않았다.

일단 툰카가 표류했다는 사실. 그것은 그가 마법사들에게 공격을 받아 배가 난파되었고, 더불어 그가 북쪽에서 힘을 손에 넣고 돌아왔다는 것을 의미했다.

그렇다면 역사는 바뀌지 않는다.

마법사들을 공포에 떨게 했던 신력. 인간의 신체가 가지는 순수한 힘의 정점. 툰카는 바다와 산, 사막, 정글, 화산 지대, 북쪽 얼음 지대, 그 모든 곳들에서 인간의 신체 힘만으로 살아남았다.

자연을 버틴 툰카. 자연의 힘인 마나를 사용하는 마법사들은 그를 이길 수가 없었다.

'용이면 몰라도.'

용이면 툰카 정도는 그냥 한 방에 죽을 것이다.

케일은 숙소에 도착하자마자 쉬고 싶다고 말하고는, 제 방에 들어서서 모두 내보내고 천장을 보며 말했다.

"야."

"왜 그러나, 인간."

검은 용이 모습을 드러냈다. 케일은 검은 용에게 단단히 일러두었다.

"당분간 계속 내 옆에 있어라. 어디 가지 말고."

최한과 검은 용의 일로 깨달았다. 툰카를 피하려고 애쓰다간 오히려 만나서 짐덩이가 늘 수도 있다고. 그때를 대비해야 했다.

"내 마음대로 할 거다."

검은 용은 콧방귀를 뀌며 케일을 외면했다. 그러나 날개가 파닥이는 것을 보며 케일은 검은 용이 제 말을 들을 것이라 확신했다. 몸과 언어가 반대인 녀석이었다.

케일은 검은 용에게 일러두자 마음이 편안해졌다. 그는 그제야 방 안을 둘러보았다. 작은 바닷가 마을 높은 지대에 있는 저택으로, 우바르 가문에서 이번 대 가주가 취임하며 세운 곳이라 들었다.

'안 어울리네.'

작은 바닷가 마을에 어울리지 않게 상당히 좋은 저택이었다. 그 말은 아미르의 어머니, 우바르 영지의 현 영주가 취임과 동시에 이 우바르의 앞바다를 개발할 마음을 먹고 있었음을 뜻했다. 그리고 그 결실이 10년 만에 서서히 드러나고 있었다.

'길버트 영지를 끌어들이고, 휠스만 가문의 보조를 받는 게 짧은 시간이 걸리는 일은 아니지.'

케일은 이 우바르 영지를 떠나기 전, 영주를 만나기로 되어 있었다.

그때쯤 영주가 영주성이 있는 도시에서 이곳으로 오기 때문이었다.

케일은 일정을 대충 머릿속에 새겨두고서 창문 앞에 섰다. 커다란 창으로 바닷가 마을을 내려다보았다. 더불어 바람의 절벽의 모든 모습을 눈에 담았다.

바람의 절벽.

절벽의 앞바다는 수백 년이 넘는 시간 동안 날마다 소용돌이가 휘몰아치며 더 넓은 바다로 나가려는 우바르 영지민들을 괴롭혔다.

그럼에도 영주가 이 앞바다를 중요시 여기는 점이 있었다.

바다를 낀 마을이 두 곳 더 있었지만, 이 마을은 두 마을의 중심에 위치해 있었다. 초승달 모양의 해안선을 지닌 이 마을은 깎아지르는 해안 절벽을 양옆에 끼고서, 세 마을 중 유일하게 배가 정박하기 쉬운 형태의 지형으로 되어 있었다.

거기에다 크고 작은 섬들이 마을 정면에 포진하고 있어 시각적 풍경이 뛰어났다. 또한 군사적 의미라면 더 좋은 곳이라 할 수 있었다.

케일은 내일 오전에, 저 섬들 중 중심에 위치한 가장 작은 섬으로 갈 예정이었다. 그 섬 바로 앞바다에 모든 소용돌이의 근원이 되는 '바람의 소리'가 있었다.

툰카는 바람의 소리에 대해 책 속에서 이렇게 평했다.

"조용한데 정신없는 힘이야."

딱 케일이 원하는 힘이었다.

조용히, 빠르게 도망갈 수 있고, 강자들을 정신없게 만들 힘. 케일의 입꼬리가 살짝 올라갔다. 그는 내일 아침이 기대됐다.

그 미소는 곧 흐뭇함이 담긴 미소로 바뀌었다.

"공자님! 비크로스 삼촌이 공자님께 특별히 드리려고 만든 해산물 음식이래요!"

"바닷가라고 삼촌이 엄청 신나셨어요!"

"맞아, 케일 님! 많이 드세요!"

케일은 제 방에 음식을 가져다놓는 늑대 아이들 10명을 흐뭇하게 바라봤다.

그는 다른 이들에게 늑대족 아이들은 라크의 친척 형제들로, 한 마을에 살다가 모두 산적들에게 가족을 잃었다고 해두었다.

그의 입가에 흐뭇한 미소가 진해졌다. 물론 이 10명이 좋아서 나오는 흐뭇한 미소가 아니었다. 케일의 눈동자는 아이들 뒤에서 트레이를 끌고 들어오는 비크로스에게 향했다.

론의 아들이자 주방장, 그리고 고문 능력자 비크로스. 그는 평소 옷에 구김 하나 없이, 먼지 하나 없이 극단적으로 깔끔한 모습을 보였다.

지금도 마찬가지였다. 하지만 그의 눈 밑은 시꺼멨다.

"공자님, 드세요."

"그래, 고맙다. 너희들에게 비크로스를 돕는 주방 일을 맡기길 잘했어."

케일은 10명의 늑대 아이들 중 12살로 가장 맏형인 메스에게 고맙다고 말하며 포크를 집어 들었다.

'공자님, 저희도 일을 하고 싶어요. 공짜는 안 된다고 라크 형이 말했어요.'

여행 중 케일의 마차에 메스를 필두로 함께 들이닥친 늑대족 아이들은 일을 시켜달라고 했다. 그때 케일은 이 아이들에게 주방 보조를 맡겼다.

'음, 저희가 기사단 일을 돕는 게 더 나을 것 같은데. 그래도 열심히 해보겠습니다.'

12살 소년 메스는 라크와 달리 당당했고 또 차분했다. 그리고 늑대족의 힘을 정확하게 파악하고 있었다. 그래서 케일은 더욱더 그들에게 주방 일을 맡겼다.

'아직 너희는 아이들이다. 기사단과 같은 위험한 일은 일러. 비크로스를 도와 야채를 다듬고 그러도록 해.'

'역시 라크 형의 말씀대로시네요. 네, 열심히 하겠습니다.'

열심히 한다고 말한 아이들은 말한 그대로 아주 열심히 했다. 그렇기 때문일까. 케일은 날이 갈수록 피곤해 보이는 비크로스를 보며 입꼬리를 씰룩였다. 늑대 아이들이 식탁 세팅과 음식 접시 등을 옮기고 나갈 동안 비크로스는 나가지 않고 가만히 서 있었다.

"삼촌, 안 나가세요?"

늑대 아이들은 활발하고 맑았다. 비크로스에게 삼촌이라고 부르며 아주 살갑게 대했다.

"……나간다."

그 말에 아이들은 먼저 방을 나갔다. 늑대족 아이들은 언제 산골 마을 태생이었냐는 듯, 하나같이 깔끔한 옷차림에 머리칼이 정돈되어 있었다. 비크로스의 진두지휘 덕이었다.

'이렇게 보니 제대로 된 보모감인데.'

비크로스가 알면 당장 식칼을 찾아 들고 올 생각을 하며, 케일은 자신을 쳐다보는 비크로스의 눈빛을 슬쩍 모른 척했다. 겉으로는 말끔하고 예의 바른 요리사로 살아가고 있는 비크로스. 그는 늑대족 아이들을 차갑게 대하지 못했다. 그저 이따금씩 케일을 지그시 응시할 뿐이었다.

케일은 포크와 나이프를 들고서 나가는 비크로스에게 말했다.

"잘 먹을게. 늘 맛있는 음식 고맙다."

"……네."

달칵. 비크로스가 나가며 문 닫히는 소리가 났다. 케일은 이를 보며 툭 내뱉었다.

"제 아버지 일을 왜 대신하려고 하는 건지."

비크로스가 직접 음식을 가져다줄 필요는 없었다. 하지만 그는 어느 순간부터 틈이 날 때마다 하나씩, 론이 하던 일을 대신하고 있었다. 그 덕에 케일은 자잘한 시중을 들던 론의 빈자리를 느낄 틈이 없었다. 비크로스 아니면 늑대족 아이들이 와서 시중을 들었기 때문이다. 케일은 방구석을 보며 말했다.

"와서 먹어."

케일의 식사 파트너, 온과 홍, 검은 용이 식탁으로 들이닥치며 음식을 먹기 시작했다. 케일은 창밖의 노을이 지는 바다를 보며 느긋하게 저녁 식사를 즐겼다.

"반갑네."

"저도 반갑습니다, 공자님."

다음 날, 케일은 눈앞의 노인과 인사를 나눴다.

수십 년 우바르 영지 앞바다를 누비며 소용돌이와 공존해 온 어부. 이 작은 바닷가 마을의 최고 베테랑이라 불리는 노인은 바다에서 보낸 시간만큼 새까맣게 탄 피부로, 눈가에는 주름이 져 있었다.

"저만 믿으십시오. 안전하게 중앙 섬까지 갈 수 있으실 겁니다."

옆에 있던 아미르가 고개를 끄덕이며 맞장구쳤다.

"맞아요. 훌륭한 뱃사람이니, 이자와 함께면 우바르 앞바다 어디든 마음껏 다니실 수 있을 겁니다. 저도 함께 가서 안내해 드려야 하는데 제가 일이 있어서."

"괜찮습니다, 영애. 훌륭한 어부를 소개해 준 것으로도 충분합니다."

아미르가 함께 가면 곤란했다. 케일은 오늘 함께 배를 탈 인원을 정해두었다. 어부는 케일에게 물었다.

"이렇게 세 분이서 함께 가시는 겁니까?"

"그렇네. 어서 가지."

"네, 올라타시면 됩니다."

케일은 크기는 작지만 튼튼한 외벽과 천장을 가진 배에 올라탔다. 그 뒤를 따라 부단장이 올라탔다. 그가 함께 가기 때문에 다른 기사들은 데리고 가지 않아도 되었다. 또 섬들이 무인도라 걱정거리도 없었다.

"공자님, 무사히 다녀오시길 바랍니다."

"그래."

부집사 한스는 온과 홍을 품에 안고서 케일을 배웅했다. 고양이 온과 홍은 물가에 다가가려는 한스의 품을 벗어나려고 발버둥이었다. 바다 냄새는 좋아하면서 물은 싫어하는 온과 홍이었다.

–나는 날아서 간다.

당연히 검은 용은 투명화해서 몰래 따라올 예정이었다. 케일은 마지막으로 배에 올라타는 이에게 가벼운 농담을 건넸다.

"비크로스, 섬 근처에 쳐놓은 그물에 진귀한 해산물이 많다더군. 식견을 넓히기 좋을 걸세."

"……감사합니다, 공자님."

케일의 부름으로 함께하게 된 비크로스. 그는 떨떠름한 얼굴로 배에 올라탔다. 케일은 모두 올라탄 것을 보고 어부에게 말했다.

"출발하지."

"네."

어부는, 작은 배의 선장은 제 아들과 함께 노를 젓기 시작했다. 소용돌이치는 바다는 뛰어난 배도, 속도를 높이는 마법 동력도 중요치 않았다.

오로지 세월이 쌓은 경험, 노인의 노 젓기가 더 유용했다.

"배가 조금 많이 흔들릴 수 있으니, 손잡이를 단단히 잡으십시오."

노인은 평온하게 그리 말했고, 배가 출발했다.

잠시 후, 케일은 욕을 내뱉었다.

"제길."

배가 흔들렸다. 무엇이든 빨아들일 듯한 소용돌이의 경계를, 작은 배는 위태롭게 스쳐 지나가고 있었다. 집어삼킬 듯한 바다의 일렁임이 배를 뒤흔들었다. 철썩, 쏴아아. 온갖 물의 소리들이 뒤엉킨 곳에서 어부 노인은 외쳤다.

"하하하. 공자님, 소용돌이가 참으로 멋지지 않습니까?"

어부는 아주 담이 큰 인간이었다. 케일은 하얗게 질린 얼굴로 자신의 옷깃을 잡는 부단장의 손을 쳐내 버렸다.

뱃멀미가 올 것 같았다. 그럼에도 케일은 배에 달린 작은 창으로 밖을 내다봤다.

실제로 본 소용돌이는 위압감부터 달랐다. 휘몰아치는 바다의 빛깔은 결코 투명하지 않았다. 바다 표면의 흰색과 푸른빛, 그리고 소용돌이 중심으로 갈수록 밤을 닮은 어두운 남색. 여러 빛깔들로 뒤섞여 있었다.

'휘말리면 그냥 죽겠네.'

케일은 숙소의 마법 상자에 넣어둔 새로운 마법 폭탄을 떠올렸다. 그는 시선을 앞으로 돌렸다. 수많은 크고 작은 섬들 중앙으로 가장 작은 섬이 보였다.

"공자님, 저 섬입니다! 저 섬 앞에 있는 소용돌이 놈이 가장 무서운 놈이지요! 휘말리면 그냥 세상과는 마지막 작별 인사를 해야 하지요! 하하하!"

어부는 참으로 대담했다. 부단장의 얼굴이 더욱더 하얗게 질린 것도 모른 채 어부는 말을 이었다. 케일은 멀미가 날 것 같은 것을 참으며 그의 말을 귀에 담았다.

"예전에는 저 소용돌이가 신의 물건을 훔친 도둑 때문에 생겨났다는 전설이 있었습니다만, 어이쿠야!"

배가 살짝 기울어졌다. 케일은 배의 창문에 바닷물이 부딪치는 것을 보며 침을 꿀꺽 삼켰다.

"아이구, 배가 엎어질 뻔했네요. 녀석아, 노를 제대로 저어야지."

"죄송합니다, 아버지."

어부 부자는 참으로 담담했다.

"그래서 말입니다, 공자님."

"이보게."

케일은 결국 손을 들어 올려 노인의 입을 막고 단호히 말했다.

"일단 저 섬부터 먼저 가고 말을 하지."

"아미르 소가주님도 그렇게 말씀하셨죠! 금방 가겠습니다."

노인은 노련하게 노를 저었다. 그에 따라 흔들리고 위태로운 배는 교묘하게 방향을 틀며 소용돌이들을 피해 갔다. 케일은 그 소용돌이들을 모두 관찰했다.

'바람의 소리가 토해낸 바람의 자국들.'

마치 팽이처럼. 고대의 힘 '바람의 소리'는 주기적으로 팽이를 생산해 이를 힘껏 돌렸다. 그리고 시간이 지나 팽이, 그 소용돌이가 힘을 다하면 새로운 팽이를 던졌다.

"고, 공자님. 제, 제가 지켜 드려야 하는데. 크윽."

케일은 쓰러질 것 같은 소리를 내는 부단장을 무시하며 배의 손잡이를 두 손으로 꼭 붙잡았다. 익사는 피하고 싶은 케일이었다.

그리고 마침내 케일은 돌로 된 땅 위에 발을 디딜 수 있었다.

"도착입니다. 평소보다 수월하게 왔네요."

어부의 말에 아들이 고개를 끄덕였다. 케일은 그 어부 부자의 어깨 너머를 바라봤다.

"우웨엑."

부단장은 정말로 죽지 않을까 싶은 모습으로 뱃멀미의 고통에 시달리고 있었다. 케일은 제 옆으로 다가오는 비크로스의 팔을 툭 치며 부단장을 가리켰다. 비크로스의 미간이 찌푸려지더니 안주머니에서 꺼낸 하얀 장갑을 끼고서 부단장에게 다가갔다. 그 하얀 장갑을 본 순간 케일의 어깨가 살짝 흠칫했다.

'저건 고문 때 더러워지기 싫다고 끼는 장갑인데?'

몇 켤레가 있는지 알 수 없는, 비크로스 전용 하얀 장갑. 그 존재를 실제로 목도한 케일은 부단장과 비크로스에게서 시선을 떼고 섬을 둘러보았다.

모래사장이 없는 섬의 해안가에는 돌들이 쌓여 있었다. 해안가에서 조금 더 안쪽으로 시선을 돌리면 작은 숲이 있었다. 사실 숲보다는 꽤 넓은 정원이라고 보는 편이 맞았다. 한 시간 정도면 둘러볼 크기라고 했으니까.

"노인장."

"네, 공자님."

"아까 전, 그 도둑 이야기 계속해 봐."

케일의 말에 노인은 아들이 배를 정박시키는 것에서 시선을 떼어, 그들이 지나 온 바닷길을 가리켰다. 중앙 섬의 앞에는 거대한 소용돌이가 있었다.

"옛날, 누구보다 빠른 발을 지닌 도둑이 있었다고 합니다. 그 도둑의 발걸음이 얼마나 가볍고 조심스러운지 바다 위를 달리는 순간에도 해수면에 어떠한 파동 하나, 튕겨 오르는 물방울 하나 없었다고 합니다."

도둑의 힘은 바람의 소리가 맞았다. 물론 바다 위를 달리는 건 조금 과장이었지만.

"어쨌든 그 도둑이 물건을 하나 훔쳤는데, 그것이 신의 물건이었다고 합니다. 도둑은 이를 들고, 이 앞의 바람의 절벽 아시죠? 그 해안 절벽에서 뛰어내렸다고 합니다. 그래서 신의 물건과 도둑 모두 세상에서 사라졌고, 그 뒤에 이 해안가에는 소용돌이들이 생겨나게 되었다고 합니다."

세월의 주름이 새까맣게 탄 피부만큼 새겨진 노인은 부드러운 미소를 지어 보였다.

"그래서 예전에는 신의 물건을 향한 제사도 지내곤 했죠."

"지금은 안 하는가?"

"진짜 신의 물건이었다면, 그 신이 왜 자신의 물건을 찾아가지 않고 인간을 괴롭게 하겠습니까?"

노인의 말에 케일은 동의했다.

신의 물건이 아니었다. 인간의 힘이었다. 그러니 신은 가질 수 없었다.

"그럼 나는 이만 섬을 둘러보고 오지."

"네, 여기서 기다리고 있겠습니다."

케일의 말에 노인은 아들에게로 갔고, 부단장이 벌떡 일어났다.

"공자님, 저도, 크읍."

그리고 다시 몸을 수그렸다. 케일은 혀를 쯧쯧 찼고 비크로스에게 다가오라 손짓했다. 그는 다가온 비크로스에게 속삭였다.

"론의 아들이면 너도 평범하지 않겠지."

"그래서요?"

당황하는 모습을 조금도 보이지 않는 비크로스에게, 케일은 어깨를 두드려 주며 말했다.

"부단장 네가 잡고 있어."

"……혼자서 되겠습니까?"

"여기에 위험할 게 뭐가 있겠어? 그리고 내 방패 알잖아?"

"다녀오십시오."

비크로스는 별다른 반응 없이 케일의 말에 수긍했다. 그래서 비크로스를 데리고 왔다. 케일은 당분간 제 곁에 사람을 두기는 두어야 했다. 그를 지켜야 한다는 것에 큰 의무감이 없으면서 강한 자. 그리고 일을 시킬 수 있는 자.

비크로스가 딱이었다.

"갔다 올게."

케일은 중앙 섬의 숲으로 향했다.

"위험하면 바로 방패를 쏘아 올리십시오."

"공자님, 곧 제가 뒤를 따라, 크억."

그는 비크로스와 부단장의 말을 가벼이 흘려들으며 숲에 들어섰고, 동시에 작은 목소리로 말했다.

"어때?"

검은 용의 목소리가 들려왔다.

"네 말대로 이 섬 앞 소용돌이 밑에 뭔가가 있다. 저번에 너와 함께했던 동굴에서의 그 힘과 비슷했다."

심장의 활력을 얻었을 때. 검은 용은 그때를 가리키고 있었다. 케일은 여유로이 숲 안을 거닐었다. 어차피 숲 안을 둘러볼 이유도 없었다. 그저 소용돌이 확인을 위해 겸사겸사 온 것뿐이었다.

'밤에 날아서 와야 하니까 지형은 대충 봐둬야지.'

케일은 한 가지를 더 물었다.

"아무도 없지?"

"없다."

섬 안에는 케일 일행을 제외하곤 아무도 없었다. 그 사실에 케일은 한시름 놓을 수 있었다. 아무래도 그는 어제 보았던 그 고래 떼가 조금 마음에 걸렸었다. 이제야 마음이 편안해졌다.

"그런데 시체는 있다."

"뭐?"

케일의 걸음이 딱 멈췄다. 그는 미간을 찌푸린 채 허공을 응시했고, 그 허공에서 투명화를 푼 검은 용이 나타나 말했다.

"아까 이 섬 위에서 쳐다보니까, 배를 댄 반대편에 시체가 세 구 있었다."

시체라니? 그건 생각도 못 한 주제였다. 섬 반대편으로 향하던 케일은 세 발자국 정도 뒷걸음질을 쳤다. 왠지 이대로 앞으로 가다간 재수 없는 일이 벌어질 것 같았다. 그러나 검은 용은 꾸준히 말했다.

"그런데 그 시체가 인간이 아니었다."

케일은 손을 들어 눈가를 가렸다. 인간이 아니라면 그 모습이 특이하다는 소리였다. 그런네 또 동물이나 특정 대상을 가리키지 않는다는 것은.

'인간과 비슷한 모습이지만 다르다는 소리지.'

그렇다면 답은 하나였다.

"손과 발이 이상하던가?"

케일의 물음에 검은 용은 힘차게 고개를 끄덕였다.

"그렇다! 손과 발 모양이 이상했다. 부채 같았다."

물갈퀴. 인어의 상징이었다.

고래 떼에다가 인어라. 케일은 불길함과 함께 의구심이 치밀어 올랐다. 벌써부터 고래 떼와 인어가 등장해서는 안 되었다.

'아니지.'

케일은 생각을 바로 했다. 고래족과 인어의 싸움. 그것은 인간들의 투쟁보다 그 역사가 오래되었다. 그러나 그것이 '영웅의 탄생'에서 나온 순간은 최한과 고래족이 엮였을 때였다.

케일은 검은 용을 불렀다.

"야."

"……야라고 하지 마라."

"그럼 뭐라고 해?"

"그건 곧 네가 알게 될 거다."

뭔 소리야. 케일은 요즘 글자를 공부하고 있는 검은 용이 곧 이름을 짓겠구나 생각하면서, 자신이 걸어가던 방향으로 턱짓하며 말을 이었다.

"저 앞에 아무도 없다고?"

"살아 있는 생명은 없다. 바다도 마찬가지다."

"그럼 안내해."

아무래도 인어의 시체를 봐야 할 것 같다. 물론 위험한 것은 싫으니.

"네가 앞장서고."

케일은 검은 용을 앞세우고 섬의 반대편으로 향했다. 그리고 작은 숲을 빠져나와 섬의 반대편에 도착한 순간, 미간을 찌푸렸다.

"……진짜네."

예상대로 인어 시체가 맞았다. 정확히 목이 부러진 시체 세 구가 있었으며, 모두 팔다리가 비틀어져 있었다. 케일은 책 속 묘사로만 보다가 실제로 마주한 인어의 외양에 미간을 찌푸렸다.

시체는 미라처럼 바짝 말라 있었다. 하지만 인어는 그 생김새가 인간과 참으로 달랐다.

손과 발에는 물갈퀴가 있었고 피부는 생선의 비늘로 덮인 것과 비슷했다. 그리고 귀 대신에 아가미가 달려 있었다.

"왜 안 다가가나?"

검은 용은 멀찍이 떨어져서 관찰하는 케일에게 의문을 제기했다. 그런 검은 용에게 케일은 툭 던지듯 말했다.

"무섭잖아."

"……맞다. 잊었다. 약한 인간."

검은 용이 고개를 끄덕이며 인어 시체 옆으로 갔다. 그리고 뭐라 혼자 말하기 시작했다.

"아주 단번에 찌부러지듯이 눌려서 죽은 것 같다. 그리고 죽은 지 얼마 안 된 것 같다. 또한 이 시체들 물갈퀴 밑에 붉은 피가 보인다. 이들도 싸우다가 피를 묻힌 것 같다."

고래다. 인어를 죽인 건 분명 고래다.

용만큼 적은 개체수를 가진 고래족. 하지만 바다에서 가장 강한 존재였다. 그렇기에 인어로부터 바다 세계를 지킬 수 있었다.

인어는 바다 세계 속에 왕국을 세우길 원했다. 하지만 고래족은 바다 안에서 영역을 나누는 것을 용납하지 못했다. 이동을 해야 하는 해양 생태종들의 특성 때문이었다.

'고래족이 숫자가 적어도 강해서, 인어들은 함부로 자신들의 뜻을 펼칠 수 없었지. 하지만 그들이 갑자기 강해지기 시작했어.'

인어의 힘이 강해지고 고래족은 어려운 상황에 놓인다. 그때 최한이 나타나 고래족의 편이 된다. 거기까지가 5권의 내용이었다.

케일은 검은 용에게 이만 가자고 말하며 인어 시체들에게서 뒤돌아섰다.

"저렇게 둬도 되나?"

"어."

인어의 시체는 지상에서는 부패하지 않는다. 그저 바짝 마를 뿐. 부패하려면 바닷속이어야 가능했다. 그리고 부패가 진행되면서 바 닷속에 냄새가 퍼져 인어들이 시체를 찾아간다. 그래서 고래족이 일 부러 저렇게 둔 것이리라.

'나도 얼른 처리하고 떠야겠는데.'

아마 고래족은 한 명이었을 것이다. 둘이었다면 굳이 시체를 지상 에 두지 않고 더 많은 인어들을 불러 모아 한판 했을 것이다. 혼자니 만약을 대비한 것일 터.

케일은 다시 배가 정박해 있는 곳으로 돌아가, 일행에게 말했다.

"돌아가지. 볼 것도 없네."

살 것 같다는 표정이던 부단장의 얼굴이 다시 하얗게 질렸으나, 비크로스는 어부 노인에게 물고기들을 꽤 많이 샀는지 단조롭게 답 했다.

"저녁은 생선구이로 하죠."

"좋네."

저택으로 돌아와 생선구이로 저녁을 든든히 먹은 케일은 시간이 흐르길 기다렸다.

마침내 작은 바닷가 마을에 어둠이 내려앉았을 때, 창밖을 확인한 케일은 빌로스에게 건네받은 마법 상자에서 잠수복을 꺼내 입었다. 그는 바람의 절벽과 동북부 앞바다가 보이는 창문턱에 올라선 채로 온과 홍에게 말했다.

"집 잘 지켜라."

"아무도 안 들여보낼게요."

"잘 다녀오세요."

아기 고양이들의 인사에 고개를 끄덕이는 것으로 대충 답한 케일은 검은 용을 쳐다봤다. 검은 용은 자신만만한 얼굴로 케일을 보며 툭 던지듯 말했다.

"비행."

그 순간, 케일의 몸이 떠올랐다.

"가자."

케일의 말에 검은 용이 앞장섰고, 케일은 그 뒤를 따라 날았다. 사람들 눈에 띄지 않게 높은 곳에서 날아가는 케일의 품에는 마법 폭탄이 안겨 있었다.

오늘 케일은 신속 정확하게 치고 빠질 생각이었다. 사람들이 놀라서 뛰쳐나왔을 때, 케일은 이미 소리 없는 바람처럼 사라진 뒤일 것이다.

검은 용 버전의 특이한 마법 폭탄은 10분 뒤에 터질 예정이었다.

"밤에 보니까 더 끔찍한데."

케일은 발아래 휘몰아치는 가장 큰 소용돌이를 보며 감상을 말했다.

'확실히 툰카 그 자식은 미친놈이야.'

툰카가 어떻게 바람의 소리를 얻게 되는가? 그는 표류되어 섬에 닿은 후 몸 컨디션이 조금 좋아졌을 때, 이 소용돌이에 관심을 보이기 시작한다.

화산 지대, 얼음 지대, 사막. 그 모든 것들을 맨몸으로 부딪치길 좋아하는 녀석이 바다의 소용돌이를 그냥 보고 넘어가는 것도 이상하지 않은가?

툰카는 위험한 일을 즐겼다. 아니, 광적으로 집착하는 수준이었다. 그래서 미친놈이라는 것이다.

"바다는 처음이지만. 재밌겠는데?"

그 말 한마디 내뱉고 저 바닷속 소용돌이에 맨몸으로 뛰어든 놈이다. 물론 케일은 그렇게 할 생각이 없었다. 케일은 잠수복 주머니에 필요한 물건들을 챙겨 온 상태였다.

"여긴가?"

검은 용의 물음에 케일은 고개를 끄덕이는 것으로 답을 대신하며 주변을 둘러보았다. 확실히 시골 바닷가라서 그런지, 밤이 되자 마을은 어두컴컴했다.

바닷속은 더 어두웠다. 그럼에도 시끄러웠다. 소용돌이가 만들어내는 소리였다. 여기서 더 시끄러워진다고 바로 사람들이 시선을 두지는 않을 것이다. 서서히 이상함을 느끼고 관심을 두리라.

케일은 바다에서 시선을 돌려 바람의 절벽을 바라봤다.

툰카는 바람의 절벽 아래 바위들에 가려진 동굴을 발견하고는 그 안으로 들어섰다. 그는 동굴 끝에서 발견한 물건을 보고 호쾌한 웃음을 터뜨렸다.

"이런 좋은 게 여기 있을 줄은 몰랐는데?"

툰카가 전혀 기대하지 않았던 기연이었다.

케일은 책 내용을 머릿속에 밀어두고 검은 용에게 말했다.

"시작하자."

"알았다, 인간."

검은 용의 짜리몽땅한 앞발에서 검은 마나가 흘러나왔다.

우웅.

마법 폭탄이 그 마나에 반응해 조금씩 진동하기 시작했다.

현재 케일의 품에 안긴 마법 폭탄은 책 1, 2권에 언급되는 비밀 단체의 폭탄이 아니었다.

'한 단계 더 뛰어난 마법 폭탄이지.'

'영웅의 탄생' 3권 후반부. 벼랑 끝에 내몰린 위퍼 왕국 미법사 연맹은 비마법사 연맹을 죽이기 위한 도구들을 하나둘 개발하기 시작한다.

그중 하나가 지금 케일의 손에 들린 마법 폭탄과 유사했다.

마나 응집. 마법 폭탄의 주재료인 그것이 제작자의 마나에 반응해 여러 개로 분할되어 터지는 폭탄. 위력은 떨어지지만, 수차례 터지는 폭탄은 살상용으로 제격이었다.

케일은 검은 용을 칭찬했다.

"이걸 만든 넌 대단한 것 같아."

"맞다. 나는 위대하고 오만한 용이다."

짜리몽땅한 앞발에서 검은 마나가 더 많이 흘러나와 폭탄 안에 완전히 스며들었다.

우우– 우웅.

케일은 제 품 안에서 진동하는 마법 폭탄을 느꼈다. 그는 고개를 들었다. 달 하나 없는 그믐. 케일은 이때를 노렸다.

"조심해라. 다치지도 마라."

검은 용은 더 높은 하늘 위로 올라가며 케일에게 실드를 둘러주고 인사했다.

달칵.

마법 폭탄 안에서 작은 소리가 났다.

케일은 손에 들린 폭탄을 놓았다. 동시에 잠수복에 달린 호흡기를 찼다. 5분 동안 숨을 쉴 수 있는 마법 장치였다.

그리고 잠시 뒤.

쾅, 쾅! 콰앙!

폭탄이 터졌고, 케일은 은빛 방패를 두른 채 수직 하강했다. 밤바람이 그의 얼굴을 세차게 스쳐 지나갔다.

수십 개의 작은 폭탄이 터지자 소용돌이는 그 힘을 잃고 제대로 돌지 못하고 있었다. 케일은 방패의 날개를 펼쳤다.

촤아아악!

방패가 바다와 부딪치며, 케일은 바다 안으로 들어섰다. 그는 바로 수경을 끼고 바다 아래로 향했다. 케일의 몸은 마치 화살처럼 아래로 빠르게 떨어져 갔다.

콰앙, 쾅! 여전히 폭탄이 터지며 소용돌이는 힘을 잃어갔다. 폭탄의 여파로 밀려난 물길이 케일의 방패와 은빛 날개를 건드렸다. 하지만 케일은 안전하게 해저까지 내려올 수 있었다.

쾅. 케일은 방패를 휘둘러 마지막 폭발을 가벼이 물리치고 해저를 걸었다.

중앙 섬. 그 작은 섬의 앞을 차지한 거대한 소용돌이.

그 소용돌이는 거대한 바위 밑에 깔린 작은 팽이에서부터 시작되었다.

수백 년이 넘는 시간 동안 끊임없이 돌고 도는 팽이.

케일의 눈앞에 거대한 바위가 나타났다. 사람 하나 깔리면 그냥 죽을 것 같은 바위.

툰카는 이 거대한 바위 밑에서 소용돌이가 시작됨을 깨닫고 그 바위를 잡았다. 북쪽에서 그가 들어 올렸던 바위보다는 작았기 때문이었다. 하지만 그는 그 바위를 들어 올릴 수 없었다.

'그럼 부수지 뭐.'

툰카는 그래서 바위를 부쉈다.

케일은 바위를 보며 생각했다.

'툰카, 이 미친놈. 이걸 부쉈다고?'

케일은 바닷속에서 고개를 가로저으며, 마치 손오공처럼 바위 아래에 모습을 조금 드러낸 채 돌고 있는 팽이에게로 다가갔다.

그 순간, 그가 고대의 힘을 얻을 때 늘 그랬던 것처럼 힘 주인의 목소리를 들을 수 있었다.

-개같은 새끼들!

오. 이번 주인은 꽤 말이 험했다.

−지들이 사람들 희생시켜서 만든 물건을 훔친 게 뭐가 죄라는 거지? 다시 사람들에게 돌려준다는데? 쓰레기 같은 것! 그런 것들이 왜 힘을 가지냐고!

바람의 소리의 주인이자 이 마을에 신의 물건을 훔쳤다는 전설을 남기게 된 주인공, 도둑. 그녀는 신의 물건을 훔치지 않았다. 다만 신전의 물건을 훔쳤을 뿐.

그녀는 이 거대한 바위에 두 발이 묶인 채 바다에 잠겨 익사했다. 소리 없이 가장 빠른 발을 가진 도둑은 그렇게 죽을 수밖에 없었다.

바람을 다루는 초능력. 마나와는 달랐다. 그녀는 그녀 자체가 바람이었다. 그런 그녀는 죽고 난 뒤에도 팽이가 되어 바람을 토해냈다.

−이런 물 따위! 내 친구의 빛이라면 태워 버릴 거라고!

바위 밑에 깔린 팽이를 꺼내기 위해 챙겨 온 물건을 꺼내던 케일의 표정이 기묘해졌다.

'빛이라고? 설마?'

−번개가 왜 무서운 줄 알아? 한 방이 있어서야, 한 방!

케일은 마지막으로 얻을 힘인 '파괴의 불'을 떠올렸다. 그것을 얻으려면 불덩이를 지나야 했다. 물론 엄청나게 많은 돈을 가지고서.

문득 그가 얻을, 혹은 얻을 예정인 고대의 힘들이 케일의 머릿속을 스쳐 지나갔다.

부서지지 않는 방패, 나무. 심장의 활력, 바람. 바람의 소리, 물. 파괴의 불, 불.

갑자기 굉장히 찝찝해져 왔다. 케일은 이 팽이를 가져갈까 말까 잠시 고민했다. 하지만.

띠− 띠, 띠−

잠수복에 달린 알람이 그에게 이제 3분밖에 남지 않았음을 알렸다. 케일은 일단 나중에 생각하기로 하고.

'얼른 꺼내자고.'

호미로 땅을 파기 시작했다. 케일은 거대한 바위와 함께 팽이를 가둔 바다 지표면, 해저를 호미로 파기 시작했다. 마법으로 날카로움이 강화된 호미는 손쉽게 지표면을 파냈다.

'툰카처럼 무식하게 바위를 부술 필요가 뭐가 있어?'

바닥을 파면 되지. 케일의 입꼬리가 씩 올라갔다. 그는 몇 번의 호미질 끝에 팽이의 모습을 완전히 볼 수 있었다. 케일은 팽이를 향해 손을 뻗었고, 마침내 손에 쥐었다.

사아아악. 돌고 있는 팽이를 쥐고, 케일은 바위에서 몇 걸음 뒤로 물러섰다. 쿠우웅. 팽이로 절묘하게 균형을 맞추고 있던 바위가 살짝 옆으로 기울었다.

─내가 훔친 게 죄라면, 그것들은 왜 인간들에게 거짓말을 해놓고 쇠가 없다고 하지? 세상은 씩있어. 가진 것들이 다 헤 처먹는 썩은 세상이라고.

원래 세상은 썩었지.

케일은 도둑의 말을 깔끔히 무시하며 손에 들린 팽이를 바닥에 내려놓았다.

바람의 소리 주인이 원하는 것은 단 하나였다.

해방. 그것은 파괴였다.

콰직. 팽이가 케일의 발에서 산산조각 나 부서졌다.

끼이이이이─

초음파와 같은 날카로운 소리가 바다 안에 울려 퍼졌다. 팽이가 부서졌다. 그 안에서 바람이 흘러나와 케일을 감쌌다.

－너는 재생하는 자구나. 나처럼 잡히지 마라. 알겠냐?

재생하는 자? 심장의 활력을 말하는 건가? 케일의 미간이 살짝 찌푸려졌다. 그 순간 마지막 말이 들려왔다.

－자유로워져라.

파아아앗.

동시에 하얀 바람이 케일의 몸을 감쌌다. 바람은 케일을 머리에서부터 한차례 훑었다. 이러다가 발에서 멈추리라.

'음?'

하지만 바람이 심장 근처에서 맴돌았다. 쿠웅. 쿵, 쿵. 갑자기 심장이 크게 뛰기 시작했다.

'크윽.'

심장이 너무 뛰어서 아파왔다. 케일은 오른손으로 왼쪽 가슴 위를 두드렸다. 호흡기에서 살짝 벌어진 입으로 공기 방울이 흘러나왔다.

'뭐야, 이게?'

크윽, 케일은 터져 나오려는 신음을 참으며 몸을 웅크려뜨렸다. 그 순간이었다.

파아아앗. 바람이 한 번 더 빛을 발하더니 순식간에 그의 두 발로 내려와 그림을 그렸다. 잠수복과 잠수용 신발 사이로 살짝 드러난 발목에 소용돌이 그림이 나타났다.

그것 역시 은빛이었다.

케일은 그제야 심장이 안정화되는 것을 느꼈다.

'설마, 심장의 활력이 바람의 소리도 강화시킨 건가?'

그는 의문이 들었지만 더 이상 생각할 수 없었다. 띠, 띠－ 알람이 다시 한번 이제 시간이 얼마 남지 않았다고 알려왔다. 그러나 이 정도면 충분한 시간이기도 했다.

케일은 바람의 소리를 사용했다. 그의 두 발에 바람이 휘몰아치기 시작했다. 케일은 살짝 발을 굴렀다.

촤아아악!

순식간에 케일의 몸이 바닷속을 가로지르며 앞으로 나아갔다. 중앙 섬 앞의 소용돌이는 사라져 있었다. 케일은 잔존하는 나머지 소용돌이들을 가로지르며 달렸다.

'다른 소용돌이들도 일주일 안으로 없어지겠네.'

하지만 케일은 저 소용돌이들을 일 년은 유지시킬 작정이었다.

소용돌이들은 바람의 소리, 자신들의 주인을 정확하게 알아보고 길을 만들어주었다. 그의 목적지는 바람의 절벽이었다.

순식간에 앞으로 나아간 케일은 눈앞으로 조금씩 보이는 돌벽이 더 가까워지기 전에 발로 해저를 힘껏 찼다. 그의 몸이 위로 솟구쳤다.

쏴아아아―

바닷바람이 다시 해수면 위로 떠오른 케일을 반겼다. 그는 잠수복의 모자를 벗어 던졌다.

띠이― 알람이 5분의 끝을 알렸다. 케일은 마을 쪽으로 시선을 돌렸다. 하나둘, 꽤 많은 불이 켜지고 있었다.

"얼른 가야겠는데."

한스에게 죽을 일 아니면 깨우러 오지 말라고 해두었기에 쉬이 그가 깨우러 오진 않겠지만, 그래도 빨리 돌아가는 것이 나았다.

케일은 바람의 절벽 쪽으로 헤엄치며 다가갔다. 절벽 밑에는 크고 작은 바위들이 솟아올라 있었다. 그래서 바람의 절벽에서 떨어져 죽은 이들은 그 시체가 갈기갈기 찢겨 엉망이라 들었다.

케일은 그중 사자의 머리를 닮은 바위로 다가갔다. 가장 커다란 그 바위 뒤를 본 케일의 입가에 미소가 그려졌다.

작은 동굴이 하나 보였다.

'찾았다.'

툰카는 바람의 소리를 얻고 난 후, 이곳에서 기연을 하나 만난다. 그에게는 그다지 필요치 않은 기연이었지만, 케일에게는 요긴하게 쓰일 '재료'였다.

이 재료와 후에 라크가 구해 올 재료가 만나면, 정글의 지배자는 케일과 거래를 할 수밖에 없다.

'그녀는 정글을 살려야 할 테니까.'

케일은 헤엄을 치며 바위들 사이를 조심히 지나쳐 동굴로 다가갔다. 안 그래도 그믐이라 동굴 입구는 어두웠지만, 상관없었다. 그는 목적지에 당도하자마자 물에서 빠져나와 동굴 입구에 걸터앉았다.

그리고 동굴 밖 하늘을 바라봤다.

'올 때가 됐는데.'

그의 생각을 알아챈 듯 검은 용의 목소리가 들려왔다. 그런데 머릿속으로 들려왔다.

-약한 인간, 안 다쳤군.

검은 용이 머릿속으로 말할 때는 한 가지 경우뿐이었다. 케일은 뒷골이 서늘해져 왔다. 그는 천천히 동굴 안쪽을 향해 고개를 돌렸다.

근처에 모르는 누군가가 있을 때, 검은 용은 케일의 머릿속으로 말했다.

-그런데 이 동굴 안에 생명체가 있다. 지금은 다 죽어가는 상태지

만. 다행히 네가 무서워하는 시체는 아니다.

지이이익. 지이이익. 무언가 질질 끌리는 소리가 동굴 안쪽에서 들려왔다. 케일은 고민했다.

'그냥 도로 물에 빠질까?'

아니면 용보고 집으로 데려다 달라고 할까?

지이익. 지이이익. 지익.

하지만 그 질질 끌려오는 소리는 급박해졌고, 케일의 생각이 미처 끝나기도 전에 동굴 안쪽의 생명체가 먼저 모습을 드러냈다. 케일은 한 발을 도로 물에 담갔다.

모습을 드러낸 그것은 떨리는 목소리로 말했다.

"사, 살려주세요."

아. 케일의 입에서 탄식이 흘러나왔다. 말하는 이에게서 짠 내가 났다. 바다의 냄새.

설마.

"저는 사, 살아서 해야 할 일이 있습니다."

엉망으로 할퀴어진 다리를 질질 끌며, 인간의 외양을 한 존재가 케일에게 다가왔다.

할퀴어진 자리에는 초록색의 질척한 액체가 붙어서 피를 계속 토해내게 만들었다. 저건 인어의 공격이었다.

"제, 제발-"

고래다.

긴 머리칼을 풀어 헤친 채 피 묻은 손으로 케일에게 기어오는 저 아름다운 인간은 고래다.

-약한 인간, 감기 걸렸나? 얼굴이 하얗다.

검은 용의 목소리가 들렸지만 케일에게는 닿지 않았다. 케일은 과거에 보던 공포영화의 한 장면을 실제로 마주한 기분이었다.

다친, 다 죽어가는 고래족 인간 한 명이 케일의 앞에 모습을 드러냈다.

12장
생각 중이다

12장
생각 중이다

케일은 생각했다.

'이대로 튈까?'

하지만 저 고래족의 눈동자가 정확하게 자신의 얼굴을 빤히 바라보고 있었다. 그리고 손에 힘을 주었는지, 파직, 동굴 바닥을 파고드는 손가락이 보였다. 다 죽어가는데도 악력이 장난 아니었다.

동시에 의문이 들었다.

'고래족이 인어 독에 다쳐?'

순간 스쳐 가는 단어가 하나 있었다.

혼혈.

답은 그것뿐이었다.

문득 케일의 머릿속으로 '영웅의 탄생' 내용이 스쳐 지나갔다. 용만큼 적은 개체수를 가진 고래족. 그들 사이에 혼혈은 없었다.

'하지만 죽은 혼혈이 하나 있다고 했지.'

케일의 미간이 살짝 찌푸려졌다. 그는 고민했다.

"커헉."

고래족은 더 이상 기어오지도 못하고 엎드린 채 몸을 떨고 있었다.

케일의 머릿속으로 검은 용의 목소리가 들렸다.

-인간, 그냥 둘 거냐?

검은 용이 은근슬쩍 물었다. 케일은 그 물음에 답하지 않고 자리에서 일어섰다. 쓸데없는 동정, 쓸데없는 도움의 손길을 내미는 것. 그것은 사절이었지만.

"이봐."

케일은 혼혈일 고래 인간에게 다가가 그 앞에 쪼그리고 앉았다. 엎어져 있던 고래 인간은 고개를 들어 올렸다.

장발의 남자. 역시 고래족답게 엘프도 오징어로 만들어 버릴 폭발적인 미모의 남자가 케일을 바라봤다.

"……살려-"

그린 이에게 케일은 무감각하게 답했다.

"그래. 살려줄게."

혼혈 고래 인간. 케일의 예상이 맞다면 이 자식은 살아 있는 게 더 고통이 될지도 모를 놈이었다. 그걸 분명 본인도 알고 있을 것이다.

케일은 머릿속으로 고래족 왕이 라크와 나눴던 대화를 떠올렸다.

"넌 순혈의 늑대족이구나."

"그게 왜요?"

"내 아이는 순혈이 아니거든."

"음? 누나는 순혈 아니었나요?"

"그 아이 말고 아들이 하나 있었어. 그 아이는 순혈이 아니었지. 그래서…… 많이 힘들어했어. 바다에서 살기에는 약했거든."

"그럼 땅에서 살아요?"

"아니. 못난 놈이라, 나보다 먼저 세상을 떠났다."

바다의 중재자이자 고래족의 왕. 그는 푸른 머리칼과 눈동자를 지닌 이였다. 지금 케일을 바라보는 이의 얼굴은 어둠 속이라 명확하진 않았지만 고래족 왕을 묘사한 모습과 거의 일치했다.

케일은 그 바다를 닮은 푸른 눈동자를 보며 말했다.

"잠시 자도록. 깨어나면 다 괜찮아져 있을 거다."

천천히 푸른 눈동자가 몇 번 깜박이더니 이내 눈꺼풀이 감겼다. 케일은 정신을 잃은 혼혈 고래족을 지켜보다가 이내 다가가서 다리를 살폈다.

"어때?"

혼혈 고래족이 정신을 잃자, 검은 용이 모습을 드러내며 다가왔다. 그리고 작은 불빛 구를 띄웠다. 그제야 다리가 제대로 보였다.

"엉망이네."

고래족의 피부는 아주 두껍고 질겼다. 매끈하고 티끌 하나 없는 외견과 달리 아주 강했다. 그러나 혼혈은 그렇지 못했다. 그렇기에 인어의 공격에 당해 독이 피부 속으로 침투한 것이리라.

검은 용은 남자를 살피는 케일을 묘한 얼굴로 쳐다봤다.

"……넌 참으로 이상한 인간이다. 약한 주제에 이상하다."

"그런 말은 됐고."

케일은 남자를 가리키며 검은 용에게 지시했다.

"얘 좀 물에 담가라."

"……거짓을 말한 건가."

검은 용의 얼굴에 충격이 드리워졌다. 파충류의 충격받은 표정은 상당히 심각했다.

"살려준다고 하지 않았나. 인간, 너는 약하지만 약속은 지키지 않았나. 그런데 물에 담그라니! 익사를 시키려고!"

하. 케일의 입에서 깊은 한숨이 나왔다. 그는 허공을 둥둥 떠다니는 불빛 구를 손으로 잡았다. 뜨겁지 않았다.

"살리려고 그러는 거야."

그리고 덧붙였다.

"저 자식 물에 담그고 나면, 낮에 본 시체 기억하지?"

"……도대체 나에게 무엇을 시키려는 건가?"

"뭘 시키긴. 시체 팔 한쪽만 잘라 와."

검은 용의 입이 벌어졌다. 케일은 이를 신경 쓰지 않고 동굴 안쪽으로 향했다. 어차피 저리 행동해도 안 한다는 소리를 하지 않는 검은 용이기 때문이다.

"……일단 하겠다."

역시 검은 용은 말을 잘 들었다. 케일은 뒤돌아보지 않고 동굴 안쪽으로 향했다. 마을이 시끄러워지기 전에 얼른 해결하고 돌아가야 했다.

동굴은 깊지 않았다. 금방 끝이 나왔다.

'찾았다.'

툰카가 발견한 기연. 그것은 '작은 웅덩이'였다. 케일은 잠수복 주머니에 챙겨 왔던 물건 중 하나를 꺼냈다. 알람 장치였다. 타인이 이 근처에 접근하면 케일에게 알람이 전해져 오는 일종의 마법 장치였다.

'떠나기 전에 챙기면 되겠어.'

케일은 작은 유리병에 웅덩이의 물을 조금 담았다.

'불을 제압하는 물.'

원래 물은 불에 강하다. 하지만 이 물은 그 강함의 의미가 조금 달랐다. 라크가 구해 올 물건을 이 물에 담가 그 속성을 스며들게 하면, 아주 진귀한 물건이 탄생할 것이고.

말라가는 정글을 구할 보물이 될 것이다.

케일은 다시 동굴 입구로 돌아왔다. 그새 다녀왔는지, 인어 팔 한쪽을 찝찝한 얼굴로 내미는 검은 용과 물에 푹 절어 있는 혼혈 고래족이 보였다.

"가자."

케일이 말하자 검은 용은 한숨을 내쉬며 혼혈 고래와 인어 팔 한쪽, 그리고 케일까지 비행시켜 숙소로 돌아왔다.

숙소로 돌아오자마자 케일은 온과 홍의 격한 환영을 받아야 했다.

"제때 잘 왔어요!"

"방금 전부터 집사가 문을 너무 두드리는데!"

굳이 고양이들이 말하지 않아도 알 수 있었다. 방문 너머에서 한스의 목소리가 들려왔다. 거의 울 기세였다.

"공자님, 깨우면 죽인다고 하셔서 들어가지 못하고 문을 두드리고 있답니다. 공자님, 문 좀 열어주시면 안 될까요?"

케일은 잠수복을 벗어 던지고 마법 상자에서 장치를 하나 꺼내 검은 용에게 던졌다. 그리고 목욕 가운을 걸친 채 문을 열어젖혔다.

"공자님, 아미르 영애께서 안전하신지 확인을 좀 해달라고 하셔서요. 그러니 제발 일어나셔서 문 좀—"

"왜?"

"오, 공자님! ……씻고 계셨습니까?"

젖은 머리칼을 쓸어 넘기며 케일은 한스의 물음에 나른히 답했다.

"잠이 안 와서, 여기 해수탕에서 몸을 담그고 있었는데."

"아, 욕실에 계셨군요. 그럼 잠을 안 자고 계셨으니, 제가 죽을 일
은 없겠군요."

"……과연 그럴까?"

"죄송합니다, 공자님."

크흠, 큼. 헛기침을 하더니 한스는 케일을 살펴보며 말했다.

"어디 다친 곳은 없으시죠? 지금 밖은 난리거든요. 아까 큰 폭발
소리들이 터지고 나서 바다에 무슨 일이 생긴 것 같습니다."

케일은 들어왔던 창밖을 바라봤다. 한밤중임에도 마을은 이제 완
전히 불이 켜져 있었다. 곳곳에서 불빛들이 바다를 향해 움직이고
있었다. 개발을 코앞으로 둔 시기이기에 결국 아미르는 소용돌이
있음에도 과감하게 바다로 향한 듯했다.

"큰 소리가 나기는 하던데. 정확히 무슨 일인지는 파악은 안 되
었고?"

"아미르 영애께서 바다에 나간다고 하시더군요. 금방 파악이 될
것이라 생각됩니다."

아마 아미르는 환호할 것이다. 중앙 섬의 소용돌이가 사라졌으니
까. 그것만으로도 이 바다의 가치는 수직 상승한다.

"그래?"

"네."

"그럼 가봐."

차갑게 축객령을 내리는 케일에게 한스는 예의 바르게 인사하곤 얼른 방을 나갔다. 그와 동시에 검은 용이 투명화 마법 장치를 끄며, 인어 팔 한쪽을 배 위에 올린 고래족 혼혈과 함께 모습을 드러냈다.

온과 홍은 인어 팔을 보더니 방구석에서 움직이지 않고 있었다. 고양이들은 쓸데없이 겁이 많았다.

케일은 욕실로 가 대야에 해수탕의 해수를 퍼 담아 왔다. 이를 검은 용이 신기하게 쳐다봤는데, 케일은 신경 쓰지 않고 인어 팔 한쪽을 해수에 담가 버렸다.

치이이익-

불에 타는 것 같은 소리가 났지만 실제로는 삐쩍 마른 팔이 급격하게 팽창하며 제 모양을 찾아갔다. 시체의 급격한 변화에 온과 홍은 아예 침대 밑으로 숨어들어 버렸다.

시체는 이렇게 팽창하다가 순식간에 부패되었다. 케일은 고래족의 다리를 바라봤다. 이전과 달리 초록색의 진액과 함께 바닷물이 섞여 있었다.

케일은 칼을 꺼내 들었다.

그때, 정신을 잃고 있던 남자의 눈꺼풀이 떨리고, 그의 몸이 움찔거리기 시작했다.

"깨어나려는 것 같은데? 인간, 칼 치워라!"

검은 용이 외쳤고 남자의 눈이 뜨였다. 그 순간 케일은 칼을 높이 들었다. 케일은 눈이 마주친 고래족 인간을 향해 안심하라는 듯 씩 웃어 보였다. 고래족 남자의 눈동자가 흔들렸다.

칼이 움직였다.

푹.

인어의 팔에 칼이 박혔고, 칼은 피부를 갈랐다. 갈라진 틈에서 액체가 흘러나왔다. 인어의 피였다. 해수에 닿으면 찰나지만 인어의 피도 본래대로 복구되었다.

케일은 흔들리는 동공의 남자에게 말했다.

"잘됐네."

흘러나온 피가 고래족 남자의 다리 위로 떨어졌다. 치이이익. 다리 위의 초록색 진액이 인어의 피와 섞여 증발하기 시작했다.

케일은 피가 흘러내리는 그 팔을 남자에게 내밀었다.

"피가 썩기 전에 마셔. 그게 직방이야."

5권. 로잘린이 뭣도 모르고 인어에게 달려들었다가 다친 라크를 살리기 위해 찾아낸 치료법이었다. 아직은 알려지지 않은 방법이었다.

20대 초반으로 보이는 남자의 눈동자가 흔들렸다. 온, 홍, 검은 용도 마찬가지였다.

그러나 결국 남자는 나았다. 그 피를 마신 것이다. 다리의 진액이 사라지는 것을 보았기에 할 수 있는 행동이었다.

케일은 어딘가 허망한 표정의 고래족 혼혈을 보며 제 할 말을 했다.

"왜 그런 표정이지? 이 팔을, 이 시신을 만든 이가 너 아닌가?"

남자의 표정이 굳어졌다. 케일은 그 모습에 실소를 흘렸다. 남자에게 인어 진액을 묻혀놓은 사람이 네가 인어를 죽였냐고 물으니, 당황해하는 남자의 얼굴은 꽤 어벙했다.

케일은 마지막으로 남은 인어의 피를 고래족 남자의 다리에 떨어뜨리고는 대야에 팔을 집어넣어 버렸다. 팔은 해수 속에서 부패되어 녹아내리기 시작했다. 이를 물끄러미 보던 케일이 말했다.

"고래면 늦어도 아침에는 바다로 가야 체력 회복이 완전히 될 텐데. 자다가 알아서 나가."

남자의 얼굴이 차가워졌다. 최한과는 다른 의미로 날카로운 기운이 감돌았다. 늘 비교당하며, 동족들보다 열등한 자신을 보고 살아오던 자. 그런 자 특유의 날카로움이었다.

"제가 고래인 줄 어떻게 알았습니까?"

"인어를 세 명이나 죽였는데, 누가 그렇게 하겠어?"

"……저는 고향으로 돌아가야 합니다."

케일은 쓸데없는 이야기를 듣게 될 것 같은 직감에 대충 손을 흔들어 보였다.

"쓸데없는 네 이야기 들을 생각 없다."

그래서 이름도 묻지 않았고, 그를 한스에게 보여주지도 않았다.

"나는 네가 살려달라고 했고, 그러겠다고 해서 그런 것뿐이야."

케일은 침대 위에 드러누웠다. 샤워를 해야 하지만 그것보다 피곤함이 더 앞섰다.

"잔다. 조용히 나가라."

케일은 눈을 감았다. 용이 있으니, 위험할 일은 없었다. 그는 고래족 왕이 라크에게 마지막으로 했던 말을 떠올렸다.

"그래서 나는 더 이상 가족을 잃고 싶지 않아."

가족을 모두 잃어본 김록수는 오지랖을 한번 부렸다. 물론 손해를 볼 생각은 없었다.

"그 아이가 살아 있었다면, 딸에게 왕위를 물려주고 그 아이와 함께 인간 세상에서 한번 살아봤다면, 그랬다면 그 아이가 행복했을까 하는 생각도 들어."

"음, 누나라면 왕을 잘할 것 같기는 해요. 그런데 누나도 정이 많아서 왕 아저씨랑 같이 살려고 하지 않았을까요?"

"그렇지. 아들 녀석이 사라졌을 때, 그 아이가 온 바다를 다 헤집으며 찾아다녔지."

"누나가 돌아다녔으면 바다가 다 뒤집혔겠네요. 아저씨, 아들의 이름이 무엇이었나요?"

"……파세톤. 내 아들 이름이야."

왕의 은인. 지금 고래왕이든 향후에 고래왕이 될 여자든, 언젠가 만나면 이 일을 써먹을 수 있을 것 같지 않은가?

또한 무엇보다도 인어와 고래의 싸움에서 무조건 고래족이 이겨야 했다.

케일은 태평한 마음으로 잠이 들었다. 그리고 다음 날 아침, 파세톤은 이미 떠나고 없었다.

붉은 고양이 홍이 보고했다.

"나중에 밤에 다시 온대요."

"굳이 그럴 필요는-"

케일은 말끝을 흐리며 어깨를 으쓱였다. 그러나 잠시 뒤, 더욱더 굳이 이렇게까지 해야 하나 하는 생각이 그를 덮쳐왔다.

"케일 공자! 놀라운 소식을 전해 드리고 싶어서 아침 일찍부터 왔어요!"

아미르 영애는 환하게 웃고 있었다. 차분하던 그녀에게서 보기 드문 광경이었다. 바로 바닷가에서 온 것인지 그녀는 일행을 대동한 채 우비 차림이었다.

"무슨 소식인지 아세요?"

"전혀 모르겠습니다만."

들뜬 아미르와 달리 케일은 담담했다. 아니, 떨떠름했다.

"소용돌이가, 중앙 섬 앞에 소용돌이가 사라졌어요! 하루 만에 흔적도 없이요!"

제가 했습니다만. 케일은 자신이 한 일을 말하지도 못한 채 시선을 돌렸다. 아미르 옆에는 그 능숙한 어부와 기사들.

그리고 툰카가 있었다.

책 속에서 언급된 그대로 사자처럼 뻗친 긴 갈색 머리칼의 남자. 오크의 뺨을 그냥 날려 버릴 것 같은 험악한 외모의 그는 입맛을 다시며 중얼거렸다.

"아쉽네. 그 소용돌이에 한번 뛰어들어 보고 싶었는데. 다른 거라도 뛰어들어?"

역시 미친놈 툰카다운 말이었다. 그때 아미르가 케일에게 활기찬 목소리로 말했다.

"공자! 헤니투스 백작가가 저희 투자자이신 만큼 그 광경을 보여드리고 싶어요. 평온한 우바르의 앞바다를요. 중앙 섬에 같이 가시겠어요?"

헤니투스 백작가 사람이 오기 전까지 케일은 이 일에 어느 정도 성의를 보여야 했다. 케일은 아미르를 보며 부드러운 미소를 지은 채 물었다.

"이 인원이 다 함께 가는 겁니까?"

"네."

아미르의 단호한 대답에 케일의 입꼬리 끝이 살짝 떨렸다. 그 떨림은 보지 못하고 부드러운 미소만을 본 아미르는 툰카를 가리키며 말했다.

"아, 이 사람은 처음 보시죠? 일전에 소용돌이에 휘말릴 뻔했던 사람입니다. 밥 씨, 이분은 케일 헤니투스 공자십니다."

밥? 케일의 표정이 미묘해졌다.

툰카는 그 험악한 얼굴에 씨익 미소를 그렸다. 오우거보다 무서운 미소였다.

"반갑습니다. 밥이라고 합니다."

밥. 아주 가명을 써도 꼭 지 같은 걸 쓰는 툰카였다.

히죽 웃어 보이는 툰카의 얼굴이 썩 보고 싶지 않은 케일이었다. 아미르는 차분한 목소리로 밥에 대해 마저 소개했다.

"밥은 위퍼 왕국 사람이라고 해요. 작은 해안가 마을 부족민인데, 고기를 잡으러 배를 타고 나왔다가 어떻게 잘못해서 표류하게 되었다고 하더라고요."

"네. 작은 물고기들 잡으며 소소하게 살아가는 사람이지요. 하하하하, 어쩌다가 이런 일이 생겼는지."

퍽이나 소소하게 살겠다. 말도 안 되는 소리였다. 아미르는 케일의 속내를 모른 채 말을 이었다.

"그래서 어젯밤 배에 함께 타서 저희가 수색하는 것을 도와줬지요."

부족민을 바라보는 아미르의 눈빛은 깨끗했다. 케일은 주위를 살짝 훑어보았다. 아미르와 달리 몇몇 이들은 툰카를 향해 탐탁지 않은 시선을 보냈다.

위퍼 왕국 부족민. 야만인을 향한 눈빛이었다. 케일은 그 눈빛들을 대충 훑어보다가 툰카와 시선이 마주쳤다. 툰카가 히죽 웃어 보였다.

"공자님이 수도에서 커다란 방패를 펼쳐 모두를 구했다고 들었습니다. 강하신 분이라 들어 한번 뵙고 싶어서 영애님께 부탁해 따라왔습니다."

커다란 덩치에 어울리지 않게 툰카의 눈초리가 가늘어졌다. 그 순간 직감했다.

위험하다.

케일의 입이 바로 열렸다.

"그래서 요양 중이네."

"……요양이요?"

"어, 강한 힘이 아니거든. 약하지."

아미르가 거들었다.

"맞아요. 과도하게 힘을 많이 쓰셔서 지금 요양 겸 여행 중이세요."

아미르는 그런 케일을 안쓰러움과 감탄, 여러 가지를 섞어서 바라봤으나, 툰카는 달랐다.

"아, 그래요?"

딱 흥미가 떨어진 표정이 되었다. 그리고 케일을 슬쩍 위아래로 훑어보다가 시선을 돌렸다.

'그래, 저래야 툰카지.'

남을 위한 희생? 영웅? 그딴 것에는 조금의 관심도 없는 놈이었다. 오로지 강함, 그것에 집착했고 약한 놈은 같은 편이라도 무시하고 때에 따라서는 죽여 버리는 인간이었다.

그렇기에 그는 폭군이었다.

"그럼 갈까요?"

아미르의 말에 케일은 고개를 끄덕였다. 그때 귓가로 툰카의 중얼거리는 목소리가 들려왔다.

"이상하네. 근처에서 강한 냄새가 나는데."

역시 귀신같은 놈이다. 케일은 허공을 바라봤다.

─나 냄새 안 난다.

투명화한 검은 용의 목소리가 머릿속에 들렸다. 툰카는 수인족보다 더 강한 직감을 가지고 있었다. 케일은 오늘, 어느 때보다도 약한 척해야겠다고 마음먹었다.

"소용돌이가 어떻게 갑자기 사라졌는지 현재 조사 중이에요. 곧 아버지와 영지 내 마법사들도 함께 올 예정입니다."

케일은 중앙 섬에서 잔잔한 바다를 보며 아미르의 말에 맞장구쳤다.

"그래요? 다행이군요. 얼른 왜 그렇게 되었는지 알아냈으면 좋겠습니다."

─거짓말 잘한다.

검은 용의 말은 가벼이 무시했다.

케일은 어제와 달리 다른 의미로 소란스러운 바다를 바라봤다. 마을 어부들도 모두 나왔고, 해군 기지 건설을 위해 온 사람들도 조사를 하고 토론 중이었다.

여전히 주변 소용돌이들이 내는 소리와 함께 사람들의 목소리까지 더해져 주위가 아주 시끄러웠다. 케일은 이를 보며 덧붙였다.

"얼른 다른 소용돌이들도 사라졌으면 좋겠군요."

─거짓말 또 한다. 인간, 일 년은 더 소용돌이를 유지할 거라고 하지 않았나?

이번에도 용의 말은 가벼이 무시했다. 아미르는 케일의 말에 다부진 표정으로 고개를 끄덕였다.

"네. 꼭 원인을 파악해 다른 소용돌이들도 없앨 겁니다. 많은 곳에서 도와주고 기회를 맞이한 만큼 그 기회를 거머쥐어야지요."

열정적인 아미르의 모습에 케일은 괜히 조금 미안한 마음이 들어 입을 열었다.

"아미르 영애와 우바르 가문이라면 해내실 겁니다."

"……고마워요. 케일 공자의 말에 마음이 든든해져요."

차분한 미소를 머금은 아미르의 따뜻한 눈빛이 케일을 향했다. 그런 그녀에게 케일은 진지한 얼굴로 말했다.

"햇볕에 머리가 조금 어지러운데, 그늘에서 좀 쉬었다가 와도 되겠습니까?"

배 한쪽에서 어부, 조사대와 함께 있는 툰카의 시선이 느껴졌다. 저 멀리서 툰카는 케일 쪽을 이따금씩 쳐다봤다. 여전히 그 강한 냄새를 찾는 것 같았다. 하지만 검은 용을 툰카가 찾아낼 리 없었다. 오러와 마나를 느끼지 못하는 이의 한계였다.

"아, 그럼요. 요양 중이시니까, 무리하지 마시고 푹 쉬세요."

"네, 그럼."

케일은 여유로이 중앙 섬의 숲으로 향했다. 그늘로 향하는 그를 아미르는 가만히 바라보았다. 요양 중임에도 할 일을 하는 케일은 확실히 과거와 달라져 있었다. 아프다고 말하는 이였으나, 그의 모습은 병약해 보이지 않았다. 그저 피곤해 보일 뿐.

"그게 대단한 점이지."

차기 영주를 꿈꾸는 아미르는 그녀도 저런 굳건한 자세를 가져야 되겠다 생각했다. 차분한 눈동자에 열정이 맺혔고, 그녀는 조사대원들에게 다가갔다.

한편 케일은 중앙 섬 반대편으로 향했다. 그쪽에는 조사대도 없었고 대충 시간 때우기 좋았다.

─거기에 시체가 있는데, 안 무섭나? 넌 간도 작지 않은가.

케일은 검은 용의 말을 다시 한번 못 들은 체하며 반대편 해안가에 도착했다. 그리고 보인 광경에 걸음을 멈췄다.

"뭐야?"

─난 아니다! 난 하지 않았다!

검은 용이 격렬하게 자신은 하지 않았다고 부인했다. 하지만 케일은 그 목소리를 미처 들을 여유가 없었다. 그는 인어 시체가 있던 바위로 다가갔다. 그러나 그는 바위가 있던 근처에서 걸음을 멈출 수밖에 없었다.

'……파세톤이 한 짓인가?'

바위가 산산이 부서져 있었다.

"인어 시체가 어쩌다……."

인어의 시체는 가루가 되어 있었다. 케일이야 이곳에 시체가 있었던 것을 알고 있었기에 알아보았지, 다른 이들이 지금 이 현장을 보았다면 그저 바위 가루라고 생각했을 것이다.

이 무시무시한 현장을 만든 엄청난 힘.

분명 고래의 짓이었다.

그것도 분노한 고래의 힘.

철썩, 철썩. 갑자기 해수면이 일렁이기 시작했다. 검은 용의 목소리가 들려왔다.

-바다 밑에서 무언가가 올라온다. 아주 빠르게!

케일의 눈동자가 바다로 향한 그 순간, 그는 흠칫 놀라며 뒷걸음질을 쳤다.

촤아아악. 해수면을 가르며 거대한 무언가가 수면 위로 모습을 드러냈다. 검회색의 무언가. 그것은 생물이었다. 그것의 눈동자가 케일을 향했다.

고래다.

그것도 혹등고래.

바다의 수호자라 불리며 약한 생물을 보호하는 혹등고래. 대대로 고래족 왕은 혹등고래 수인이었다.

쿵. 쿵. 쿵. 케일의 심장이 뛰었다. 고래의 눈빛은 살기와 탐색, 본능과 이성이 뒤섞여 케일을 직시하고 있었다. 케일은 이 세계에 와서 처음으로 약자로서 강자의 시선을 마주했다. 강자는 케일을 내려다보며 하나하나 탐색하고 있었다.

그때였다.

-저게 미쳤나!

검은 용의 분노한 음성이 케일의 머릿속을 울렸다. 동시에 무형의 힘이 공기 중에서 파동을 일으켰다. 케일을 향했던 고래의 눈동자가 그 파동으로 향했다.

-감히 내 약한 인간을 그딴 식으로 쳐다봐?

공기 중의 마나가 일렁이며 해수면이 들썩이기 시작했다. 하지만 혹등고래는 꿈쩍도 하지 않았다. 오히려 덩치가 15m에 달하는 고래는 꼬리를 들어 올려 바다를 내려쳤다. 촤아아악. 해수면이 크게 요동쳤다.

그 행동에 케일은 직감했다.

저건 고래 수인이 확실하다.

쿵. 쿵. 케일은 뛰는 자신의 심장을 가라앉혔다. 위기를 느낀 심장의 활력이 힘을 쏟아내기 시작했고 덩달아 부서지지 않는 방패가 반응했다. 고대의 힘은 제 주인을 가장 우선시했고, 언제든지 그 힘을 펼칠 준비가 되어 있었다.

케일은 마나가 일렁이는 허공, 검은 용이 있을 방향으로 고개를 돌렸다. 그는 입을 열었지만, 먼저 다른 이의 목소리가 들려왔다.

"싸우자는 게 아니에요."

마치 전설 속 세이렌처럼 아름다운 목소리였다. 케일은 시선을 돌렸다. 혹등고래가 서서히 얼굴을 해수면 위로 완전히 드러냈다.

"이야."

케일의 입에서 감탄이 흘러나왔다. 엄청 컸고 엄청 무서웠다. 저 고래가 케일을 향해 얼굴만 들이박아도 케일은 죽을 것 같았다.

-대가리는 왜 드냐? 지금까지 한 게 싸우자는 거 아닌가! 하찮은 고래 주제에!

케일은 제 머릿속에 울리는 말에 한숨을 내쉬며 마나가 일렁이는 쪽으로 손을 뻗었다. 화난 4살은 무서운 법이었다.

무엇이든 부술 것같이 일렁이던 마나는 케일의 손을 따라 길을 터 주었다. 고래의 눈빛에 이채가 감돌았다.

케일의 손끝에 동그란 무언가가 닿았다. 용의 머리였다. 케일은 무심하게 이를 툭툭 쓰다듬었다.

"화내지 마라. 그러다가 너 다쳐."

마나의 일렁임이 급속도로 줄어들기 시작했다. 작은 목소리가 들려왔다.

—난 안 다친다. 난 강하다.

"알지. 잘 알지. 그래도 조심해야지."

4살짜리 아이를 다독이는 것은 어려웠다. 그러나 용은 그럭저럭 케일의 말을 알아들은 듯했다.

—약한 인간 너나 조심해라.

마나 파동이 가라앉았다. 케일은 그제야 고래에게로 시선을 돌렸다. 고래는 그 거대한 머리를 케일 쪽으로 서서히 숙였다. 케일은 그 크기에 놀라 흠칫했지만 가만히 서 있었다. 고래 눈동자의 살기가 사라져 있었다. 케일 바로 앞에까지 고개를 숙인 혹등고래의 거대한 입이 열렸다.

"하나 물어—"

그때였다.

저 멀리 수평선 쪽에서 작은 고래가 미친 듯이 해수면을 가르며 이곳으로 오고 있었다.

15m의 고래에 비하면 아주 작고 연약해 보이는 고래였다. 그 고

래는 아주 빠르게 다가왔다. 그리고 외쳤다.

"누나, 씹어 죽이면 안 돼!"

케일의 코앞에 있던 흑등고래가 황급히 몸을 돌렸다. 촤아악, 일렁이는 바닷물이 케일에게로 쏟아졌다. 케일의 옷이 젖었다.

하지만 케일은 이를 신경 쓸 틈이 없었다. 그는 두 눈을 감았다.

'역시 그 흑등고래인가.'

지금 오는, 저 고래치고는 조막만 한 고래가 파세톤일 것이다. 그렇다면 그에게 누나라 불릴 존재는 단 하나였다.

현 고래왕의 딸이자, 다음 대 왕이 될 자.

최한과 함께 인어들과의 싸움에서 가장 전면에 섰던 자.

케일은 뒤돌아선 흑등고래 등의 엑스 자 상처를 보았다.

위티라.

그녀가 틀림없다.

거대한 고래의 얼굴이 일그러져 갔다. 케일은 슬금슬금 뒷걸음질을 쳤다. 흑등고래 남매의 만남에 더 이상 끼어들고 싶지 않았다.

그 순간, 작은 고래는 한 번 더 외쳤고.

"절대로 죽이면 안 되는 분이야!"

검은 용은 머릿속으로 말했다.

-안 싸우는데. 저 작은 고래는 무슨 소리 하는 건가?

그러게나 말이다. 케일은 작은 고래의 우렁찬 목소리를 들으며, 지금 서 있는 이곳의 반대편이 더 시끄럽고 사람들의 시선이 몰려 있어 다행이라 생각했다. 안 그러면 저 우렁찬 목소리를 듣고 다른 사람들이 다 여기로 왔으리라.

흑등고래와 작은 고래의 만남이 얼마 남지 않았다. 그때, 검은 용이 무심하게 말했다.

-그런데 참고로 하나가 더 온다.

뭐? 하나 더?

케일은 뒷걸음질하던 것을 멈추고 숲 쪽으로 뒤돌아섰다.

"크하하하하! 냄새가 나, 냄새가!"

사자 갈기와 같은 머리칼을 풀어 헤친 미친놈이 나타났다.

툰카였다. 눈빛이 맛이 가 있었다. 그는 숲을 미친 속도로 빠져나오며 외쳤다.

"강한 냄새가 난다!"

그 순간, 케일은 자리에 쪼그려 앉았다. 그 덕분에 툰카와 혹등고래의 시선이 정확하게 마주쳤다. 새우 등 터지기 전에 케일은 쪼그린 채로 슬금슬금 옆으로 물러섰다.

눈빛이 맛이 간 툰카는 어디서 구한 것인지 모를 몽둥이를 손에 쥐고 있었다. 몽둥이가 허공을 가르며 살벌한 소리를 만들어냈다.

"너냐?"

툰카는 입맛을 다시며 혹등고래에게 다가갔다. 2m에 달하는 툰카도 혹등고래 앞에서는 아주 작아 보였다.

"흐흐, 고래랑 싸우는 건 또 처음인데?"

역시나 툰카는 고래가 수인인 줄도 모르는 듯했다. 그냥 강해 보이니 싸우고 싶을 뿐. 머릿속에 든 건 싸움과 힘밖에 없었다. 그렇기에 혹등고래는 툰카를 가소롭다는 듯이 바라봤다. 그리고 이를 케일은 쪼그려 앉은 채로 바라봤다.

-뭐 하냐?

검은 용의 의문 가득한 목소리가 머릿속에 울려 퍼졌지만 케일은 어느 정도 뒤로 물러선 채 가만히 쪼그려 있었다.

고래 싸움에 새우 등 터진다고, 새우보다 약한 케일은 등이 터지고 싶지 않았다.

"고래는 그냥 때려죽이면 되려나?"

툰카의 눈빛이 번뜩였다. 그러고는 가볍게 발로 땅을 찼다. 그의 몸이 순식간에 하늘로 치솟아 올랐다.

"이야."

케일은 감탄하며 더 뒤로 물러섰다.

허공에 뜬 툰카의 몽둥이가 혹등고래의 머리를 향해 휘둘러졌다. 그 순간, 케일은 고래가 비웃음을 어떻게 짓는지 처음 보았다. 혹등고래의 한쪽 입꼬리가 살짝 올라가더니, 몸체가 움직였다.

15m가 넘는 거대한 몸이 순식간에 회전하더니, 커다란 꼬리가 툰카를 향해 내려쳐졌다. 하지만 툰카는 순간 허공에서 방향을 틀어 땅으로 내려앉았고.

콰아앙!

툰카가 뛰어올랐던 자리는 고래 꼬리에 의해 산산이 부서져 버렸다.

촤아아악-

그 여파로 파도가 생겨 해안가를 덮쳤고, 케일은 꼴딱 젖어버렸다.

'제길.'

비에 젖은 생쥐 꼴도 아니고. 그러나 케일은 입을 꾹 다물었다. 산산이 부서진 바위가 너무 임팩트가 컸다. 그리고 정신 나간 툰카도.

"크하하하! 아주 좋아, 좋아! 더 덤벼!"

그는 어서 덤비라고 아주 날뛰었다. 고래 꼬리를 향해 툰카가 빠른 속도로 뛰어가 몽둥이를 내려쳤다. 고래는 이를 피하기는커녕 꼬리를 들어 올려 툰카에게로 휘둘렀다.

콰앙!

꼬리와 인간이 부딪쳐서 날 만한 소리가 아니었다. 쿵. 커다란 소리와 함께 툰카는 다시 땅바닥에 내려왔다. 파스스. 몽둥이는 가루처럼 부서졌다.

"역시 몽둥이 따위를 드는 게 아니었어! 주먹으로 싸워야 제맛이지! 하하하!"

케일은 그 미친 꼬라지를 보며 생각했다.

'이러다가 사람들 다 오겠는데.'

이미 사람들이 이 소란을 알아챘을 것 같기도 했다. 케일은 생각했다. 이를 어찌하면 좋을까. 어떻게 하면 나만 조용히 빠져나갈 수 있을까. 쟤들이 싸우든 말든 케일이 알 바는 아니었다.

케일은 자신에게 날아오는 돌가루를 대충 닦아내며 전투 영역 밖으로 슬금슬금 물러섰다.

그때, 조막만 한 고래가 드디어 이곳까지 당도했다.

"누나! 그러다가 저분이 다친다고!"

툰카가 멈칫했다.

"……쥐똥만 한 고래가 말을 해?"

그 말에 혹등고래의 얼굴이 일그러지며 툰카를 노려보았다. 아름다운 목소리가 흘러나왔다.

"내 동생이 쥐똥만 하다고?"

툰카는 더 놀라며 소리쳤다.

"이것도 말을 해?"

아주 난장판이다. 케일은 툰카의 어깨가 들썩이는 것을 볼 수 있었다.

"오호라, 수인이구나, 수인! 진짜 재밌겠는데?"

이제 툰카는 소리 내 웃지 않았다. 하지만 한껏 올라간 입꼬리가 지금 그의 흥분이 극에 달했다는 것을 보여주고 있었다.

그 순간 케일은 혹등고래가 힐끗 자신을 보는 것을 확인할 수 있었다. 그리고 그 눈동자가 살짝 흔들리는 것도 볼 수 있었다.

쪼그리고 앉아, 바닷물과 돌가루를 뒤집어쓴 채 저를 올려다보는 인간 케일.

혹등고래 수인, 위티라. 그녀는 약한 생물을 보호하는 바다 수호자로서 마음이 흔들렸다. 그런 그녀와 케일 사이로 고래화한 파세톤이 끼어들었다.

"누나, 나 살아 있어."

"파세톤."

혹등고래의 얼굴이 일그러졌다. 그 눈동자에 물기가 조금씩 어렸다. 반면에 파세톤은 툰카 쪽을 보더니 다급히 지느러미를 물 밖으로 내어 케일 쪽을 가리켰다. 찰싹찰싹. 지느러미의 움직임에 따라 튀어 오른 물방울이 계속해서 케일의 얼굴을 때렸다.

"이분이 내가 인어 독에 중독되어서 죽을 뻔한 걸 구해주신 분이야."

거대한 혹등고래의 동공이 흔들렸다. 작은 고래는 최대한 해안가 가까이 다가와 케일을 살폈다.

"이런, 물에 다 젖으셨군요. 이 돌가루들도. 죄송합니다. 오늘 밤에 찾아뵙고 감사 인사를 드리려고 했는데."

케일은 돌가루를 털어내며 답했다.

"괜찮다. 넌 몸이 이젠 괜찮나?"

"네, 덕분에 이제 거의 다 나았습니다."

당황한 혹등고래의 입이 살짝 벌어졌다. 그때였다.

"나랑 싸우는데 그렇게 정신을 팔면 안 된다고! 죽고 싶다는 소리인가!"

툰카가 혹등고래 수인 위티라에게로 날아오르며 주먹을 휘둘렀다. 하지만 그의 주먹은 혹등고래에게 닿지 못했다.

고래가 사라졌다.

취이이익. 대신 그 자리에 엄청난 수증기가 피어올랐다. 그 수증기 사이로 한 여인이 해안가 바위 위에 내려섰다. 타탁. 경쾌한 구두굽 소리와 함께 내려선 여인은 인간화한 위티라, 그녀였다.

"누나!"

파세톤이 위티라를 불렀다. 그 순간 케일은 조금 놀랐다.

'이건 엘프를 오징어로 만드는 수준이 아닌데?'

말 그대로 폭발적인 미모였다. 엘프를 바퀴벌레로 만들어 버릴 만한 외모였다. 어떻게 저렇게 아름다울 수가 있나 싶었다.

푸른 머릿결과 푸른 눈동자. 바다에서 가장 아름다운 생명체가 있다면 그것이 눈앞의 이 고래족일 것 같았다.

케일의 머릿속으로 용의 목소리가 들려왔다.

ㅡ……용이 더 멋지다. 용이 인간 되면 더 멋지고 아름다울 거다. 분명 세상 최고일 거다.

케일은 그 목소리를 깔끔히 무시하며 뒤로 물러섰다. 이쁘고 멋지고를 떠나 인간화한 고래 수인은 지상에서도 아주 강하고 난폭했다. 그런 그에게 위티라가 말했다.

"······물러서지 말아요. 다치지 않을 테니까."

"맞아요. 누나는 말한 것을 지킵니다."

파세톤도 곧 인간화해 케일에게로 다가왔다. 위티라는 동생의 종아리 부근에 찢겨진 바지와 그 바지 사이로 할퀴어진 흉터를 볼 수 있었다. 그녀의 눈동자에 분노가 맴돌았다.

툰카가 천천히 그녀를 향해 다가갔다.

"자꾸 쓰잘머리 없는 놈한테 신경 쓴다고 이렇게 미적미적 굴어도 되겠어? 얼른 싸우자고. 그게 더 재밌잖아."

케일과 툰카의 눈이 마주쳤다. 툰카의 입가에 비웃음이 그려졌다.

"이 새끼는 아무나 막 구하고 다니나 보네."

쯧. 케일은 '이 새끼'라는 단어에 혀를 찼다. 툰카는 이제 아예 '밥'이라는 얼토당토않은 가면은 집어던진 듯했다. 이 모습이 진짜 툰카였다. 상대가 귀족이든 힘이 세든 그냥 막말을 하고 보는 그런 모습.

케일에게는 지금 이 모습이 더 익숙했다. 책 속의 인물이 나타난 것 같았기 때문이다. 물론 그렇다고 그냥 넘어갈 생각은 없었다.

'마탑을 팔고 난 뒤에 뼈저리게 후회를 해봐야 정신을 차리겠지?'

곧 벌어질, 아니, 케일의 손으로 만들 미래를 알았기에 그는 담담했다.

가명 밥. 참 이름 하나 잘 지었다. 케일이 칠 뒤통수의 밥이 되기에 충분했다. 그러나 검은 용의 화난 목소리가 케일의 머릿속을 울렸다.

─구하는 건, 살리는 건 위대한 일이다! 뿌듯하고 자랑스러운 일이다. 그리고 욕은 나쁘다. 이런 베니온 같은 놈이 다 있나!

……자기만 아는 게 용인데, 어쩌다 이 검은 용은 이렇게 되었을까. 케일은 검은 용이 원래 용의 습성과 달라진 이유에 대해 곰곰이 생각해 보았다. 그리고 슬쩍 몸을 위타라 뒤로 이동시켰다. 짜증 난다고, 약한 놈이라고 툰카가 자신을 죽일까 봐 조금 무서웠다.

"……정의로운 행동을, 그 선의를 폄하하지 마라."

그런데 어째 위타라도 화가 난 것 같았다. 케일은 위타라에게서도 살짝 뒤로 물러섰다. 그런 그를 보며 위타라는 차분히 말했다.

"고마워요. 나중에 인사 제대로 하겠습니다."

그러나 그 눈동자에는 분노가 이글이글 타오르고 있었다. 인어족과의 싸움에서 가장 최전방에 섰던 여인. 그녀는 결코 싸움을, 시비를 피하지 않았다.

"오, 눈빛 좋은데? 이제 한판 붙을 마음이 생겼나 봐?"

툰카는 건들건들거리며 혀로 입맛을 다셨다. 그리고 팔에 힘을 쭉 빼고 몸의 무게중심을 살짝 앞으로 쏠리 듯 기울였다. 툰카의 전투 자세였다.

위타라의 입가에 미소가 생겼다.

"내가 너 따위와 한판 붙는다고?"

그 미소는 비웃음인데, 순간 주변이 환해지는 듯한 광채가 흘러나왔다. 케일은 그 광채가 살벌해 보였다.

위타라는 오른손을 펼쳤다. 촤라라락. 손바닥 위로 물길이 치솟아 올랐다. 거대한 물 채찍이 그녀의 손아귀에 잡혔다. 그녀는 채찍을 바다 쪽을 향해 휘둘렀다.

콰아아아아-!

몇 미터는 됨직한 거대한 채찍이 바다를 가로질렀다. 다시 한번 해수면이 요동쳤고, 위티라는 서늘한 눈빛으로 툰카를 응시했다.

"우습네. 한판 붙는 게 아니라."

까딱까딱. 그녀는 왼손 손가락을 툰카에게 까딱거렸다. 그리고 말했다.

"가르치는 거다."

"이 몸을 가르친다고? 하하하!"

툰카는 진동이라도 날 것 같은 큰 웃음을 터뜨리더니, 어떠한 표정도 없이 냉정한 얼굴로 위티라를 바라봤다.

"그 입을 찢어야겠네."

툰카가 바로 위티라에게 달려들었다. 그 순간 위티라는 케일 쪽을 향해 왼손을 휘둘렀다. 물의 장막이 보호막처럼 케일과 파세톤을 감쌌다.

촤르르륵! 동시에 오른손의 채찍이 달려오는 툰카에게로 매섭게 내리쳐졌다.

쾅! 맨주먹과 채찍이 부딪혔다. 위티라는 싱긋 미소를 지었다.

"가르칠 맛은 있겠네."

"크윽, 웃기는 소리!"

위티라의 채찍이 물러서려는 툰카의 몸을 뱀처럼 휘감아 허공으로 띄웠다. 툰카는 씩 웃더니 그 채찍을 손으로 쥐었다. 물로 이루어진 채찍은 손아귀에 잡혔다.

"크흐흐, 힘 싸움은 내 전문이지!"

툰카는 뱀처럼 그를 감싼 채찍을 힘으로 풀었다. 위티라의 눈썹이 들썩였다. 하지만 툰카는 고래족 차기 왕에게는 상대가 되지 않았다.

위티라는 오른손을 가벼이 움직였고, 그 행동에 채찍이 빠르고 강하게 툰카의 몸통을 강타했다. 툰카가 다시 숲 쪽으로 날아갔다.

그때.

"……이게 무슨 일이죠?"

아미르 우바르와 조사대, 기사들이 숲에서 모습을 드러냈다. 툰카가 그 방향으로 날아가고 있었다. 위티라의 눈동자가 커졌다. 그녀는 다급히 왼손으로 물줄기를 펼쳤다. 하지만 툰카의 속도가 더 빨랐다.

"다들 방패를 펼쳐!"

아미르는 날아오는 툰카를 피하기 힘들단 생각에 바로 기사들에게 명했고, 기사들이 곧장 방패를 펼쳤다. 툰카는 이를 보며 외쳤다.

"잘 막으라고! 내 몸뚱이가 워낙 튼튼해서! 다칠 수도 있어! 크하하하!"

툰카와 부딪칠 기사들은 가죽 갑옷을 입고 있어 다칠 확률이 분명 높아 보였다. 이를 모두 보고 있던 혼혈 고래 수인 파세톤의 귓가로 누군가의 한숨 소리가 들려왔다.

"하, 미치겠네."

짜증과 여유로움이 함께 느껴지는 묘한 목소리. 그 목소리를 향해 고개를 돌리던 파세톤은 눈을 크게 떴다.

쾅!

방패와 툰카가 부딪쳤다. 그러나 툰카는 사람들과 부딪치지 않았다. 아무도 다치지 않았다. 툰카는 뒤를 돌아보았다. 자신의 등에 닿은, 성스러워 보이는 은빛 방패. 그리고 자신의 몸을 부드럽게 감싼 날개.

"……뭐야."

방패가 점점 희미해지며 사라졌다. 툰카의 시선이 급히 한쪽으로 향했다. 물의 장막을 펼치려 날아가던 위티라의 물줄기가 중간에서 사라졌다. 그녀는 놀란 얼굴로 뒤돌아섰다.

희미해지는 은빛 방패와 이어져 있는 남자. 케일은 고개를 숙인 채 한숨을 내쉬었다.

"하아."

바닷물에 젖은 붉은 머리칼을 넘기는 케일의 모습은 나른해 보였다. 그러나 그의 얼굴은 짜증으로 잔뜩 구겨져 있었다.

고래 싸움에 새우 등 터지는 게 아니라, 고래 싸움에 새우가 힘을 써버렸다.

케일은 자신에게 집중된 시선을 느끼며 천천히 자리에서 일어섰다. 툰카를 날려 보내는 위티라를 보며 그녀를 응원하고 있었는데, 기사들이 다치면 안 되었기에 다급해져 방패를 펼쳐 버렸다.

그 바람에 방패 안쪽을 기사들 쪽이 아닌 케일 자신이 있는 방향 쪽으로 펼쳤다. 다행히 기사들은 다치지 않았지만 의도치 않게 툰카를 구해준 꼴이 되었다.

케일은 여유로운 모습으로 일어섰지만, 사실 일어설 수밖에 없었다. 너무 오래 쪼그리고 앉아 있어 다리가 저렸다.

"아."

그래서 살짝 비틀거렸다. 케일의 미간이 찌푸려졌다. 왼쪽 다리에 쥐가 났다.

"공자!"

아미르가 놀란 얼굴로 달려왔다. 파세톤이 놀라, 케일의 팔을 잡았다. 하지만 케일은 그 손을 살짝 밀어내며 똑바로 섰다. 그런 그의 앞으로 아미르가 다급한 얼굴로 다가왔다.

"공자! 굳이 힘을 안 쓰셔도 되는데, 왜 굳이!"

왜 굳이는. 케일도 굳이 그러고 싶지 않았다.

그러나 조사대 사람들이 다치면 곤란했다. 지금이야 잠깐의 소란 수준이지만, 툰카가 영주성 관리들을 다치게 하면 일은 아주 커진다. 그리되면 아마 툰카는 오랜 시간 로운 왕국에 머물러야 할지도 모른다. 그래서는 안 되었다.

툰카는 제때에 위퍼 왕국으로 돌아가야 했다.

'안 그러면 내가 손해거든.'

다가온 아미르는 속상함과 걱정이 가득한 얼굴로 케일을 살폈다.

"그리고 왜 이렇게 홀딱 젖어 계세요? 괜찮아요? 안 그래도 요양 중인데. 감기라도 걸리면 어쩌시려고! 공자는 정말!"

아미르의 말에 고래족 파세톤과 위티라가 흠칫했다. 특히 위티라는 입술을 깨물며 케일을 살폈다. 자신의 꼬리 때문에 홀딱 젖었던 케일을 떠올렸다. 그 쪼그리고 올려다보던 얼굴이 생각났다.

그때 세 사람에게 케일의 목소리가 들려왔다. 그는 느릿느릿 피곤함이 가득한 목소리로 말했다.

"아무도 다치지 않았으면 된 것 아니겠습니까?"

조금의 온기도 없는, 어찌 보면 짜증이 섞인 목소리였다. 그 목소리 느낌 그대로 케일은 짜증이 났다. 물에 온몸이 젖어서 찝찝했고, 이제 이것들에게서 떨어져 쉬고 싶었다.

파세톤은 고개를 숙였고, 위티라는 주변을 둘러보았다. 엉망으로 부서진 해안가가 보였다. 그녀는 다시 한번 입술을 깨물었다. 아미르는 잠시 망설이다 입을 열었다.

"······공자, 저는 당신을 이해하기 힘들어요. 정말이지."

케일은 수도 광장 때와 비슷한 상황이 연출되려 하자, 그냥 입을 다물었다. 다 귀찮았다.

아미르는 아무 말 없이 서 있는 케일에게서 시선을 돌렸다. 두 명의 고래족. 그들에게 향한 그녀의 눈빛이 다시 차분해짐과 동시에, 분노가 서렸다.

"너희들은 누구지?"

이 땅은 로운 왕국의 땅이었지만, 우바르, 그녀 가문의 영역이었다. 그런 곳에서 일어난 소란을 아미르는 그냥 넘어갈 생각이 없었다.

"그리고 밥."

아미르는 멍하니 서 있는 툰카를 날카롭게 응시했다.

"넌 또 누구지?"

셋 중 어느 누구도 선뜻 입을 여는 이가 없었다. 툰카는 무엇 때문인지 몰라도 멍하던 얼굴에 고민이 서리기 시작했고, 파세톤은 할 말을 생각 중이었다. 그리고 위터라, 그녀는 자신이 벌인 짓을 보며 점점 고개를 숙였다.

그때, 아미르는 이 가라앉은 정적을 깨는 소리를 들었다.

"에취!"

케일은 코끝이 간지러워 기침을 하고는 손으로 얼굴을 한 번 쓸어 넘긴 후, 고개를 들었다. 그는 정면으로 보이는 광경에, 자신에게 집중된 시선들을 향해 평소처럼 무심히 말했다.

"우선 돌아가죠."

그 말에 반박하는 이들은 없었다.

케일은 모든 사건의 전말을 이야기한 후 아미르의 저택을 빠져나오며, 제 뒤에 선 세 명을 쳐다봤다. 위티라, 파세톤, 툰카. 그리고 뒤따라 나오는 아미르와 시선이 부딪쳤다. 그녀는 케일을 한 번 보더니, 툰카에게 단호히 말했다.

"내일까지 무조건 떠나도록 해. 추방행으로 끝난 걸 다행으로 알도록."

아미르는 툰카에게 내일까지 당장 이곳을 떠나라 명했다. 어부가 아님이 명백히 드러났고, 그가 싸움의 원인이었기 때문이다.

"두 사람도 더 이상의 소란을 피우면 합당한 벌을 받을 거야."

고래족 남매는 차분한 얼굴로 아미르에게 고개를 숙였다. 케일은 고래족 왕의 혈통임을 숨기는 남매를 물끄러미 응시하다가 시선을 돌렸다.

"공자, 감기 기운이 있으신 것 같은데 얼른 들어가세요."

"그러죠."

아미르는 아까 전부터 멍하니 서 있는 툰카를 보며 눈빛을 날카로이 했다.

"은혜를 원수로 갚는구나."

케일은 아미르에게 부드럽게 말했다.

"그러니 추방하는 것 아니겠습니까."

툰카의 추방. 그것은 케일이 아미르에게 말한 부분이었다.

"케일 공자는 정말이지."

아미르는 파세톤에게 케일이 그의 목숨을 구했다는 이야기를 들었고, 이 사건에 정말 아무 죄 없이 휘말린 것 또한 듣게 되었다.

"영애, 별것 아니었습니다."

케일은 선한 표정을 지었다.

-나한테 툰카 이길 수 있냐고 묻지 않았나?

검은 용의 말쯤은 가벼이 무시하는 케일이었다. 그는 아미르에게 괜찮다고 몇 번 말한 후 툰카에게 잠시 시선을 두었다. 툰카도 케일을 쳐다보고 있었다. 아까 전부터 저 녀석은 멍했다. 아니, 복잡해 보였다.

고대의 힘.

그것은 마법을 무시하는 부족민들이 신체의 힘을 제외하고 유일하게 인정하는 힘이었다. 타고난 인간 본연의 힘인 고대의 힘이 후대로 전해졌기에, 고대의 힘을 얻는 것을 축복이라 여겼다.

케일은 별다른 감정 없이 툰카를 응시했다.

천둥벌거숭이 같은 놈이다. 그래서 영웅이 되었지만 5권에서 결국 자멸의 기미를 보인다.

고래족이 케일에게로 다가왔다. 위티라가 조심스럽게 말했다.

"정말 같이 가도 될까요?"

"갈 데도 없지 않나. 하룻밤쯤이야 재워줄 수 있어."

케일은 마차에 올라타며, 그 모습을 지켜보고 있던 고래족 남매에게 뒤따라오라 명했다. 그는 마차 문을 닫으며 생각했다.

'어쨌든 툰카는 위퍼 왕국으로 돌아가겠네.'

말이 안 통하는 놈과는 아예 깊은 연을 두지 않는 케일, 김록수였다. 복잡해질 것 같아 피하는 인연과는 달랐다.

'왕세자에게 연락을 해야 하나.'

왕세자에게 위퍼 왕국에 남겨진 꿀로 가득한 벌집들을 챙겨 오자고 하면 그는 어떻게 반응할까?

동류이기에 답은 나왔다.

아주 좋아할 것이다.

그리고 케일은 그 꿀집을 챙겨 들고 풍족하게 여생을 보내면 더없이 훌륭하리라.

저택으로 돌아온 케일은 부집사 한스와 비크로스, 부단장, 열 명의 늑대 아이들, 온, 홍까지 많은 이들을 마주해야 했다. 한스는 부산스럽게 다가오다가 고래족 남매의 얼굴을 보고 잠시 입을 벌리고는 다시 다급히 다가왔다.

"공자님, 괜찮으십니까? 소식 들었습니다."

"괜찮아. 그리고 저 사람들은 네가 대충 안내해."

케일이 한스에게 고래족 두 명을 맡기는 동안, 비크로스가 케일의 앞에 섰다. 오늘도 어김없이 깔끔한 그는 케일의 꼴을 보더니 인상을 있는 대로 구겼다. 그는 돌가루에다가 바닷물이 말라서 엉망이 된 케일을 보고는 늑대족 아이들 맏이인 메스에게 말했다.

"물 데워라."

"네."

메스는 차분히 답하더니, 케일에게 다가왔다.

"공자님, 저분들의 전투에 휘말려 크게 다칠 뻔하셨다면서요?"

케일은 메스는 물론이거니와 자신을 뚫어질 듯이 바라보는 늑대족 아이들을 보며 있는 그대로 답했다.

"전혀. 다칠 일은 없었다."

"……알겠습니다."

해맑고 순수한 늑대 아이들이 평소와 달리 가라앉아 있었지만 케일은 그러려니 했다. 그는 마치 전사처럼 일사불란하게 욕실 물을 데우고 시중들 준비를 하러 가는 아이들을 보다가, 비크로스를 쳐다봤다. 그는 눈이 마주치자마자 케일에게 말했다.

"공자님, 일단 씻으시죠."

이 더러움을 두고 볼 수 없다는 비크로스의 강한 의지가 느껴지자 케일은 가만히 고개를 끄덕였다. 그렇게 욕실로 향하려 했건만, 그 걸음을 잡아챈 이들이 있었다.

"공자님."

"왜 그러지?"

파세톤과 위티라였다. 파세톤이 그를 불렀지만 위티라가 먼저 입을 열었다.

"나중에, 조금 쉬시고 난 뒤에 찾아뵈어도 되겠습니까?"

고래왕, 그 혈족인 만큼 두 남매는 어찌 보면 이 나라의 왕족과 같은 위치였다. 하지만 그들은 자신들이 왕족임을 숨겼다. 사실 숨길 필요도 없었다. 인간들은 그들에게 왕족이 있는 줄 모를 테니까.

그만큼, 고래족은 존재한다는 것은 알아도 자세히 아는 이가 드물었다.

"내일 와."

케일은 그리 말하고는 그들에게서 뒤돌았다. 걸음을 옮기는 케일에게 검은 용의 목소리가 들려왔다. 아까 전부터 검은 용은 말이 많았다.

−기침을 했는데, 오늘 밤에 움직일 수 있겠나? 쉬어야 하지 않나?

넌 왜 이렇게 약해서 신경 쓰이게 만드나! 답답하다, 인간.

나야말로 답답한데. 케일은 몇 번이고 괜찮다고 해도 믿지 않는 이들을 보며 그냥 이 순간을 이용하기로 했다.

그날 밤, 그는 아파서 자야 되니 아무도 오지 말라 말하고선 검은 용에게 말했다.

"가자."

"……일단 알겠다."

케일은 온, 홍의 배웅을 받으며 검은 용과 함께 우바르 앞바다의 섬들로 향했다.

오늘 그는 일주일 안에 사라질 소용돌이 몇 개의 유지 기간을 1년으로 연장하기 위해 움직였다.

-굳이 몸도 안 좋은데, 이러는 이유를 모르겠다. 뛰어난 용의 머리로 이해가 안 된다.

4살의 투덜거림에 케일은 대충 답했다.

"오늘이 아니면 안 돼."

내일이면 영지의 마법사들이 도착한다. 그러면 편히 몸을 움직이기 더 힘들어진다. 오늘 그는 기연으로 발견했던 웅덩이의 물과 소용돌이까지 모두 한 번에 해결해야 했다.

케일은 여전히 중앙 섬 앞바다에 불이 환한 것을 보며, 그곳과 꽤 떨어진 섬에 내려섰다. 중앙 섬 소용돌이 다음으로 강한 소용돌이가 있는 곳이었다.

"후우."

그리고 마주한 광경에 한숨을 내쉬었다.

-저거 저놈 왜 여기까지 수영을 하면서 오냐? 아니, 그것보다 저

놈이 왜 저기 있어? 이해가 안 간다.

검은 용의 황당한 목소리가 들렸다. 케일이 검은 용과 함께 내려선 섬에는 아무도 없었다. 그런데 그 섬 앞 소용돌이에는 사람이 하나 있었다.

워낙 요동치는 소용돌이라, 하늘에서는 미처 바다의 상황을 제대로 볼 수 없었다.

"저 자식은 진짜 미친 건가."

그믐 다음 날이라 어두운 밤. 케일은 그 밤에 소용돌이로 뛰어든 툰카를 보며 생각했다. 저 자식은 도대체 무슨 생각으로 이런 짓을 하는 것일까.

그때 소용돌이에서 빠져나온 툰카가 눈을 번뜩이며 해안가로 다가왔다.

"역시! 역시 이럴 줄 알았어!"

툰카는 케일을 빤히 응시하며 다가왔다.

"너도 그냥 심심한 놈은 아니었어. 분명 근처에서 강한 냄새가 났다고! 마법산가? 하늘을 어떻게 날아왔지?"

마법사라는 단어를 내뱉는 툰카의 눈동자가 번들번들거렸다. 마법사라면 일단 싸우고 보고, 약하다 싶으면 일단 죽이고 보는. 마법사라는 존재는 세상의 해악이라고 생각하는 툰카. 그는 성큼성큼 케일에게로 다가왔다.

"고귀한 마법사님이라 내 말을 무시하는 건가? 응?"

툰카는 한숨을 내쉬는 케일을 볼 수 있었다. 그는 툰카를 보며 툭 던지듯 말했다.

"생각 중이다."

이 무식한 놈을 어떻게 해야 하나.

'지금 엎을까, 아니면 이용해 먹어야 할까.'

그 생각 중이었다. 케일은 자신의 바로 앞에 다가와 당장에라도 달려들 것 같은 툰카를 응시했다.

"무슨 생각? 날 무시하면서?"

툰카가 그 말을 내뱉는 순간, 케일은 생각을 끝마쳤다. 그리고 행동했다.

둘 다 하자.

"너, 비마법사 연맹이지?"

케일이 그 말을 내뱉는 것과 동시에.

퍼엉!

"크윽!"

무방비로 있던 툰카의 몸이 날아가 그대로 바닷물 속에 처박혔다. 툰카의 몸을 소용돌이가 휘감고 있었다.

"이게 무슨!"

마법 내성이 강한 툰카였지만 소용돌이의 바람에 정신을 차리기 힘들었다. 쉴 새 없이 휘몰아치는 바람이 물과 함께 뒤섞여 툰카를 늪처럼 빨아들였다.

케일은 두 손에 소용돌이를 형성한 채 툰카에게로 다가갔다. 찰박 찰박. 바닷물을 밟는 케일의 발걸음 소리가 울려 퍼졌다. 그는 갑작스러운 공격에 물속에 처박힌 툰카를 내려다봤다. 아무리 거대해도 결국 내려다볼 기회는 오는 법이었다.

"마법사들은 결코 고대의 힘을 지니지 못해."

툰카는 몸을 휘감던 바람이 사라지는 것을 느끼고 케일을 올려다봤다.

"밥, 전사인 너라면 그 의미를 알겠지?"

전사. 그 단어를 듣는 순간, 부족민으로서의 툰카는 그 표정이 달라졌다.

타고난 인간 본연의 힘.

툰카는 고대의 힘에 대해 들어보았지만, 실제로 본 것은 처음이었다. 그는 한참 만에 입을 열었다.

"……그럼 마법사가 아닌가?"

"그래."

단호하면서 한 치의 틈도 없는 케일의 대답에 툰카는 다른 질문을 던졌다.

"그럼 비마법사 연맹은 어떻게 알지?"

툰카는 보면 볼수록 눈앞의 귀족이 이상했다.

'그래. 이상한 놈이야.'

자신이 반말을 해도 조금도 거리낌 없이 맞받아치는 자. 그리고 아픈데도 남을 구하려고 애쓰는 인간. 분명 근처에 강한 냄새가 맴돌지만 본인에게서는 강한 냄새가 나지 않는 이상한 놈.

더불어 볼수록 점점 특이한 힘이 드러나는 놈. 또 자신을 구하려한 놈.

이런 놈은, 툰카는 처음 보았다. 그런데 이어진 케일의 말은 툰카의 생각을 한 번 더 일깨워 주었다.

케일은 툰카의 물음에 답하지 않고 물었다.

"너 혹시 마탑을 부술 생각 있나?"

"뭐? 뭘 부순다고?"

놀란 툰카의 눈이 커졌다. 네가 그걸 어떻게 알아? 툰카의 표정이 그리 말했다.

마탑을 부수는 것. 그것은 애초에 비마법사 연맹이 계획하던 과정 중 하나였다. 케일은 놀라는 그에게 이어 말했다.

"혹시 마탑 부술 계획이라면, 좀 덜 부숴줘."

툰카는 저도 모르게 툭 속마음을 내뱉었다.

"······미친놈, 무슨 소리야?"

"아, 그리고 마탑 마법사들도 다 내쫓아 주고."

툰카는 뒤이어 이어진 케일의 말에 비로소 그를 정의할 수 있었다. 케일은 툰카를 보며 씩 미소를 그렸다.

내전에서 승리한 위퍼 왕국은 성장하다가 결국 빠르게 그 기세가 사그라진다. 본능이 마법이라는 이성을 무너뜨렸으나, 이성이 없다면 결국 그것은 짐승일 뿐이었다.

짐승이 놓친 이성의 정수를 차지할 계획인 케일의 입이 열렸다.

"내가 그 마탑 사게. 어때?"

툰카의 입꼬리가 씰룩이며 올라가 미소를 그렸다. 그는 자신을 내려다보는 케일을 올려다봤다.

"이거 완전 미친놈이네."

툰카는 케일에 대해 정의했다.

케일은 툰카의 말에 딱히 반박하지 않았다. 대신 그는 툰카를 가리키며 말했다.

"너희처럼 다 뒤엎으려는 놈들도 그럼 미친놈인가?"

슬쩍 올라가던 툰카의 입꼬리가 결국 웃음을 터뜨렸다.

"하하하하ー"

주변이 쩌렁쩌렁하게 울리는 커다란 웃음소리였다. 툰카는 무엇이 웃긴지 한참을 웃고서는 고개를 절레절레 가로저으며 케일의 말에 답했다.

"아니지, 아니지."

웃음기가 사라진 툰카의 눈빛은 차가웠다.

"우리는 전혀 미친 게 아니지."

케일은 툰카가 그리 답할 줄 알았다. 툰카는 비마법사 연맹이 옳다고 확신했다. 그리고 그것을 결과로 증명해 낸다.

"그렇지. 나도 마찬가지야."

자신 또한 미친 게 아니라고 말하는 케일. 그 모습을 툰카는 찬찬히 관찰했다. 한참을 들여다보던 툰카는 툭 내뱉었다.

"직접 사러 와."

마탑을 못 부순다. 부술 계획이 없다. 그런 말은 안 하는 툰카였다.

"안 그래도 그럴 생각이야."

케일은 툰카가 독단적으로 사러 오라고 말했지만, 이를 그의 부하들이 거절할 것이라 생각하지 않았다.

서대륙 최대 마법 장치 생산국. 그 말은, 그 나라의 돈은 마법사와 마법 장치에서 나온다고 여겨도 무방했다.

비마법사 연맹은 승리 후 '돈'이 가장 필요해진다. 또한 마법의 흔적들을 없애고 싶어 한다. 케일은 그때를 노리고 있었다.

'아마 그때가 되면 왕세자도 다른 방향으로 함께하겠지만.'

아무것도 남지 않고 부서진 건물뿐이라 생각한 마탑. 그 안에는 비마법사 연맹이 뼈저리게 원하는 보물이 숨겨져 있었다.

"그런데 내가 비마법사 연맹 소속인 건 어떻게 알았지?"

하. 툰카의 물음에 또다시 케일의 입에서 깊은 한숨이 흘러나왔다. 그 행동에 툰카는 멈칫했고, 케일은 틈을 놓치지 않고 말했다.

"위퍼 왕국 부족민이고. 지금 그 왕국은 연맹 간 충돌 직전이고. 나보고 마법사냐고 죽일 것 같은 눈빛으로 달려드는데, 그걸 보고 비마법사 연맹을 안 떠올리겠어?"

"……떠올리지?"

케일은 그 반응에 그냥 툰카에게서 고개를 돌려 버렸다. 툰카의 참모가 참 안됐다 싶으면서도 어째서 이런 놈이 전쟁 때는 그렇게 감이 날카롭고 본능적으로 영리해질 수 있는지 궁금했다.

하지만 툰카는 더 흥미가 돈 듯 일어나 케일의 곁으로 다가왔다.

"왜 와?"

퉁명스러운 케일의 물음에도 툰카는 꿈쩍도 하지 않았다.

"뭘 할 것 같아서 구경하게."

쓸데없이 감만 좋은 놈. 케일은 손을 휘휘 저어 보였다.

"저리 가서 소용돌이나 가지고 놀아. 바쁘니까."

"너 귀족 맞아?"

툰카는 케일이 여간 신기한 게 아니었다. 아미르라는 귀족도 꽤 트여 있는 편이란 생각을 했지만, 눈앞의 이놈만 하지 않았다. 귀족에게 놈놈놈거리면 큰일 날 일인데, 이상하게 눈앞의 이 귀족에게는 놈이라는 단어가 착 달라붙었다.

"귀족이지. 네가 전사이듯이."

무심히 답하며 케일은 주변을 둘러보았다. 오늘 안에 해야 할 일이 많았다. 그의 귓가로 툰카의 목소리가 들려왔다.

"재밌네."

케일은 미간을 찌푸리며, 아예 툰카의 말을 들은 척도 안 했다. 대신 그는 은빛 방패를 펼쳤다. 그와 함께 날개도 나타나 살짝 날갯짓을 했다. 케일은 검은 용의 목소리가 머릿속에 들렸다.

-난 눈치가 좋다.

케일의 몸이 살짝 떠올랐다. 검은 용이 딱 맞춰 비행 마법을 쓴 것이다. 케일은 일단 다른 소용돌이들부터 먼저 해결하기로 결정했다.

"밥."

케일은 툰카의 가명을 불렀다. 아직 그는 모두에게 밥이 진짜 이름이라고 해놓은 상태였다.

"왜?"

"오늘 이 일은 비밀인 거 알지?"

"당연히 알지. 난 재밌는 건 혼자 알아야 좋더라고."

씩 웃는 툰카는 정말 미친놈 같아 보였다. 밤에 봐서 그런가, 저 체격과 산발인 머리, 미소가 어우러져 더 무서웠다. 케일은 날아오르며 말했다.

"배와 어부는 내가 구해다 주지. 얼른 고향에 돌아가야 할 것 아냐?"

"오, 고마운데?"

잠시 멈칫하다가 유쾌하게 답하는 툰카의 모습을 대충 훑어본 케일은 휘휘 손사래를 치며 짧은 인사를 남기고 완전히 하늘로 날아올랐다.

"승리해라. 너희라면 할 거다."

그래야 자신에게 이득이었다.

케일은 다른 소용돌이가 있는 섬으로 방향을 틀었다. 갑자기 아래에서 툰카의 커다란 웃음소리가 들려왔다. 어느 때보다도 큰 웃음소리였다.

"하하하하!"

저 자식 원래 웃음이 많은 놈이었나? 케일은 별 시답잖은 생각을 하며 다른 섬으로 향했다. 그런 그를 툰카가 한참 동안 바라보다가 소용돌이는커녕 이제 재미없다며 숙소로 돌아갔지만, 케일로서는 알 수 없는 일이었다. 대신 그는 검은 용에게 말했다.

"나는 어떨 때 제일 분통이 터지는 줄 알아?"

─어떤 때인가?

검은 용은 여유로운 미소를 짓는 케일을 볼 수 있었다.

"쓰레기인 줄 알고 싸게 버렸는데, 그게 금덩이일 때. 특히 나에게 너무나 필요한 금덩이일 때."

검은 용의 입꼬리가 씰룩였다.

─좋은 걸 배웠다.

"아니지. 더 있어."

─더?

"그래."

케일은 여유롭게 답했다.

"그 금덩이를 제값보다 더 주고 꼭 사야 할 때."

─……억울하겠다.

케일은 악동 같은 미소로 답을 대신하며 눈앞에 놓인 일부터 했다. 그는 또 다른 섬에 내려왔다.

"아무도 없다."

검은 용의 확언에 케일은 바다를 향해 두 손바닥을 펼쳤다. 쿵. 케일은 크게 심장이 요동치는 것을 느꼈다.

'역시 심장의 활력이 바람의 소리를 강화시켰어.'

발에서부터 시작되어 손바닥으로 향하는 바람의 힘이 느껴졌다.

1초도 걸리지 않은 짧은 시간.

휘이이잉.

케일의 양 손바닥에는 바람이 휘몰아치고 있었다. 케일은 두 손바닥의 바람을 하나로 모았다.

취이이이익—

작은 소용돌이들이 부딪치며 불에 타는 것 같은 소리와 함께 열기를 토해냈다. 하지만 같은 주인을 둔 힘이었기에, 바람은 이내 하나가 되어 구를 형성했다. 케일은 그것을 허공으로 띄웠다.

쾅!

그리고 그것을 그대로 부서지지 않는 방패로 내려쳤다. 바람 구슬은 바닷속 소용돌이로 던져졌다.

싸아아아—

바람 구와 소용돌이 속 바람 팽이가 섞였다.

케일은 검은 용의 비행 마법으로 다시 하늘로 솟아오르며 그 광경에서 눈을 떼었다. 소용돌이는 최소 6개월은 버틸 것이다. 1년을 버티지 못하고 없어지면 케일에게 그 소멸의 느낌이 전해질 테니, 그때 판단하면 되리라.

"다음 섬으로 가자."

케일의 말에 검은 용의 날개가 파닥이며 속도를 냈다. 케일은 그렇게 몇 개의 바람 구를 바다에 집어 던지고, 기연인 물웅덩이의 물을 모조리 퍼 담아 왔다.

다음 날, 케일은 이른 아침부터 선착장에 왔다.

"밥."

그는 툰카에게 배와 선원을 보여주었다. 툰카는 이를 한참 동안 보다가 입을 열었다.

"두 달 뒤에 와라. 세상이 달라져 있을 테니까."

케일은 두 달 동안은 위퍼 왕국에 절대 가면 안 되겠다고 생각했다. 툰카의 눈동자에 광기가 보였다. 날뛸 태세였다.

"……빨리 가봐라."

케일은 슬쩍 툰카에게서 옆으로 떨어졌다. 그리고 얼른 출발하라는 의미로 선원을 바라봤다. 그 모습을 보던 툰카는 망설이다가 결국 물었다.

"넌 약한가?"

"어."

경쾌하고 칼같은 케일의 답에 툰카는 다시 고뇌에 빠지듯 혼란스러운 표정을 지었다. 하지만 이내 그는 배에 올라탔다.

"두 달 뒤에 꼭 와라."

"그래, 그래."

케일은 떠나는 툰카를 설렁설렁 배웅하고 배로부터 뒤돌아섰다. 그때, 케일의 등 뒤로 툰카의 목소리가 들려왔다. 아주 우렁찼다.

"내 이름은 툰카다! 꼭 기억해라!"

케일은 뒤돌아봤다. 아침 햇살을 받아 반짝이는 바다 위를 떠나는 중형의 배. 그 배에서 손을 흔들며 외치는 툰카.

꼭 소년 만화의 주인공이 떠나는 장면 같아 보였다. 케일은 못 볼 것을 봤다는 표정으로 미련 하나 없이 뒤돌아섰다. 케일의 등 뒤로 계속해서 꼭 이름을 기억하라는 목소리가 들려왔지만, 케일은 절대로 뒤돌아보지 않았다.

다만 두 달 뒤를 생각하면 벌써부터 배가 불러왔다. 평생 쓸 노후 자금과 튼튼한 성을 얻을 테니까.

케일은 숙소로 돌아와 다른 이들을 마주했다. 케일은 바닷가에 온 후로 숙소 안에만 틀어박혀 있던 아기 고양이 온과 홍의 등을 쓰다듬으며 말했다.

"굳이 인사하러 오지 않아도 되는데."

"아니에요. 감사 인사 겸 그때 놀라게 해드린 부분에 대해 사과를 드려야 할 것 같아서요."

온과 홍은 입을 벌린 채 멍하니 위티라를 쳐다보고 있었다. 파세톤을 볼 때도 별 반응이 없던 애들이, 위티라에게는 반응이 달랐다.

위티라는 케일의 안색을 살피며 조심스레 물었다.

"몸은 괜찮으신가요?"

"뭐, 늘 같지."

심장의 활력 덕분에 늘 몸 상태가 보통 이상은 되는 케일이었다. 잠도 한두 시간만 자면 피로가 싹 풀렸다. 그는 갑자기 말이 없어진 위티라, 그리고 그녀 옆의 동생 파세톤에게 말했다.

"감사 인사는 이제 그만해도 될 것 같은데. 더 들으면 인사 의미가 퇴색될 것 같아. 사과 인사도 마찬가지고."

"네. 감사합니다."

케일은 자신에게 존대를 하는 위타라를 무심히 바라봤지만, 동시에 관찰했다. 고래족 왕의 혈족. 일반 수인족들의 족장과는 달랐다. 바다의 절반을 지배하는 자. 그 위치에 있는 고래족 왕은 왕국의 왕과 다를 바가 없었다.

그런데 위타라는 케일에게 존댓말을 했다. 책 속에서 최한에게는 그러지 않았었다.

'고래족인 건 드러냈으면서 왜 신분은 굳이 숨기는 거지?'

하지만 케일은 어제부터 느꼈던 그 의문을 굳이 드러내지 않았다. 케일도 고래족에 대해서 자세히 알고 있다는 것을 최대한 드러내지 않으려 생각 중이었다.

"또 감사 인사. 하지 말래도."

케일은 보는 것만으로도 그림 같은 두 남매에게 말했다.

"두 남매가 만났으니 다행이네. 이제 가봐도 돼."

툰카까지 돌려보냈고, 이제 우바르 영지의 영주만 만나고 얼른 헤니투스 영지로 돌아가고 싶었다. 물론 거기서도 할 일이 있었지만, 위퍼 왕국 가기 전까지는 쉬지 않겠는가.

"저, 케일 공자님."

위타라. 고래족의 목소리는 전설의 바다 생물 세이렌처럼 아름다웠다.

세이렌, 그 아름다운 목소리로 사람들을 바닷속에 뛰어들게 만들었다는 무시무시한 존재. 그 존재가 문득 떠오르자 케일은 뒷골이 서늘해져 왔다. 그는 고개를 돌려 위타라를 바라봤다. 이상한 기분이 들었다.

"저희에게는 아주 오래된 적이 있습니다. 파세톤을 치료하셨으니

아시겠지만, 인어입니다."

알지. 아주 잘 알지.

"그런데 제 동생 파세톤이 그들이 갑자기 강해진 이유를 알아냈습니다."

이건 또 뭔 소린가. 케일의 미간이 찌푸려졌다. 파세톤이 이어 말했다.

"제가 인어들에게 쫓기고 있었던 것은 그들이 강해진 원인을 찾았기 때문이었습니다."

인어들에게 쫓기다 죽어버렸던 혼혈 고래 파세톤. 그는 쫓겼던 이유가 있었고, 그가 아는 것은 인어와 고래족 싸움에서 중요한 정보였다.

"공자님이 헤니투스 가문의 분이라 들었습니다."

"……그런데?"

위티라와 파세톤은 케일의 말에 바로 답하지 않고 서로 눈빛을 교환했다. 그 행동이 몹시도 케일을 찜찜하게 만들었다. 위티라는 마침내 케일을 보며 말했다.

"어둠의 숲. 그곳에 가고 싶습니다. 아니, 가야만 해요."

케일은 전혀 생각지도 못한 이름에 저도 모르게 툭 내뱉었다.

"우리 영지?"

어둠의 숲. 최한이 수십 년을 살아왔고 서대륙의 5대 불가사의 지역 중 한 곳. 그리고 헤니투스 백작가가 오랫동안 왕국을 위해 경계해 왔던 곳.

"공자님, 부탁드립니다. 충분한 대가도 준비했습니다. 함께 가면 안 될까요?"

큰 고래와 작은 고래가 간절히 바라봤다. 온과 홍이 앞발로 케일의 무릎을 툭툭 쳤다. 함께 데리고 가자는 작은 소망의 표현이었다.

똑똑똑, 노크 소리와 함께 문이 열렸다. 늑대 소년 메스였다.

"공자님, 차와 다과 준비해 왔습니다."

줄줄이 늑대 아이 두 명이 트레이와 찻주전자를 들고서 들어왔다. 비크로스가 문밖에서 이를 주시하고 있었다.

―내가 더 멋지고 아름답다.

마지막으로 검은 용이 머릿속에 중얼거리는 말까지 들으며, 케일은 두 눈을 감았다. 그는 마치 난장판 소용돌이의 중심에 서 있는 기분이었다.

"저, 공자님?"

조심스러운 위티라의 물음에 케일은 손을 들어 보였다. 그 행동에 위티라는 입을 닫았다. 늑대 아이들이 모두 다 나가고 조용해진 방 안. 이내 케일의 두 눈이 천천히 뜨였다.

소파에 기댄 여유로운 자세. 그리고 멋들어지게 흐트러진 붉은 머리칼. 그것들과 달리 케일의 암갈색 눈동자는 그 밑을 알 수 없이 깊었다.

위티라와 파세톤은 그 눈빛을 바라보다가 그의 건조한 목소리를 들을 수 있었다.

"일단 자세히 얘기해 봐."

"저희는 북쪽, 인어는 남쪽. 각각 대륙의 극에 머물며 수십 년간 크고 작은 전투를 해왔습니다."

파세톤은 말을 내뱉고 케일을 바라봤다. 케일은 소파에 기댄 채, 더 말해보라는 듯 턱짓을 했다. 온과 홍은 슬쩍 케일을 쳐다보더니 슬금슬금 그의 무릎에 대고 있던 머리를 빼 방구석으로 갔다. 검은 용이 있는 곳이었다.

"왕국을 세우려는 인어족과 그것을 견제하는 저희 간의 싸움이었죠. 그런데 6개월 전."

파세톤의 눈동자가 가라앉았다.

"그때부터 인어족의 행동이 이상해졌습니다."

이상해져? 케일은 인어족에 대한 책 내용을 떠올렸다.

"그들이 암묵적으로 정해져 온 경계선을 넘으며 저희들에게 시비를 걸더군요."

맞다. 케일도 아는 부분이었다. 저때부터 인어족이 서서히 바다 왕국을 건설해 지배하려 든다. 다 아는 내용이 흘러나오자, 케일은 조금 마음이 편안해졌다. 파세톤은 이어 말했다.

"그 이유를 제가 정확히 알아냈습니다."

인어족이 경계선을 넘나드는 이유. 그것은 결국 왕국을 건설하겠다는 것이겠지. 4, 5권에 나온 고래족은 그렇게 알고 있었고, 그걸 막고자 최한도 움직이지 않았던가.

"동대륙과 서대륙을 잇는 해상로를 점령하려는 목적이었습니다."

"뭐?"

케일은 소파에서 등을 떼며 파세톤을 바라봤다. 그는 저도 모르게 물었다.

"해상로는 인간의 일이잖아?"

동대륙과 서대륙을 연결하는 해상로가 몇 군데 있었고, 그 길은 인간들이 발견한 길이었다. 하지만 그조차도 멀고 험한 길이라, 아직도 동서대륙 간의 교류가 활발하지 않았다. 그리고 바닷속 지성체와 땅

위의 지성체 간에는 이 해상로에 대한 암묵적인 합의가 있었다.

바닷속 지성체는 해상로를 건들지 않는다. 대신 땅 위 지성체는 바닷속 일에 관여하지 않음을 기본으로 했다. 그래서 최한이 바닷속 일에 대놓고 관여하게 되었을 때, 꽤 난관이 많았다.

그런데 그걸 인어족이 어긴다고?

위티라가 입을 열었다.

"저희는 처음에 인어족의 새로운 왕이 앞장서 왕국을 건설하려는 움직임인 줄 알았습니다. 그런데 파세톤이 알아 온 정보는 달랐습니다."

하. 케일의 입에서 한숨이 흘러나왔다. 그는 미지근해진 차를 들이마셨다.

'또 쓸데없는 걸 알아버렸어.'

문제는 지금까지 알던 것보다 더 큰 문제라는 것이었다. 왕세자 알베르 일보다 더 큰일이었다.

"그리고 한 가지 이상한 일이 더 있었습니다."

"잠깐."

케일은 말을 이어가려는 위티라를 막았다.

"왜 어둠의 숲이 나왔는지. 그 용건만 말해."

더 들었다가는 큰일이 케일을 덮칠 것 같았다. 점점 불안해져 왔다. 케일은 살짝 미소 짓는 위티라를 볼 수 있었다. 케일은 왜 이 아름다운 고래족들의 미소가 무시무시해 보이는 것일까.

"네, 이제 그 용건입니다!"

위티라는 밝게 답했다. 케일은 어두워져 갔다.

"말씀드렸듯 약 한두 달 전부터 인어족이 강해졌습니다. 그리고 그들이 강해질 수 있었던 '재료'를 찾아냈습니다."

케일은 두 눈을 감았다. 그는 심란한 마음으로 서서히 눈을 뜨고 두 고래족에게 물었다.

"그 재료가 '어둠의 숲'에 있나?"

"맞습니다! 바로 알아채셨군요!"

뭐 이런 황당무계한 개연성이 있단 말인가. 바다의 생물을 강하게 하는 재료가 대륙의 어둠의 숲에 있다고? 케일은 황당했다.

무엇보다도 어떻게 인어들이 어둠의 숲에 닿을 수 있단 말인가. 케일은 왠지 찝찝해져 왔다.

파세톤은 눈을 반짝이며 결연하게 말했다.

"인어족이 재료가 있는 장소가 어둠의 숲에 있는 늪이라고 말하는 것을 제가 분명히 들었습니다. 그 덕에 인어들에게 쫓겨야 했지만요. 그래서 그 늪에 가서 그 재료가 무엇인지 찾아야 합니다."

더 이상 들을 필요 없었다.

어둠의 숲.

최한의 해리스 마을.

케일은 지금 문밖에 있을 늑대 아이 열 명을 떠올렸다. 그리고 방구석을 쳐다봤다. 온과 홍이 애매하게 떨어져 있었다. 저 떨어진 사이에 투명화한 검은 용이 있을 것이다.

―뭘 보나, 인간?

별장을 하나 지어줄까 했는데.

―역시 내가 제일 멋진 것 같은가? 뭐, 계속 쳐다봐도 된다고 허락해 주겠다.

케일은 툭 내뱉었다.

"곤란한데."

"네?"

고래족 남매의 눈동자가 커졌다. 하지만 케일은 그들을 보지 않고 생각했다.

'뭐가 이득일까.'

무엇이 이득인지 알아보려면 첫 번째로 알아야 할 것이 있었다.

"인간은 바닷속 일에 관여해서는 안 돼."

위티라가 곧바로 답했다.

"그 선은 당연히 알아요. 케일 공자에게 어떠한 피해도 가지 않게 할 생각이며, 모든 건 저희가 무단으로 몰래 저지른 짓입니다."

그녀는 이어서 케일이 의문을 가지는 부분을 언급했다.

"그리고 어차피 인어족이 먼저 시작했습니다. 그들이 어둠의 숲에 닿으려면 지상의 손길이 필요했을 테니까요."

"그래도 위험 부담이 커. 그건 알고 있겠지?"

"네."

두 번째로 알아야 할 것을 물었다.

"그래서 대가는?"

케일은 위험을 알려주고 대가를 물었다. 위티라의 입가에 진한 미소가 그려졌다. 천천히 그녀의 입이 열렸다. 케일은 그녀의 입에서 나올 말이 무엇인지 알았다.

최한에게 고래왕이 내건 조건이리라.

"해상로."

케일의 입꼬리가 서서히 올라갔다.

"지금 인어족이 점령하려고 하는 해상로 중 그들이 일 순위로 둔 곳이 있습니다. 아직 인간들은 발견하지 못한 곳. 가장 안전한 해상로가 있습니다."

케일은 알면서도 물었다.

"어디지?"

그걸 모른 채 위티라는 자신만만하게 말했다.

"우리 바다."

서대륙 북쪽 바다.

"고래족의 영역입니다."

케일은 픽 웃음을 흘리며 물었다.

"고래족의 영역이 가장 위험하지 않나? 바다의 가장 강한 이들이 버티고 있는 곳인데?"

"하지만 당신에게는 이제 안전한 곳이에요. 당신은 그곳을 이용할 권리를 지니게 됩니다."

케일은 자신만만해 보이는 그녀를 보며 툭 던졌다.

"필요 없는데?"

"……네?"

그깟 해상로. 케일에게는 조금의 필요도 없는 곳이었다. 아예 해상로를 주는 것도 아니고 이용할 권리를 준다는 말인데, 그건 편히 살려는 케일에게는 조금도 필요치 않았다.

하지만.

"하나를 더 얹지."

해상로로 가문은 부유해지고 강해질 것이다. 물론 영주가 될 동생 바센이 고생하겠지만. 케일은 의문이 가득해 보이는 차기 고래왕에게 말했다.

"내가 원할 때 너희 힘을 빌려줘."

"힘이요?"

"그래, 힘. 횟수는 두 번."

북쪽의 기사들이 따뜻하고 풍요로운 곳을 향해 아래로 내려올 때. 그때, 이 동북부만 안전할 수 있다면 케일은 상관없었다. 그간 우바르 영지 앞바다의 소용돌이와 해군 기지 등 그 모든 것에 왜 관여했겠는가. 책 속의 내용이 꽤 틀어진 마당에 케일은 대비를 해야 했다.

"인간사에 끼어드는 건 조금."

케일은 난색을 표하는 위티라를 보며 실소를 흘렸다.

"나보고는 위험을 감수하라고 하면서 너희는 안 한다고?"

"……저희는 평화를 원하는 종족입니다만."

"인어족과 계속 싸우고 있는 너희들이 할 말은 아닌 것 같은데?"

고래족은 강해진 인어족으로부터 위험을 느낀다. 처음으로 느껴보는 위기감이었다. 그들은 자신들의 평화를 위해 그 위기감을 조속히 없애고 싶을 터.

아무 말이 없는 위티라에게 케일은 말했다.

"어둠의 숲은 불가사의 영역이야. 그곳은 강하다고 안전한 곳이 아냐. 특히 지상을 모르는 너희들이라면."

케일은 어차피 해리스 마을에 가려고 했다.

"내가 도와주지."

최한이 수십 년을 살아온 어둠의 숲. 그럼에도 최한은 어둠의 숲 모든 것을 다 알지 못했다. 그저 단편적으로 알았다.

그리고 최한 다음으로 그곳을 잘 아는 인간은 케일이었다.

"어떤 늪인지 알 것 같거든."

위티라는 씩 웃는 케일의 모습을 볼 수 있었다. 그는 사근사근 부드럽게 위티라에게 말을 건넸다.

"고래족은 평온한 최강자로서의 삶을 원하잖아?"

케일은 위티라의 자세가 달라지는 것을 볼 수 있었다. 그녀는 천천히 부탁하는 자세에서 거래하는 자세로 바뀌었다.

"맞아요. 케일 공자 말이 맞네요."

평화를 수호하는 고래족. 그것도 자신들이 강하니까 나올 수 있는 행동이었다. 인어족이 강해지자, 온 바다를 뒤엎으며 싸우던 고래족이 아니던가.

"나 위티라, 고래족 족장 후계자로서 당신의 조건을 받아들이죠."

위티라는 그녀의 정체를 말했음에도 여전히 여유로운 케일을 볼 수 있었다.

"네가 후계자였어? 잘됐네. 여기서 바로 계약을 끝낼 수 있겠는데?"

오히려 계약을 바로 끝낼 수 있음에 즐거워하는 모습이었다. 그는 손을 내밀며 그녀에게 말했다.

"이제 말을 높여야 하는 건가?"

위티라는 그 손을 잡으며 답했다.

"그럴 필요는 없어요, 케일 공자. 저는 신분을 숨겨야 하니까요."

"나만 그 신분을 알고?"

"그렇죠."

케일은 위티라와 악수를 했다. 그것으로 충분했다. 케일은 고래족 남매가 떠나고 난 후, 소파 깊숙이 몸을 기댔다. 그는 허공을 보며 입을 열었다.

"야."

검은 용이 나타나며 퉁명스레 답했다.

"야라고 하지 마라."

"그럼 뭐라고 해?"

케일은 검은 용이 맞은편 소파에 내려앉으며 코를 찡긋거리는 것을 볼 수 있었다.

"네가 생각해라, 인간."

"일단 너부터 나에게 인간 말고 케일이라고 해야 하지 않아?"

콧방귀를 뀌며 대답을 피하는 검은 용을 케일은 묘한 눈빛으로 바라봤다. 그러나 일단 용건을 먼저 꺼냈다.

"너, 네 집 가지고 싶지 않냐?"

케일은 이전부터 생각했다. 이왕 검은 용을 데리고 살 거면, 이 자연계의 최강이라 불리는 존재에게 아주 근사한 집을 주면 좋지 않을까?

"집?"

용의 날개가 파닥였다. 보통 용은 독립성이 강했다. 물론 이 녀석은 조금 달라 보이지만, 그래도 비슷하지 않을까. 케일은 용의 되물음에 평온하게 고개를 끄덕였다.

그런데 검은 용의 반응이 이상했다.

"나 쫓아내나?"

검은 용의 날개가 부들부들거렸다. 주변 마나가 파동을 일으키며 일렁였다. 상당히 화가 난 것 같았다. 케일은 곧바로 입을 열었다.

"음, 따지고 보면 별장이지."

"……별장?"

"어. 가끔씩 너나 나나 온, 홍, 늑대들이 놀러 갈 별장. 재밌는 놀이도 하고."

물론 놀이를 겸한 의도치 않은 어둠의 숲 몬스터 학살 작전이 될 확률이 높았다. 검은 용은 파르르 날개를 떨던 것을 멈추고 소파에 평온히 몸을 눕히며 말했다.

"······별장 땅은 내가 고른다."

잠이라도 오는지 천천히 깜박이던 검은 용의 눈이 일순간 날카로워지며 케일에게로 향했다.

"대신 내 이름은 네가 골라라. 시간은 한 달이다."

케일의 표정이 떨떠름해지든 말든 검은 용은 눈을 감고 낮잠에 빠져들었다. 용의 입가에는 만족의 미소가 어려 있었다. 케일은 키득거리는 소리에 고개를 돌렸다. 온과 홍이 뚝 웃음을 멈추고 모른 척하며 케일에게 물었다.

"언제 집에 가요?"

"생선은 좋은데, 바다는 싫어요."

케일은 고양이들에게 답했다.

"곧."

이틀 뒤, 케일은 아미르 영애와 우바르가의 배웅을 받으며 마차에 올라탔다. 마차는 서서히 속도를 내기 시작했고, 케일은 마차 창문 커튼을 치며 말했다.

"장치 꺼도 돼."

케일의 말에 바로 투명화 마법 장치가 풀렸고, 고래족 남매, 그리고 검은 용이 모습을 드러냈다. 순간 파세톤이 흠칫했고 위타라의 눈동자에 이채가 맴돌았다. 검은 용은 케일의 무릎 위에 머리를 올려놓으며 고래족 남매를 뚱하니 바라봤다.

“뭘 봐?”

“……당신이었군요. 그때의 그 마나 파동은.”

검은 용과 위티라가 서로를 빤히 응시했다. 둘은 서로의 강함을 인지하고 있었다. 그것을 시험해 보고 싶기도 했다.

그때. 툭, 케일의 손이 검은 용의 머리에 닿았다.

“조용히 가자.”

케일이 나직이 말하자 검은 용은 아무 말 없이 눈을 감고서 잠들 태세에 들어갔다. 마차 안은 조용해졌다.

며칠 뒤. 케일은 헤니투스 영지, 웨스턴시에 도착하자마자 얼굴을 있는 대로 구겼다.

“케일 공자님!”

“오!”

수도의 소문이 언제 여기까지 퍼진 것일까. 케일은 자신의 일행과 마차를 향해 환호하는 이들을 복잡한 눈빛으로 바라봤다. 저들은 망나니에 대한 기억과 소문은 잊은 것일까. 물론 아직 자신의 마차를 보자마자 피하거나 굳어버리는 영지민들도 있었다.

그때, 새로운 환호가 들려왔다.

“은빛 공자님!”

“방패 공자님! 방패!”

케일의 얼굴이 다시 구겨졌다. 저 오글거리는 별칭은 안 들을 방법이 없을까.

케일의 시야에 부단장이 들어왔다. 말 위에 타고서 마차를 호위하는 부단장은 아주 뿌듯한 얼굴로 어깨를 쫙 펴고 있었다. 눈이 마주친 부단장은 쾌활하게 말했다.

"공자님의 영웅담이 퍼졌군요! 하하."

그는 슬그머니 말을 마차 쪽으로 몰며 가까이 다가와 말했다.

"은빛 공자라는 칭호가 참으로 멋진 것 같습니다. 부럽습니다, 공자님."

탁!

케일은 부단장 앞에서 마차 창을 야멸차게 닫아버렸다. 마차 안의 고래족 남매가 케일을 묘한 표정으로 바라봤지만, 케일은 팔짱을 낀 채 눈을 감았다.

툭툭.

검은 용이 슬그머니 앞발로 케일의 무릎을 두드렸다. 케일은 눈을 살짝 뜨며 내려다보았고, 그 시선에 검은 용이 드물게 조심스레 물었다.

"집이야?"

케일은 그 물음에 무심히 답했다.

"그래. 우리 집에 도착했네."

온과 홍이 기지개를 켰고, 검은 용이 날개를 파닥였다. 그 순간, 닫힌 마차 창문 너머로 부단장의 목소리가 들려왔다.

"공자님도 참. 매번 부끄러워하시긴!"

"오오, 은빛 공자님!"

닫힌 창문 너머로 부단장의 커다란 목소리와 누군가의 환호성이 함께 들려왔다.

저 인간을 진짜. 케일은 백작가에 도착할 때까지 눈 한 번 뜨지 않았다. 수도로 떠났던 망나니가 고향으로 잠시 돌아왔다.

13장
엎으면 되지

13장
엎으면 되지

케일이 돌아오자마자 제일 먼저 마주한 이는 가족이었다.

휙, 휙. 케일의 몸이 힘없이 좌우로 돌려졌다. 탁, 타닥. 케일의 어깨와 팔, 얼굴을 두 손이 요리조리 살폈다. 케일 얼굴에는 표정이 없었다.

"크게 다친 곳은 없구나."

데르트 백작은 한참 동안 케일을 살펴보고 나서야 안심했다는 듯 미소를 지어 보였다. 케일은 영혼 없는 미소를 그린 채 흐트러진 옷매무새를 다듬었다. 데르트 백작은 매일 아침마다 검술 훈련을 하는 만큼 힘이 셌다.

"컨디션은 괜찮니? 불편한 곳은?"

"괜찮습니다."

이번에는 바이올란 백작 부인이 케일에게 다가왔다.

"일행이 더 늘었다 들었다."

그 일행은 늑대족 아이들과 고래족 남매를 가리켰다. 고래족 남매는 검은 용의 마법으로 외양을 교묘하게 변형시킨 상태였다.

"네. 어쩌다 보니 그렇게 되었습니다."

"그래."

케일은 오늘도 흐트러짐 없이 깔끔한 바이올란 백작 부인의 눈빛이 서늘해지는 것을 볼 수 있었다.

"……테러범들은 아직 안 잡혔다고 하더구나."

"네, 그렇다고 합니다."

"그래, 일단 알겠다."

바이올란의 시선이 데르트 백작에게로 향했고, 데르트도 바이올란을 마주 보며 부부가 눈빛 교환을 했다. 뭔 짓을 저지를 눈빛이었다. 케일은 그 모습이 상당히 꺼림칙했지만, 모른 척했다. 데르트 백작은 부드러운 미소를 지어 보이며 케일에게 말했다.

"수도 일과 네 힘에 대한 것은 나중에 들어도 되니, 일단 쉬어라."

"네."

백작의 축객령에 케일은 방으로 향할 수 있었다. 하지만 그의 발걸음을 잡는 이들이 있었다. 둘째 바센과 막내 릴리였다.

"형님, 몸은–"

"아, 맞다."

케일은 남매에게서 시선을 돌려 부집사 한스에게 손짓했다. 한스는 곧바로 다가왔다.

"여기 있습니다."

"그래."

케일은 한스에게 받은 물건 두 개를 각각 바센과 릴리에게 건넸다.

"이건 만년필이다. 이건 검이고."

케일은 남매가 사 오라던 물건들을 기억하고 있었다. 그는 선물을 받아 든 두 남매에게 물었다.

"표정이 왜 그래?"

바센의 표정이 굳어 있었다.

"정신없으셨을 텐데."

"정신이 없어도 약속한 건 지켜야지."

무심히 답하는 케일을 빤히 보던 바센은 만년필이 담긴 상자를 쥐며 비장하게 말했다.

"공부를 열심히 하겠습니다. 이 영지의 행정과 발전을 위해 노력할게요."

"그래, 그래."

네가 영주가 되어야 하는데 행정 공부를 많이 하면 좋지. 아주 좋은 자세였다. 케일이 흐뭇한 미소를 입가에 매달았고 이를 보던 바센은 잠시 망설이다가 말했다.

"형님이 신경 쓸 만한 일은 만들지 않을 겁니다."

"무슨 말이야?"

"아무튼, 그렇습니다."

그 뒤로 바센은 입을 꾹 다물었다. 케일은 자세한 내용을 빼먹고 말하는 바센을 의문 어린 표정으로 바라보다가 고개를 돌렸다. 그곳엔 릴리 헤니투스가 있었다.

7살. 어린아이는 이상하게 표정이 다부짐을 넘어 결연했다.

얘는 또 왜 이래?

"오라버니."

"그래."

"내가 강해져서, 우리 영지는 물론이거니와 기사단도 이끌 거예요. 다 지킬 거예요."

"오, 응원하마."

바센은 행정. 릴리는 군사. 둘이면 영지는 알아서 잘 굴러갈 것이다. 이 얼마나 좋은 다짐이란 말인가. 케일은 흐뭇한 얼굴로 릴리의 머리를 쓰다듬었다.

"너라면 멋진 기사가 될 거다."

"네. 아무도 다치지 않게 할 거예요."

"그래, 그래."

케일은 쓰다듬던 손을 치우고 걸음을 옮겼다.

"난 이만 쉬어야겠다."

"푹 쉬십시오, 형님."

"오라버니, 푹 쉬어야 해요! 나으려면!"

케일은 두 애들의 말에 대충 손을 흔들어 보이곤 방으로 향했다. 그런 케일의 뒷모습을 남매는 한참 동안 바라봤다.

이를 모른 채 케일은 오랜만에 자신의 방으로 돌아왔다. 하지만 이미 그의 방은 한동안 비어 있던 공간 특유의 허전함이 느껴질 리 만무했다.

냐아아옹.

냐아옹.

침대 위를 뒹굴고 있는 두 고양이들은 아주 살판이 났다. 하지만 고양이는 눈에 들어오지도 않았다. 케일은 제 방문 앞에서 대기하고 있던 이를 보고 미간을 찌푸렸다.

"……내 시중 들게?"

주방장 비크로스였다.

이젠 아예 제2주방은 제쳐두고 론의 일을 대신하려는 건가? 케일의 의문 섞인 눈빛을 모조리 무시하며 비크로스는 편지를 내밀었다.

"아버지 편지입니다."

"아, 론."

"보고라고 하셨습니다."

한 번도 뜯지 않고 깔끔하게 봉해진 편지. 론은 저번에 떠날 때는 한스를 통해 편지를 보내더니, 보고는 아들을 통해 할 생각인 듯했다.

"그래. 고맙다."

"네."

"메스랑 애들은 일단 주방 보조와 서빙 담당으로 보냈다."

비크로스의 어깨가 흠칫하더니 몇 초의 틈을 들인 후 답했다.

"……네."

그 돌아가는 걸음이 힘없어 보였지만, 어찌 되었든 비크로스는 늑대족 아이들을 잘 돌보고 있었다. 케일은 방문을 닫았다. 달칵. 그 소리와 함께 검은 용이 나타났다.

"우리 집 좋아. 아주, 매우, 상당히 좋아."

검은 용은 온과 홍이 있는 침대 위로 뛰어들며 신나 했다. 케일은 평균 7세 아이들이 하는 행동에 픽 웃음을 흘리며 여유로이 편지를 펼쳤다. 그리고 편지를 떨어뜨릴 뻔했다.

아직 살아 있습니다. 아직 살아 계시지요?

보고는 저 한 줄뿐이었다.

이런 살벌한 보고가 있단 말인가. 하지만 그렇기에 론이 보낸 편지라는 확신이 들었다. 물론 글씨체도, 더불어 약속한 문양도 보여서란 이유도 있었지만.

똑똑똑.

"공자님, 들어가도 되겠습니까?"

문 두드리는 소리와 함께 한스의 목소리가 들렸다. 고양이들이 도도하게 자세를 바로 했고 검은 용은 투명해졌다.

"들어와."

한스는 고양이들에게 줄 간식을 한가득 품에 안고 들어서며 케일에게 말했다.

"마법사가 언제든 시간이 된다고 합니다."

"그럼 지금 당장 가지. 넌 따라오지 않아도 돼."

케일은 한스를 내버려 두고 다시 방을 나와 영주성으로 향했다.

─어딜 가나? 마법사 만나나?

케일은 온, 홍과 놀지 않고 투명화해 따라오는 검은 용을 위해 살짝 고개를 끄덕여 주었다. 용은 분명 마법사라는 단어에 흥미가 생겨 따라온 것이리라.

"공자님, 돌아오셨다는 말씀 들었습니다."

"그래."

영주성으로 들어서자, 케일에게 인사를 건네는 이들이 많았다.

"안녕하십니까, 공자님."

"어. 오랜만."

"대단한 일을 하셨더군요. 정말 훌륭하십니다."

"별로."

그는 그 과정이 귀찮아 걸음을 빨리하며 인사들에 대충 답했다. 투명화한 검은 용은 그 모습들을 관찰했다. 검은 용은 괜히 날개를 조금 세게 파닥이며 케일의 뒤를 따랐다. 케일에게 인사하는 이들이 나타날수록 용의 귀가 쫑긋거리며 입꼬리가 위로 씰룩였다. 케일은 이를 모른 채, 목적지의 문을 열었다. 물론 노크도 했다.

"공자님?"

"처음 보는군. 반가워."

"뵙게 되어 영광입니다."

영지에서 마법 영상통신을 담당하는 마법사였다. 보통 영상통신은 중급과 초급 사이의 마법사들이 담당하는 일이었다.

"영상통신은 바로 되나?"

"네. 그런데 어디로 하실 겁니까?"

마법사는 영상통신구를 준비하면서도 힐끗힐끗 케일을 바라봤다. 요즘 영지는 케일 헤니투스에 대한 이야기로 연일 들썩였다. 그래서인지 오자마자 영상통화를 하려는 케일의 모습이 마법사의 호기심을 자극했다.

케일은 마법사의 호기심을 모른 채 담담히 답했다.

"왕궁."

"아, 왕궁– 왕궁이요?!"

"그래."

케일은 정확한 대상을 짚어주었다.

"왕세자 저하께 연결 부탁하네."

케일은 어버버하는 마법사를 보며 살짝 미간을 찌푸렸다.

"왜? 연결 안 돼? 그냥 음성만 남겨놓아도 상관없는데."

"아, 아뇨. 됩니다. 되죠."

수많은 영상통신이 오고 가는 왕궁과 통신을 할 때는 영상이나 음성을 남겨놓는 것이 가능했다. 대기자가 워낙 많으니 그럴 수밖에 없었다.

'이 세상은 마법사가 중간중간 필요하다는 것 빼면 꽤 편한 세상이야.'

마법사는 왠지 모르게 허둥대며 왕궁으로 수신호를 설정하더니, 이내 케일에게 보고했다.

"현재 영상통신을 바로 하시는 건 힘들 것 같고, 왕세자 저하 수신호로 음성을 남겨놓을 순 있을 것 같습니다."

얼굴을 맞대고 이야기하는 것이 좋았지만 굳이 그러지 않아도 될 일이라, 케일은 그러겠노라 답했다. 그는 마법사가 장치를 실행시켜 놓고 나가는 것을 지켜본 후, 혼자가 되자 영상통신구를 향해 입을 열었다.

"저하, 케일 헤니투스입니다."

더도 덜도 말고 용건은 간단하게 표현 가능했다.

"위퍼 왕국 마탑 살 겁니다."

첫 번째 황금패 사용. 케일은 이 음성을 들을 왕세자의 표정이 상상되었다. 그리고 그가 결국 수락할 것도 알았다. 황당해하고 짜증 내면서도 오히려 좋아할 것이다. 그리고 궁금할 것이다.

그래서 케일은 한 가지 말을 더 남겨두었다.

"참고로 저 일주일 동안은 영상통신이 불가능합니다. 다른 곳에 잠시 놀러 갔다 오거든요. 미리 말씀 남겨놓겠습니다."

그 말을 남기고 케일은 마법사가 가르쳐 준 버튼을 눌렀다. 음성이 남겨졌다는 신호로 파란 불빛이 영상통신구에 들어왔다. 케일은 나가 있던 마법사를 불렀고, 마법사는 이내 불빛을 보고는 케일에게 말했다.

"정상적으로 음성이 남겨졌습니다."

"그래."

마법사는 케일이 짓는 미소를 보며 입을 열었다.

"꽤 좋은 내용을 남겨놓으셨나 봐요?"

"뭐, 그렇지."

아마 남겨둔 음성은 내일쯤은 되어야 왕세자가 들을 것이다. 케일은 자신이 떠나고 난 후, 일주일 동안 통신을 기다릴 왕세자를 떠올리며 유쾌한 미소를 지었다.

─……왕세자 불쌍하다.

검은 용은 왠지 모르게 왕세자가 불쌍해졌다. 케일은 그 말을 가벼이 넘기며 마법 통신실을 빠져나와 아버지 데르트 백작을 찾아갔다. 온 김에 일을 한 번에 해치우고 싶은 그였다.

"해리스 마을에 가보고 싶다고?"

"네."

데르트 백작의 말에 케일은 고개를 끄덕였다. 그는 내친김에 고대의 힘과 해리스 마을, 두 가지를 다 말했다. 하지만 데르트 백작은 해리스 마을에 집중했다.

데르트는 케일의 손에 들린 해리스 마을 사건 관련 보고서를 쳐다보다가 아들을 바라봤다. 케일의 눈빛은 담담했다. 해리스 마을에 가겠다는 말은 진심이라는 소리였다.

해리스 마을.

데르트 백작은 조사대를 보내고 난 뒤, 관련 소식을 듣고 마을로 향했다. 그리고 분노와 함께 슬픔을 느꼈다.

말 그대로 마을은 초토화가 되어 있었다. 동시에 범인의 흔적을 무엇도 발견할 수 없었다. 그래서 현재 관련 수사를 위해 근처 영지에까지 협력을 부탁했고, 더불어 정보 길드에 의뢰도 해둔 상태였다.

"……최한이라는 청년이 신경 쓰여서 그런 것이냐?"

데르트 백작은 그곳에서 범인의 흔적을 찾지 못했지만 싸움의 흔적은 발견했다. 그것만으로도 최한의 힘을 어느 정도 짐작할 수 있었다. 그 힘을 최한과 함께 생활한 아들이 모를 리 없을 터.

"그런 셈이죠."

"정말 그 이유로 해리스 마을에 가려는 것이냐?"

"뭐, 그렇죠."

케일은 염려와 걱정이 담긴 데르트의 말에 대충 고개를 끄덕였다. 변명을 댈 것이 그뿐이었다.

늑대 아이들 광폭화 및 야생 훈련을 위해. 그리고 검은 용의 성장을 위해. 더불어 고래족 전쟁의 해결 방안을 위해 어둠의 숲에 간다는 말은 할 수 없지 않은가?

케일은 고민하는 것 같은 데르트 백작에게 다시 입을 열었다.

"이미 조사대가 다 조사했겠지만, 그래도 눈으로 확인하고 오고 싶습니다. 그리고 몬스터 걱정은 없지 않습니까? 겨울도 아니고."

"그렇긴 하지."

어둠의 숲 몬스터. 해리스 마을과 어둠의 숲 사이에는 사람들이 세운 거대한 석벽이 존재했다. 몬스터를 대비한 것이다.

물론 근 150년간 몬스터의 침입은 전혀 없었다. 원래 어둠의 숲으로 들어가면 죽는다는 소리가 많아서 그렇지, 숲에서 몬스터가 튀어나오는 경우는 드물었다.

'튀어나왔다 하면 돌연변이에 강해서 문제지.'

영주성에서는 150년간 몬스터가 조용하자 이를 이상하게 여겨 몇 번 조사대를 파견했지만 차마 어둠의 숲에 들어가 보지 못하고 주위만 둘러보다 나온 형편이었다.

마침내 데르트 백작의 입이 열렸다.

"어차피 아직 해리스 마을에 병사들도 남아 있고 안전한 편이니."

그는 무언가를 수긍한 듯 고개를 끄덕이며 케일에게 말했다.

"네가 거둔 이는 네가 챙겨야지."

케일은 고개를 천천히 가로저었다. 말도 안 되는 착각이었다.

"최한은 제 아랫사람이 아닙니다."

최한을 거두다니. 케일은 그런 적이 없었다. 데르트는 아들의 모습에 피식 웃더니 고개를 끄덕였다.

"그래, 알겠다. 다 컸구나."

"열여덟이면 다 컸죠."

"그러네. 나가보거라."

케일은 데르트에게 인사를 하고 집무실 문으로 향했다. 그의 등 뒤로 데르트 백작의 목소리가 들려왔다.

"케일."

데르트를 향해 뒤돌아서는 케일에게 그의 목소리가 계속해서 들려왔다.

"황금 거북이는 처음부터 부의 상징이 아니었다. 우리는 무가이며 지키는 가문이다. 가족이든 무엇이든 지키는 것이 사명이지."

데르트와 케일의 눈동자가 마주했다.

"우리는 가장 단단한 껍데기로 무엇이든 지키지. 하지만 제일 중요한 것은 스스로를 지키는 것이다. 그래서 우리는 거북이다."

단단한 등껍질로 스스로를 보호하는 거북이.

세간에 특출한 점은 없고 다 고만고만하다고 알려진 영주 데르트 헤니투스. 그는 아들에게 말했다.

"그러니 늘 무엇보다도 너를 제일 위에 두거라."

그리고 부드러운 미소를 지으며 한마디를 덧붙였다.

"네가 얻은 그 힘. 멋지구나."

케일은 데르트 백작과 비슷한 미소를 지어 보이며 장난스레 답했다.

"그렇죠? 시각적으로 멋진 힘이긴 하죠. 그리고 전 늘 제 안전이 먼접니다."

"그래. 그거면 됐다."

고개를 끄덕이며 다시 서류를 보는 데르트를 가만히 바라보던 케일은 영주 집무실을 빠져나왔다. 그런 그에게 검은 용이 물었다.

–너와 저 사람은 가족이지?

케일은 그 물음에 고개를 끄덕였다.

그리고 다음 날, 케일은 마차에 올라타며 고래족 남매에게 말했다.

"내 새 호위로 제격인데?"

외모를 교묘하게 변형시킨 위티라는 채찍을, 파세톤은 검을 든 채 살짝 미소를 지어 보였다. 케일은 해리스 마을로, 정확히는 어둠의 숲으로 향했다.

케일은 어둠의 숲 근처 가장 가까운 마을에 도착해 마차에서 내렸다. 해리스 마을. 그곳을 보며 처음 느낀 감상은 간단했다.

"까맣네."

두 달보다 조금 더 시간이 흘렀음에도 아직 해리스 마을은 어두웠다. 케일은 제 발로 시선을 두었다. 땅에 아직 시꺼먼 재들이 남아 있었다. 부단장의 쓸쓸한 목소리가 들려왔다.

"다 탔군요."

케일은 시선을 돌려 부단장 힐스만을 바라봤다.

"어디가 무덤이라고 했지?"

"알아보겠습니다."

부단장 힐스만의 차분한 모습은 오랜만이었지만, 그럴 수밖에 없었다.

거대한 석벽. 어둠의 숲으로 향하는 그 석벽을 앞에 둔 해리스 마을은 온통 다 타서 새까맣게 변해 있었다. 집이었던 곳엔 앙상한 검은 뼈대만이 남아 있었고, 모든 것들이 흔적으로만 존재했다.

"불의 기운이 강하네요."

"그런 것도 느낄 수 있어?"

"이래 봬도 바다의 종족이랍니다."

위티라는 살짝 미소를 지으며 답했지만, 이내 그 눈빛이 흐려졌다. 하지만 케일은 그녀를 신경 쓸 틈이 없었다. 그는 걸음을 옮겨, 마차 안에서 내리지 못하고 있는 아이들에게로 다가갔다.

"메스."

"……공자님."

늑대 아이들의 맏이 메스는 마을 풍경을 보며 굳어 있었다. 케일은 그 이유가 충분히 짐작되었다. 그들은 지금 고향을 떠올리고 있을 것이다.

"내가 왜 너희들을 여기로 데려왔는지 알아?"

메스는 케일의 말에 아무런 대답도 하지 못했다. 그는 자신과 동생들이 왜 이곳에 왔는지 아직 케일에게 듣지 못했다. 부집사 한스도, 비크로스도 오지 않고 호위 병사도 최대한 줄인 간소화된 일행인데, 그 사이에 자신들이 있었다.

메스는 의문을 담아 케일을 바라봤다. 라크가 곁에서 모시라고 했던 공자는 팔짱을 끼며 여유로이 말했다.

"난 곧 돈이 아주 많이 생길 예정이야."

"네?"

갑작스러운 돈 이야기에 메스는 물론이거니와 마차에서 내리지 못한 아이들이 어벙한 표정을 지었다. 이를 신경 쓰지 않고 케일은 말을 이었다.

마탑과 정글의 여왕. 그 둘이면 어마어마하게 돈을 벌 수 있을 것이다. 영지에는 고래족이 해상로를 전해줄 것이고.

"그래서 그 돈 중 일부로 이곳을 다시 마을로 만들 생각이지."

마을. 그 단어가 아이들의 귓가에 박혔다.

"또 너희들과 나, 그리고 일행이 함께 놀 별장을 만들 생각이야."

"……어둠의 숲은 위험하다고 들었어요."

"진심으로 하는 소린가?"

케일은 메스의 말에 되물으며 주변을 둘러보았다. 온과 홍이 마차에서 내리고 있었고, 어딘가에 검은 용이 날고 있을 것이다. 그리고 고래족들이 재로 뒤덮인 우물로 다가가고 있었다.

"자라날 너희들보다 강할까."

무심한 목소리가 늑대 아이들에게로 닿았다.

"나는 라크에게 너희들을 잘 돌보겠다고 약속했어. 그렇다면 늑대답게 살 수 있는 공간도 필요하겠지."

조금의 어려움도 없다는 듯 청량한 미소가 케일의 입가에 걸린 순간, 시원한 바람이 그들 사이를 지나갔다. 검은 재가 그 바람에 조금 섞여 저 멀리 하늘로 날아가 버렸을 때, 다시 케일의 목소리가 자리를 채웠다.

"내가 그 땅을 만들어주마. 라크가 돌아오기 전까지 멋지게 성장해 있도록."

케일은 메스와 늑대 아이들을 보며 미간을 찌푸렸다.

"대답."

"……네, 네!"

"네!"

아이들 대답이 영 시원치 않아 케일은 탐탁지 않은 표정으로 자리를 떴다. 메스는 석벽으로 향하는 케일을 쳐다보다가 고개를 돌렸다. 메스는 자신을 바라보는 동생들에게 나직이 말했다.

"······성장하자."

그 말과 함께 메스는 마을을 둘러보았다. 까만 마을이 언젠가 기억 속 고향 마을처럼 포근한 곳이 되지 않을까. 메스는 동생들이 자신의 말에 답하지 않았지만 그 눈빛으로 같은 마음이라는 것을 느낄 수 있었다.

그들은 같은 늑대였으니까.

늑대들의 다짐을 모른 채, 케일은 석벽을 두드렸다.

"두껍네."

케일은 시선을 조금 움직여 문을 바라보았다. 석벽에 자리한 유일한 돌문. 저 문 너머로 어둠의 숲에 갈 수 있었다. 물론 최한은 이 문을 통하지 않았다. 십여 미터의 높이를 뛰어넘으며 드나들었다.

"이 벽 너머가 어둠의 숲인가요?"

"그렇지."

케일은 다가온 위티라를 힐끗 쳐다봤다. 푸른 머리칼과 눈동자를 모두 갈색으로 염색하고, 얼굴 또한 쉬이 기억하기 힘든 흐릿한 인상으로 바꿨다. 다만 그 목소리는 여전히 아름다웠다.

"벽 너머는 잘 보이지 않지만, 불가사의 지대인 만큼 특이한 모습이겠죠? 벽이 튼튼하려나."

싱긋 미소를 지으며 위티라는 검지로 가볍게 벽을 눌렀다. 그런데 그 검지가 쑥, 벽 안에 박혔다.

"······하하."

위티라는 난감한 표정으로 어색하게 웃어 보였다.

역시. 무시무시한 종족이다. 케일은 못 본 척 고개를 돌렸다. 이 장발의 남매는 아직 지상에서의 힘 조절에 미숙했다. 케일은 얼른 화제를 돌렸다.

"비슷해."

"네? 뭐가요?"

"이 너머 말이야. 특이한 모습일 것 같다며."

"아."

작게 탄성을 흘리는 위타라에게 케일은 어깨를 으쓱여 보였다. 그는 벽에서 등을 돌리며 말을 이었다.

"어둠의 숲은 다른 곳처럼 그냥 똑같은 숲이야."

케일은 어느새 자신의 옆으로 와 걸음을 맞추는 그녀에게 말했다.

"하지만 그 안에 든 게 다르지."

어둠의 숲은 이유를 알 수 없지만, 변형 식물종과 변형 몬스터들이 자주 나타났다. 몬스터의 경우에는 아예 외양부터 일반 몬스터와 모습이 달라 쉽게 구분이 갔지만, 식물 같은 경우 외형은 엇비슷하나 그 성질이 독이나 독가스와 같은 형태로 바뀌어 나타났다.

'그리고 몬스터의 경우 동대륙에서 주로 나타나는 몬스터들도 보이지.'

그래서 불가사의 지역이었다. 이 어둠의 숲에서 유일하게 동대륙의 흔적이 보였으니까.

"공자님!"

케일은 부단장 힐스만의 부름에 그를 향해 고개를 끄덕여 보이곤 위타라에게 말했다.

"애들 좀 돌봐줘."

"네. 어린 수인족들이 많더군요."

위티라는 한껏 귀찮아하는 얼굴로 한숨을 내쉬는 케일을 가만히 바라봤다. 케일은 그런 그녀를 신경 쓰지 않고 힐스만에게 다가갔다.

"가자."

"네."

케일은 힐스만을 데리고 목적지로 향했다. 그리고 이내 목적지에 도착했다.

"여깁니다."

수많은 무덤들이 세워진 곳. 최한이 해리스 마을 사람들을 묻어둔 곳이었다.

힐스만은 케일에게서 물러서며 병사들과 함께 섰다. 그리고 케일을 바라봤다. 부단장 힐스만으로서는 케일이 해리스 마을에 오는 것도 놀라웠고 무덤부터 찾은 것도 놀라웠다.

부단장은 케일 혼자만의 시간을 위해 조용히 물러서 있었다. 물론 케일은 이를 조금도 신경 쓰지, 아니, 관심도 두지 않은 채 무덤들을 보며 말했다.

"……미치지 않은 게 용하네."

최한이 미치지 않은 게 용했다.

꽤 정성을 들인 것 같지만 대부분이 흙무덤일 뿐이었다. 그리고 비석 대신 평평한 돌조각에 그 이름이 쓰여 있었다. 케일은 무덤의 숫자를 셌다.

이 무덤 아래 시신들을 최한은 모두 다 제 손으로 묻었다.

케일은 가끔 생각했다. 활자로 남겨진 해리스 마을 사람들의 죽음. 주인공 각성을 위한 장치로 쓰인 글자들. 오로지 그것만이 있을까?

'아닌 것 같단 말이야.'

요즘 들어 그게 아닌 것 같다는 생각이 들었다. 이유는 단순했다.

어둠의 숲, 인어, 해리스 마을 몰살.

세 가지가 하나의 가정을 케일에게 안겨주었다. 하지만 이는 라크가 오면 그를 통해 최한에게 전하든, 혹은 라크를 따라 함께 올지도 모를 최한에게 넘겨줄 문제였다.

해리스 마을 문제는 케일이 아니라, 최한의 영역이었으니까.

"힐스만."

"네, 공자님."

대신 케일은 헤니투스 가문의 사람으로서 자신이 할 일을 했다.

"나중에 여기 무덤들 좀 제대로 해놓으라고 해. 이건 너무 초라하잖아?"

"……네!"

힘차게 답하는 힐스만의 어깨를 두드리며 케일은 병사들을 쳐다봤다. 병사들은 슬쩍 뒤로 물러섰고, 케일은 힐스만의 어깨에 손을 그대로 올려둔 채 그에게 속삭였다.

"알지?"

부단장의 얼굴 위로 온갖 표정이 나타났다. 그는 이틀 전 밤을 떠올렸다. 이동 중 야영을 하던 밤, 그를 긴밀히 부른 케일의 천막에 들어섰을 때였다.

'나 어둠의 숲에 들어간다.'

'네? 요양 중이신 분이 왜 그 위험한 곳을 가려고 하십니까? 그 안에는 해리스 마을의 범인이 없을 겁니다. 그렇게까지 최한을 위해-'

말을 이어가던 힐스만의 눈앞에 작고 검은 용이 나타났다. 그때 얼마나 놀랐는지 모른다. 하지만 그게 끝이 아니었다.

냐아아옹.

짧게 울던 고양이들이 이내 사람의 모습이 되었다. 묘인족이었다. 더불어 거대한 채찍을 소환시키던 여자와 물 회오리가 치는 검을 뽑아 든 남자를 본 순간, 부단장은 세상 살면서 처음으로 놀라 소름이 돋았다.

'걱정 마.'

그리고 그들의 중심에서 여유로이 미소 짓던 케일 공자의 모습은 평소와 같아 편한 동시에 충격이었다. 좋은 의미로의 충격이었다.

이틀 동안 힐스만은 충분히 마음을 다잡았다. 자신은 단장을 최종 목표로 둔, 그것만 생각하는 놈이지만 알 건 안다.

"네, 압니다. 공자님."

"그래."

케일은 그 대답에 미련 없이 힐스만에게서 돌아섰다. 힐스만은 그 뒤를 바로 따라붙었다. 그런 그에게로 케일의 목소리가 들려왔다.

"믿는다."

힐스만은 그 말에 주먹을 꽉 쥐었다. 그는 자신의 인생에서 헤니투스가 기사단 단장 정도만 되면 충분하다 생각했다. 그러나 이틀 동안 조금 다른 생각이 들었다. 그는 그 생각을 케일에게 말했다.

"……공자님, 저는 강해질 겁니다."

"그러든가."

케일은 무심히 답하며, 앞으로 복잡한 뒤처리는 힐스만이 알아서 할 것이란 생각에 마음이 한결 편안해졌다.

그래서 다음 날 조용한 새벽, 케일은 마음 편히 움직일 수 있었다.

해리스 마을에 있는 병사들 중 몇 명이 순찰을 도는 시각. 부단장의 순찰지 변경으로 케일이 서 있는 곳 근처엔 어떤 순찰병도 보이지 않았다. 케일은 거대한 석벽 앞에 서서 마법 주머니를 만지며 일행에게 나직이 말했다.

"어둠의 숲에서 늪은 두 군데야."

거대한 숲에 늪은 두 군데뿐이었다. 파세톤과 눈이 마주친 케일은 여유로이 말을 이었다.

"하나는 몬스터들이 사는 곳이고. 다른 하나는 그 무엇도 살지 못하는 곳이지."

그는 파세톤에게 물었다.

"파세톤, 인어는 독이 강화된 것 같다고 했지. 그렇다면 어딜까?"

파세톤은 긴장한 표정으로 답했다.

"그 무엇도 살지 못하는 늪일 것 같습니다."

"그래, 정답이야. 그곳일 확률이 높아. 우리는 먼저 그곳으로 갈 거다."

그곳이 아니라면 그 뒤에 몬스터들이 널린 다른 늪으로 갈 예정이었다. 그게 이동 경로상으로도 편했다.

가만히 있던 위티라가 염려 가득한 표정으로 케일의 양 옆구리를 바라봤다. 그리고 망설이다가 입을 열었다.

"아이들은 위험하지 않을까요?"

케일의 양 옆구리에는 온과 홍이 매달려 있었다.

"어둠의 숲은 위험하다고 케일 공자가 그러셨잖아요. 그리고 무엇도 살지 못하는 늪이면 분명 독이 있거나 늪 자체가 위험하다는 소린데."

말을 이어가던 위티라는 이상함을 느꼈다. 묘인족 아이들. 은색 고양이 온의 꼬리가 살랑살랑 흥겹게 흔들리고 있었다.

"그런 위험한 것들이 많은 곳은 우리 전문이에요. 그리고 우린 안 다친댔어요."

묘족은 조심성이 많은 만큼, 탐색에 유능했다. 위티라는 온의 반응이 예상과 달라 케일을 바라봤다. 그리고 살짝 눈이 커졌다.

케일이 살짝 입꼬리를 올렸다. 또 다른 붉은 고양이 홍이 케일을 따라 씩 웃어 보였다. 둘 다 상당히 악동 같은 미소였다. 홍이 진심으로 신이 나서 말했다.

"나 오늘 강해지러 가는 건데. 괜찮아요!"

독안개를 성장시킬 순간이 왔다.

더 강해지길 원하는 아이들과 안전과 평온을 지향하는 케일에게 안전한 기연이 찾아왔다. 케일은 위티라에게 말했다.

"좋은 기회거든."

잘만 하면 고래족도 중독시킬 정도의 독안개가 완성될 것 같다.

케일은 위티라와 파세톤이 아직 확신하지 못한 표정으로 바라봤지만 신경 쓰지 않았다. 곧 온과 홍의 실력을 알게 될 테니까.

"가자."

케일이 말을 내뱉는 순간, 검은 용이 석벽 위를 향해 날아올랐고, 케일의 몸 또한 지상 위로 떠올라 뒤를 따랐다. 당연히 온과 홍은 케일의 품 안에서 석벽 위로 향했다.

"파세톤."

위티라의 부름에 파세톤이 고개를 끄덕였고, 고래 남매는 살짝 발을 굴렀다. 그리고 아주 빠른 속도로 석벽을 올라가기 시작했다. 그들의 걸음마다 물기가 맴돌았다가 증발했다.

쏴아아.

빠르게 바람을 가르며 석벽을 따라 수직 상승한 케일은 이내 석벽 위에 올라설 수 있었다.

"우아."

홍의 감탄 어린 목소리가 들려왔다.

어둠의 숲. 그 광활한 자연이 일행의 앞에 펼쳐졌다.

5대 불가사의 영역 중 두 번째로 넓은 지역으로, 로운 왕국 동북부 최단에 위치하여 동쪽 해안선까지 타원형 형태로 이어진 거대한 숲이었다.

웬만한 영지 두셋에 해당하는 크기였다. 그래서 로운 왕국은 이 땅을 어떻게든 손에 넣으려 했지만 어느 누구도 지배할 수 없었다.

'용이나 최한이면 가능할지도 모르지만.'

"크네."

케일은 덤덤히 말하며 숲의 중앙에 솟아오른 돌산을 확인했다.

이름과 달리 어둠의 숲은 어둡지 않았다. 오히려 새벽과 함께 조금씩 밝아지는 숲의 전경은 마음을 탁 트이게 하기 충분했다.

"내려간다."

"그래."

검은 용은 천천히 케일과 고양이들을 바닥에 내려주었다. 이미 고래 남매는 지상에 내려와 있었다. 바삭. 케일은 가볍게 땅으로 내려섰고, 그의 신발에 밟힌 풀이 뭉개지며 소리를 냈다.

"어둠의 숲은 두 영역으로 나뉜다고 하셨죠?"

케일은 위타라의 말에 고개를 끄덕이며 온과 홍을 땅에 내려주었다. 그리고 마법 주머니를 펼치며 입을 열었다.

"외곽과 내부로 나뉘지."

이 거대한 숲은 1단계와 2단계로 나뉘었다. 1단계는 숲의 외곽으로 그렇게 위험하지 않았다. 변형 몬스터도 적었고 대부분 소중형 몬스터였다. 다만 2단계, 돌산을 중심으로 한 숲의 내부는 상당한 위험이 도사렸다.

'최한도 수십 년 만에 그 2단계를 자유자재로 오갈 수 있게 되었으니까.'

자유자재로 오간다는 말은 적이 없다는 말이었다. 물론 이런 걱정은 케일 일행에겐 해당이 안 되는 말이었다.

"우리가 갈 늪은 외곽과 내부 그 경계에 있어. 그러니 그리 위험한 곳은 아니야."

외곽은 둘레가 넓어서 그렇지 직선으로 이동하면 그렇게 긴 거리가 아니었다. 오히려 내부 지역이 옆으로 긴 타원형 형태로 훨씬 더 면적이 넓었다.

"몬스터는 최대한 피해서 가는 것으로 할 생각이지만, 굳이 애써 피할 생각은 없어."

몬스터를 애써 피할 생각이 없다는 말에 고래족 남매는 여유로이 미소를 그려 보였다. 용과 대적하는 것도 아니고, 바다의 지배자인 혹등고래 수인이 두려워할 것은 없었다.

"마법 푼다."

검은 용이 말하자 고래족 남매의 외모 변형 마법이 풀렸다. 위티라는 상쾌한 얼굴로 미소를 지었다.

"시원하네요. 알게 모르게 조금 갑갑했었는데. 드래곤님, 고마워요."

"고마워요, 드래곤님."

위티라와 파세톤의 살가운 인사에 검은 용은 날개를 괜히 파닥거리더니, 케일에게 다가갔다. 검은 용의 표정은 묘했다.

"그런데 여긴 마나가 어둡다."

"어둡다고?"

케일의 물음에 검은 용은 고개를 끄덕이며 숲을 둘러보았다.

"그리고 냄새가 난다."

"무슨 냄새?"

"익숙한 냄새. 모르겠다."

익숙한데 모르겠다니? 케일이 의아한 표정으로 바라봤지만 검은 용은 고개를 휙 돌렸다. 그리고 담담한 얼굴로 말을 이었다.

"위험한 냄새는 아니다. 아주 오래된 냄새일 뿐."

용은 후각도 엄청 좋은 건가? 케일은 의문이 들었지만 오래 그 의문을 붙들고 있을 수 없었다.

"이제 어떻게 하나요? 그 늪까지는 어떻게 가죠?"

위티라는 케일이 마법 주머니에서 종이를 하나 꺼내는 것을 볼 수 있었다. 그녀는 뒤이어 케일이 그 종이를 펼치는 것도 볼 수 있었다.

"……지도?"

지도는 지도였으나, 지도라기에는 상당히 허술했다. 그러나 돌산을 중심으로 사방위에 따른 구분이 대략적이나마 존재했다.

"그래. 지도지."

케일은 '영웅의 탄생'에 나온 내용을 바탕으로 대강의 지도를 그렸다.

최한은 돌산에서부터 서서히 영역을 확장해 나가기로 했다. 일단 북쪽부터 시작해서 사방위를 파악하기로 마음먹었다.

……마침내 최한은 내부의 지형을 파악했고 이제는 외곽 파악에 들어갔다.

……최한은 거대한 석벽을 보며 눈물을 흘렸다. 마지막으로 내려온 남쪽 외곽. 그곳에는 사람들이 사는 곳이 있었다. 여기까지 오는 데 너무 오랜 시간이 걸렸다.

"하지만 확실한 건 아냐. 그래서 실제로 우리가 부딪쳐 보고 파악해야 해."

케일은 자신을 바라보는 위티라와 파세톤에게 말했다.

"그러니 앞장서."

이미 케일의 후방에서 검은 용이 날개를 파닥이며 고래족 남매를 바라보고 있었다. 위티라는 피식 웃더니, 케일에게 손을 내밀었다. 케일은 마법 주머니에서 물병을 하나 꺼내 내밀었다. 위티라는 이를 받아 그 안의 물을 마시더니, 곧바로 손을 뻗었다.

촤라라락. 대략 3미터의 채찍이 나타났다. 그녀는 이를 가볍게 털어 팔에 감았다. 그러고는 일행에게 장난스레 말했다.

"목적지까지 안전히 모시겠습니다."

케일은 실로 든든했다. 흑등고래. 바다의 망나니라는 범고래 수인들도 가볍게 다루는 왕족은 실로 그 든든함이 달랐다.

하지만 그는 그녀의 말대로 할 생각은 없었다. 케일은 그걸 굳이 말하지 않은 채 어둠의 숲 입구를 가리켰다.

"출발하지."

케일은 어둠의 숲으로 들어섰다.

숲은 시끄럽지는 않았지만 여러 소리들이 울려 퍼지고 있었다. 벌레 소리, 저 멀리 들려오는 몬스터들의 울음소리, 혹은 동물들의 소리, 새들의 지저귐.

"보통 위험한 곳은 조용하지 않나요?"

파세톤은 칼로 수풀을 쳐내며 케일에게 물었다.

"그건 하나의 지배자가 있을 때 가능한 거지."

어둠의 숲은 지배자가 없었다. 서로 먹고 먹히는 관계일 뿐.

"신발 조심해. 맨살 안 드러나게."

"네."

파세톤은 신발과 바지 밑단 사이에 덧댄 천을 보며 케일을 바라봤다. 케일의 마법 주머니는 그야말로 마법 주머니였다. 별의별 물건들이 다 나왔고, 그것은 필요한 물건이었다.

'여기는 발목을 조심해야 해. 벌레들도 무섭거든. 물리면 독에 중독될 수도 있어.'

파세톤은 케일이 했던 말을 떠올리며 그가 이러한 것들을 어떻게 알았는지 궁금했다. 하지만 쉬이 물을 수 없었다. 케일은 지금 몹시도 바빴기 때문이다.

"앞에 봐."

"아, 네!"

케일의 무심한 목소리에 파세톤은 얼른 앞을 보며 누나 위티라를 따라 수풀을 베었다. 현재는 허리까지 오는 짧은 수풀 지대를 지나고 있었다.

케일의 손은 쉴 새 없이 지도 위에 새로운 정보들을 기록해 나가고 있었다.

'쓸데없는 짓 같기는 한데.'

케일은 굳이 어둠의 숲 지도까지 만들 필요가 있을까 싶었다. 어둠의 숲을 정복할 것도 아니지 않은가?

하지만 감이 말했다. 분명 팔아먹을 데가 있을 거라고.

일을 할 때는 바짝 해서 돈 벌 거리들을 마련해 놓는 것이 케일 스타일이었다.

"수풀 지대도 거의 끝나가요."

"그다음은 소형 몬스터 지대야."

케일의 말에 위티라는 고개를 끄덕이며 느긋하게 채찍을 휘둘렀다. 사실 긴장할 필요가 없는 인원 구성이었다.

그렇기 때문일까. 수풀 지대를 지나 소형 몬스터 지역에 들어서는 위티라의 마음은 편안했다. 바스락. 그녀의 발걸음에 나뭇가지가 부서졌다. 그 순간이었다.

"조용히 가자."

케일이 무심히 말했고.

파아앗!

파앗!

동시에 공기를 가르는 소리가 연달아 들려왔다. 위티라는 가벼이 손을 휘둘렀다. 그녀의 두 손가락 사이에 조잡한 독침이 잡혀 있었다. 케일은 뒤를 돌아보았고, 위티라는 그와 시선을 마주하며 싱긋 미소를 그렸다.

"조용히 처리할게요."

나무들 뒤에서 스멀스멀 몬스터가 모습을 드러냈다. 위티라는 이를 무감각하게 바라봤다.

"고블린 돌연변이인가."

"키이이익!"

"키릭, 키릭!"

일반 고블린보다 큰 체격에 얼굴 생김새도 조금 달랐다. 그리고 피부색이 보라색과 붉은색으로 다양했다.

"아니, 고블린이 아냐."

위티라는 자신의 어깨에 올려진 손을 따라 시선을 돌렸다. 케일은 위티라의 옆에 서며 다가오는 몬스터들을 바라봤다.

"공자, 앞으로 오면 위험한데."

"혼타. 동대륙 놈들이지."

"아!"

어둠의 숲에서는 동대륙 몬스터들이 나타난다. 케일은 그 첫 번째를 조우했다.

"고블린과 비슷해. 그러나 고블린보다는 덜 영리하고, 대신 난폭하고 잔인하지."

"어쩐지 모습이 낯설다 싶었는데."

위티라는 고개를 끄덕이며 차분히 말했다.

"제가 다 처리하죠."

"아니. 내가 할 건데?"

"……네?"

순간 멍하니 케일을 바라보던 위티라는 케일을 뛰어넘어 땅바닥에 내려앉는 존재를 보았다. 온과 홍이었다. 둘은 몸을 털며 전투를 준비했다.

"이 정도는 우리도 할 수 있거든."

위티라는 소형이지만 10마리가 넘는 몬스터들이 숲에서 서서히 다가오는 것을 볼 수 있었다. 그녀는 다시 케일에게로 시선을 옮겼다. 케일의 몸 주위로 안개가 형성되고 있었다. 동시에 온의 모습이 흐려져 갔다.

"나도 실험해 볼 게 있어서 말이야."

케일은 자신이 어느 정도인지 알아야 했다. 그리고 그 시기로 지금이 적절했다.

우 검은 용, 좌 위티라, 후방에 파세톤. 지금이야말로 안전하게 날뛸 수 있지 않겠는가?

"물러서."

"……공자."

"그리고 위험해 보일 땐 구해줘. 너희가 있으면 내가 다칠 일이 있겠어?"

확신에 가득 찬, 절대적인 믿음이 보이는 눈빛에 위티라는 살짝 뒤로 물러섰다. 그녀는 파세톤과 함께 후방에 위치해 언제든지 앞으로 뛰어들 준비를 했다.

그때 위티라와 파세톤 주위로 실드가 형성되었다. 검은 용이 고래족 남매 앞에 서며 말했다.

"생각보다 독이 강하다."

독? 그 말에 파세톤은 의아한 얼굴로 누나를 바라봤다. 위티라도 알 수 없어 고개를 가로저으며 정면을 응시했다. 그리고 작게 감탄을 흘렸다.

"……제법."

온과 홍, 케일. 세 사람이 안개로 휩싸여 있었다. 더불어 안개 색이 이상했다. 하얀색보다는 붉은 기가 감돌았다.

독. 그 단어의 의미를 알 것 같았다.

"키릭, 키릭!"

"키리리릭!"

거참, 시끄럽네. 케일은 안개로 휩싸인 채 한 손과 두 발에 바람을 머금었다. 그의 몸에 심장의 활력이 요동쳤다. 그 활력을 느끼며 케일은 말했다.

"가자."

케일의 몸이 순식간에 앞으로 쏟아져 나갔다. 그와 동시에.

"키릭? 키릭, 키릭!"

"키!"

일대에 하얀 안개가 자욱하게 깔렸다. 시야를 확보하기 힘들 정도였다. 그 사이로 두 갈래의 붉은 안개가 움직였다.

파앙! 바람의 소용돌이가 하늘 위로 치솟아 올랐다. 몬스터의 팔한쪽이 하늘로 솟구쳤다.

"커헉. 키릭, 컥!"

붉은 안개가 그 자리의 몬스터를 집어삼켰다. 그 바로 옆자리에서 케일이 안개 위로 솟아올랐다. 동시에 그의 방패가 펼쳐졌다. 케일의 두 배는 될 듯한 거대한 방패에는 붉은 안개가 맴돌고 있었다.

그 방패 면이 그대로 바닥에 내려쳐졌다.

콰앙!

커다란 소리와 함께 무언가가 뭉개지는 소리가 났다.

그리고 틈도 없이 그 옆으로 붉은 안개가 섞인 소용돌이가 휘몰아쳤다. 소용돌이를 따라 위로 솟구친 두 마리의 몬스터가 피를 토하고 있었다.

"커헉."

"크흑, 컥!"

독에 중독된 몸은 모든 구멍에서 피를 쏟아냈다. 파세톤은 그 광경을 쳐다보다가 멍하니 말했다.

"약하다며?"

"약하다."

검은 용의 단호한 대답을 들으며 파세톤은 순간 생각했다.

'아무리 소형이지만 열 마린데? 고블린보다 센 놈들인데?'

그는 누나를 바라봤다. 위티라는 환하게 웃고 있었다.

"곧 끝나겠어."

콰앙! 다시 한번 커다란 소리와 함께 서서히 안개가 걷혔다. 그녀의 말대로 끝이 난 것이다. 파세톤은 케일을 볼 수 있었다.

"아직 초입이라 그런가 약하네."

담담히 말하는 케일. 그리고 그가 밟고 서 있는 그의 상징인 은빛 방패. 그 밑에 알아볼 수 없게 찌부러진 몬스터 두 마리.

냐아아옹.

사라지는 안개 사이로 은빛 고양이 온이 모습을 드러냈고.

"누나, 독이 약했어?"

붉은 고양이 홍이 꼬리를 살랑살랑 흔들며 나타났다. 홍이 있던 자리에 땅이 거멓게 변해 있었다. 독이었다. 홍은 뒷발로 그 흙을 다른 흙으로 덮어버렸다.

평온한 풍경이었지만 파세톤은 독에 당해 괴롭게 죽어간 시체, 죽어가고 있는 몬스터, 더불어 방패와 소용돌이로 찢긴 시체들을 보며 툭 내뱉었다.

"공자님, 안 다치셨죠?"

"아니."

파세톤은 놀란 얼굴로 황급히 되물었다.

"다치셨습니까?"

케일은 손등을 가리켰다.

"긁혔어."

파세톤은 입을 꾹 닫아버렸다. 위티라는 그런 동생의 어깨를 토닥이고는 케일에게 다가갔다. 케일은 방패를 들어 올렸다. 어차피 고대의 힘이라, 피를 닦을 필요도 없이 사라지게 하면 되었다. 다시 나왔을 때 핏자국은 없을 테니까.

"공자, 소형 몬스터는 계속 맡으실 건가요?"

"아마도."

케일은 방패와 소용돌이가 사라지고 난 빈손의 피를 닦으며 말을 이었다.

"요양 중이라, 무리할 순 없거든."

담담한 모습의 케일, 그리고 검은 용에게 다가가 전투의 감상을 듣는 온, 홍. 위티라는 그들을 보며 바람 빠지는 웃음을 흘렸다. 그런 그녀에게, 그리고 일행에게 케일은 말했다.

"얼른 가자."

갈 길이 멀었다.

이틀 뒤 오전, 케일은 손에 들고 있던 지도를 내리며 정면을 바라봤다. 그는 일행에게 말했다.

"이제 얼마 안 남았다."

외곽과 내부의 경계선. 늪. 그 지점까지 얼마 남지 않았다.

"한 시간 내에 도착할 것 같군."

케일은 몇 번의 수정으로 자세해진 지도를 주머니에 넣으며 일행을 바라봤다.

뚜욱, 뚝. 온의 날카로운 발톱에서 핏방울이 떨어지고 있었다.

"크륵, 크르륵."

여우를 닮은 소형 몬스터가 마비독에 중독되어 바닥에서 꿈틀거리고 있었다. 검은 용이 다가와 보고했다.

"다 했다."

이십여 마리의 여우를 닮은 몬스터가 죽어 있었다.

'확실히 실전 경험을 하니, 더 느네.'

온과 홍은 부족에서 도망치느라 숨어 살아야 했고, 제대로 배움을 얻지 못했다. 검은 용의 경우에도 현저히 경험이 부족했다. 그들은 어둠의 숲 경험으로 빠르게 그 틈을 메꾸고 있었다.

"나도 싸울 걸 그랬나?"

이렇게 안전하게 경험을 쌓을 기회가 언제 또 있겠는가. 케일이 중얼거린 순간, 용과 고양이들의 고개가 홱 케일 쪽으로 돌아갔다.

"쓸데없는 생각 같은데!"

"약한 인간, 여기부터는 너에게 무리다. 하루 했으면 됐다."

"막내 말이 맞는데. 저번에 방패 과하게 쓰고 피도 토했는데!"

파세톤은 탄식을 흘렸다.

"……허."

케일은 환하게 웃는 위타라를 볼 수 있었다. 동시에 채찍을 쓰다듬으며 이글거리는 그녀의 눈빛을 보았다. 저건 싸우고 싶어 하는 자의 눈빛이었다. 역시 무서운 사람이었다.

케일은 얼른 마법 주머니를 열고는 일행을 모았다.

"일단 다들 멈추고 마스크 써."

"독 때문입니까?"

"어."

케일은 파세톤의 물음에 답하며 얼굴을 쭉 내미는 검은 용에게 마스크를 씌워주었다.

"인간, 그런데 이상한 냄새가 난다."

며칠 전부터 검은 용은 케일에게 이 말을 자주 했다.

"무슨 냄새?"

"모르겠다. 여기서 더 많이 난다. 익숙한데."

"아마 독 냄새나 늪 주변 식물에서 나는 썩은 내일 거야."

케일은 무심히 답하고 온에게로 갔다. 남겨진 검은 용은 마스크를 쓴 채로 고개를 갸웃거렸다. 검은 용이 중얼거렸지만 마스크를 써 그 의미가 명확히 케일에게 전달되지 못했다.

"……아닌데. 그런 일반적인 냄새가 아닌데."

하지만 위험한 냄새는 아니어서 검은 용은 이내 입을 다물었다. 케일은 온에게 마스크를 씌워주었다.

'최한도 이 늪은 피해 다녔지.'

최한도 어느 정도 독에 내성이 있었다. 하지만 굳이 다른 길도 있는데 이 늪을 헤쳐 올 이유가 없었다. 번거롭고 귀찮았기 때문이다.

케일의 곁으로 파세톤이 다가왔다.

"이렇게 큰 숲에 늪이 두 개인 것도 신기하네요."

"그래? 난 안 그런데."

파세톤은 마스크를 쓴 케일의 눈꼬리가 휘는 것을 볼 수 있었다. 상당히 음흉한 미소였다.

"아마 보면 납득이 될 거야."

늪은 두 개면 충분했다. 케일은 모두 마스크를 쓴 것을 확인하며 일행의 안색을 살폈다.

어둠의 숲에 들어온 지 사흘 차. 잠도 거의 한두 시간밖에 자지 않는 강행군.

"다들 혈색이 너무 좋은데?"

다들 얼굴이 너무 좋았다.

"역시 대단해. 너희들은."

그 말에 파세톤의 얼굴이 구겨졌다. 그는 누나를 쳐다보며 눈빛으로 물었다.

'본인이 할 말이야?'

위티라는 어깨를 으쓱이며 대답을 피했다. 파세톤은 다시 고개를 돌려 케일을 쳐다봤다. 여기서 지금 가장 혈색이 좋은 이가 케일 헤니투스 공자였다.

파세톤은 검은 용과 고양이들을 바라봤다. 케일이 피곤할 것 같으면 이 셋은 케일에게 달려가 아주 지극정성으로 돌봤다. 물론 심장의 활력으로 케일은 팔팔했지만, 남들로서는 모를 일이었다.

위티라는 팔목에 감긴 채찍을 쓰다듬으며 케일에게 물었다.

"공자, 이제는 우리 차롄가요?"

케일은 대답 대신 한 발을 내디뎠다.

여기. 지금 여기부터는 경계선이었다. 내부와 외곽을 가르는 경계선.

"크르르르르."

"키악!"

찌르르르–

벽도 무엇도 없건만, 경계선을 넘자마자 수많은 소리가 케일에게로 쏟아졌다. 그는 자신처럼 경계선으로 발을 내디딘 위티라에게 말했다.

"가."

온화한 혹등고래. 하지만 바다의 지배자는 결코 안전을 추구하는 성격이 아니었다.

"네 차례야."

촤르르륵. 케일의 말이 끝나자마자, 위티라는 채찍을 펼쳐 휘둘렀다. 콰앙! 채찍의 휘둘림에 땅이 파였다.

"크륵."

"키익."

찌르륵.

소리가 사라졌다.

최한과 용 사이의 강자. 위티라는 몸이 근질근질했다. 생각보다 뛰어난 일행의 실력을 보며 얼마나 심장이 두근거렸던가.

"빨리 갈까요?"

그녀는 미소를 지으며 케일에게 물었고, 눈앞의 이 비밀투성이 공자는 만만치 않게 여유로운 미소로 답했다.

"어. 최대한 빨리. 집에 가서 쉬고 싶거든."

그 대화를 듣던 파세톤이 한숨을 내쉬며 물 회오리가 휘몰아치는 검을 뽑아 들었다.

소리가 사라진 숲에서 서서히 적들이 모습을 드러냈다.

경계선. 내부보다는 약한 몬스터들이 있는 곳. 하지만 그들의 앞에 나타난 것은 어둠의 숲 밖에서 통용되는 약함과는 거리가 멀었다. 변형 오우거, 변형 트롤, 거미를 닮은 동대륙 몬스터. 외부에서 상급으로 평가할 몬스터들이 나타났다.

"확실히 여기 몬스터들은 이상하네요. 드래곤님 앞에서도 싸울 생각을 하고."

파세톤은 앞으로 나서며 검은 용과 케일을 힐끗 쳐다보았다. 그 말에 케일은 고개를 끄덕이며 지시했다.

"어서 싸워."

"……네."

파세톤이 튀어 나갔고, 고래족 남매와 상급 몬스터들 사이의 전투가 시작되었다.

어둠의 숲 몬스터들은 드래곤이나 고래족과 같은 강자를 보아도 겁을 집어먹지 않았다. 오히려 더 달려들었다. 마치 자신들을 지배할 강자가 나타나서는 안 된다는 듯 필사적으로 덤벼들었다. 아직 압도적인 무언가를 마주해 보지 못해 그런 것이리라.

케일은 이를 한가로이 바라보다가 실드가 생기는 것을 보며 검은 용에게 물었다.

"넌?"

"귀찮다. 약한 것들."

"그래. 가자."

케일은 천천히 실드와 함께 앞으로 걸음을 내디뎠다.

쿵!

한 괴물의 몸이 정확히 이등분으로 잘렸다. 핏방울이 실드에 부딪쳐 흘러내렸다.

촤르르륵. 퍼엉!

채찍 휘두르는 소리 뒤에 거미의 몸통이 터졌고, 거미의 다리 하나가 날아와 실드에 부딪쳤다가 떨어졌다.

"보고 배워라."

케일은 전투 현장을 일직선으로 지나가며 여유로이 말했고, 온과 홍, 검은 용은 안 그런 척하지만 실드 너머의 광경을 열심히 쳐다봤다. 산책하듯 걷는 케일의 앞에 나타난 몬스터들은 위티라에 의해 모두 사라져 갔다. 케일은 늪지대가 서서히 보이자 걸음을 멈추고 말했다.

"이제는 늪의 영역이야."

쿵, 쿠웅. 돌연변이 트롤의 머리가 땅으로 떨어지고 동시에 그 몸통이 쓰러진 순간, 위티라는 채찍에 묻은 체액을 털어내며 답했다.

"얼른 가죠."

"하아."

파세톤은 한숨을 내쉬며 누나 뒤를 따라 케일의 곁으로 왔다. 다가오던 고래족 남매는 저도 모르게 걸음을 멈췄다. 그리고 손으로 마스크를 꽉 눌렀다. 독하고 역한 냄새가 그들의 코를 찌르듯이 자극했기 때문이다.

동시에 그들은 눈을 크게 떴다. 숲의 무성한 나무들 사이에 가려져 있던 늪이 그 모습을 드러냈다.

"어때? 어둠의 숲에 어울리지 않아?"

케일은 놀란 파세톤에게서 시선을 돌려 늪을 바라봤다.

늪은 호수와 같았다.

그리고 어두웠다.

그는 일행에게 말했다.

"상당히 큰 호수지. 웬만한 대형 배 몇 척은 들어찰 만한 공간이야. 그리고 특이하게도 늪의 색깔이 까만색이지."

어둠의 숲이라는 이름에 가장 어울리는 공간이었다. 늪은 이 숲에서 유일하게 검은색이었다.

"……이렇게 클 줄은 몰랐어요."

위티라는 감탄을 흘렸다. 그러면서도 자신이 서 있는 공간 너머, 늪 근처를 보며 침음을 삼켰다. 그 반응을 케일은 이해했다.

식물들이 모두 까맣게 변해 있거나 혹은 갈색빛을 띠었다. 하지만 시든 것은 아니었다. 오히려 생기가 넘쳤다.

"독이군요."

위티라의 말에 케일은 고개를 끄덕이는 것으로 긍정하며 마스크를 더 단단히 맸다. 오늘 새벽에 갈아 신은 신발의 끈도 더 단단히 조였다. 장갑도 꺼내 끼었다.

다른 일행도 케일을 따라 했다. 그들의 귓가로 마스크 너머 케일의 목소리가 들려왔다.

"여기 자라는 식물들은 늪의 독성을 받아먹고 자라 변형된 식물종들이다. 맹독은 아니더라도 하나같이 독을 품고 있지. 살갗에 식물이 닿지 않도록 조심해."

파세톤은 그 말에 이어 독을 떠올리며 더 단단히 옷매무새를 정돈했다. 그러다가 문득 이상함을 느꼈다.

"……홍?"

붉은 고양이가 사뿐사뿐 파세톤을 지나쳤다. 홍은 케일을 쳐다봤고, 케일이 고개를 끄덕이자 폴짝 뛰어 늪지대로 뛰어 들어갔다. 이를 뒤늦게 본 위티라가 놀라 손을 뻗었다.

"홍!"

홍은 마스크도 무엇도 몸에 걸치지 않고 있었다. 위티라는 놀라 케일을 쳐다봤지만 케일의 표정은 무심하기 그지없었다. 동시에 홍의 목소리가 들려왔다.

"맛있다!"

홍은 꼬리를 살랑살랑 흔들며 검은색 풀을 씹어 먹고 있었다. 케일은 늪지대로 걸음을 내디디며 홍의 옆으로 갔다.

"어때?"

"단순한 마비독인데. 톡 쏘게 맛있어요!"

흥겨워 보이는 홍에게 그는 담담히 조언했다.

"체할라. 천천히 많이 먹어."

"네. 강해지는 기분인데."

케일은 아직 늪지대로 들어서지 않고 나무들 사이에 멍하니 서 있는 고래족 남매에게 툭 던지듯 말했다.

"안 와?"

고래족 남매는 혼란스러운 눈동자로 주춤주춤 늪지대에 들어섰다. 케일은 그들을 이끌고서 천천히 늪으로 다가갔다. 다행히 갈색의 땅과 검은색의 늪은 확연히 구분이 가 빠져들 위험은 없었다. 그렇기에 케일은 곧바로 주변을 파악할 수 있었다.

"파세톤."

"네."

언제 얼이 빠졌냐는 듯 고래족 정보 담당인 파세톤의 표정이 굳어 있었다. 케일은 그런 그에게 한 곳을 가리켰다.

"누군가 이 늪지대에 다녀간 자국인 것 같은데?"

늪 근처가 파헤쳐져 있었고 주변에 여러 흔적들이 존재했다. 몬스터들은 여기에 오지 않는다. 그렇다면 답은 하나였다.

"조사하겠습니다."

파세톤이 곧바로 조사에 들어갔고 케일은 그에게서 시선을 돌렸다.

인어들이 강해질 수 있었던 이유라는 늪의 재료. 그 재료가 무엇인지 흔적들이 말해주었다.

"……늪 자체일 확률이 높겠는데."

늪 근처 땅에 여러 흔적들이 발견되었다. 당연히 이곳에 누구도 오지 않을 거란 믿음을 바탕으로, 흔적들은 대범하게 남겨져 있었다.

툭툭.

케일은 늪을 바라보다가 바짓단을 두드리는 손길에 고개를 아래로 내렸다.

"많이 먹지 말라고 했던 것 같은데."

"히."

홍이 정말로 신이 났는지 히 웃어 보이며 입가에 검은 물을 들인채 케일에게 애교를 부리듯 몸을 비비면서 말했다.

"저 늪도 마셔보고 싶은데."

옆에 있던 위터라가 흠칫했지만, 케일은 그쪽에는 신경도 두지 않은 채 홍에게 답했다.

"있어봐."

홍의 귀가 축 처졌다.

"……더 강해지고 싶은데."

"왜?"

홍은 힐끗 검은 용과 누나 온을 쳐다봤다. 그때 홍의 머리를 큰 손이 뒤덮었다.

"쓸데없는 생각 하지 말고. 천천히 여유를 가져. 넌 나보다 강하잖아?"

"그건 당연한 건데."

케일은 홍의 떨떠름한 표정에 머리를 대충 쓰다듬고는 저리 가서 더 많은 독을 섭취하라고 말했다. 그는 온과 홍을 더 강하게 만들 시간을 떠올리며 무심코 고개를 돌렸다. 저도 모르게 미간이 찌푸려졌다.

'왜 저래?'

검은 용이 이상한 모습을 보였다. 검은 용은 연신 고개를 갸웃거리고 있었다.

파세톤이 다가왔다.

"근 시일에 주변 식물을 채취한 흔적은 없습니다. 하지만 늪 근처에서 무언가를 한 흔적은 많더군요. 그리고 흔적 상태로 보아 한 달에서 이 주 전쯤 왔던 것 같습니다."

케일은 드넓은 검은 늪을 보며 말했다.

"늪을 채취해 간 것 같군."

"아무래도 그런 것 같습니다."

케일은 심각해지는 파세톤과 위티라를 보며 입을 열려 했다. 그때, 검은 용이 다가왔다. 케일의 미간이 또다시 찌푸려졌다.

"너, 마스크를 왜 벗었어?"

"익숙한 냄새가 아니라 익숙한 마나 향이었다."

뭐라고? 케일은 순간 뒤통수가 섬뜩해져 왔다. 검은 용은 검은 늪을 짤막한 앞발로 가리켰다.

"비슷한 마나 향이 난다."

케일의 미간에 더 깊은 주름이 파였다. 그걸 보며 검은 용은 담담히 말했다.

"저 늪에서 용 마나 향이 난다."

케일은 황급히 검은 늪을 바라봤다. 크기를 가늠할 수 없는 늪. 그곳을 보며 케일의 머릿속은 이미 성룡, 혹은 고룡의 크기를 떠올리고 있었다.

"물론 생체 반응이 없는, 잔존하는 마나 향이다."

검은 용의 마지막 이야기가 결정타였다. 케일의 머릿속으로 말도 안 되는 상상이 확신처럼 떠올랐다. 동시에 인어가 강해진 이유를 알 것 같았다.

늪 안에 용의 시체가 있다.

케일은 곧바로 검은 용에게 물었다.

"살아 있지 않은 마나 향을 어떻게 느낄 수가 있지?"

마나. 그것은 자연계에 존재하는 힘을 의미했다.

얼핏 생각하면 사람이 부리는 초능력 같은 고대의 힘이 아닌, 특정 장소에서 생성된 고대의 힘과 비슷하다는 느낌을 주기도 했다. 하지만 이 둘은 명백하게 달랐다.

그 다른 점이 바로 남겨질 수 있느냐, 없느냐의 문제였다. 일반적으로 대부분의 마나는 죽는 순간 사라진다. 그러나 고대의 힘은 남아 있을 수 있다.

검은 용은 가벼이 답했다.

"늪 때문인 것 같다. 늪이 저 안의 마나 향이 날아가지 않도록 지배하고 있다."

지배?

케일의 표정이 묘하게 변해갔다. 하지만 검은 용은 입을 꾹 닫았다. 고래족 남매는 물론이거니와 온과 홍이 케일과 검은 용에게 더 가까이 다가왔다.

그때, 케일의 머릿속으로 검은 용의 목소리가 들려왔다.

-난 눈치가 좋다.

케일과 검은 용의 눈이 마주쳤다.

-저 늪에서 네 방패, 바람과 같은 힘이 느껴진다.

"하!"

케일은 저도 모르게 탄성과도 같은 웃음이 흘러나왔다. 마스크를 벗은 검은 용의 입꼬리가 히죽 올라갔다. 케일의 입꼬리도 살짝 위로 올라갔다.

고대의 힘.

저 늪 안에 고대의 힘이 있다는 소리였다. 또한 '지배'라는 키워드와 관련된 힘일 확률이 높았다.

'처음이군.'

책 속에서 언급되지 않은 고대의 힘을 발견한 것은 처음이었다. 물론 저 고대의 힘이 어떤 사람이 남겨놓은 힘일지, 혹은 자연적으로 저 장소에서 생성된 힘일지 알 수는 없었다.

"넌 참 똑똑해."

"맞다. 난 똑똑하다."

서로를 보며 음흉하게 웃는 검은 용과 케일의 모습에 지켜보는 이들의 눈동자에는 더욱 커다란 의문이 생겼다.

"공자, 어떻게 된 일인지 알 수 있을까요? 용의 마나 향이라니."

케일은 고개를 돌려 위티라를 바라봤다. 묻고 있었지만 이미 대강의 상황은 파악한 눈빛이었다.

"대충 짐작했겠지만, 아마 저 늪 안에 용의 사체가 있을 확률이 높은 것 같다."

"……사체요?"

"그래. 하지만 죽은 지 꽤 되었을, 미라 형태일 확률이 높을 거야."

케일은 '영웅의 탄생'에서 최한이 수십 년 동안 살아온 어둠의 숲에 대한 내용만을 알고 있었다. 하지만 그 안에는 꽤 중요한 내용들이 많았다.

지배자가 없었기에 여기서는 늘 생존을 위한 전쟁을 해야 했다.

지배자는 없다.

최소한 최한이 살아온 시간 동안은 용이 어둠의 숲에 없었다고 봐도 무방했다. 또한 책 속에서 사람들은 어둠의 숲에서 드래곤 레어나 드래곤을 발견한 적은 없다고 했었다.

'그 말은 아주 오래된 사체란 말이지.'

툭툭. 케일은 바짓단을 두드리는 촉감에 고개를 내렸다. 홍이 찝찝한 얼굴로 늪을 가리켰다.

"저 물은 못 먹겠네요?"

용 사체란 말에 홍은 입맛이 뚝 떨어진 표정이었다. 케일은 자신의 대답을 듣지 않고 검은 용 근처로 가서 사과하는 홍을 볼 수 있었다.

"미안. 맛있겠다고 생각했는데."

"상관없다."

검은 용은 의문 어린 표정으로 답했다.

"저 안의 것과 나는 다르다. 관련이 없다."

역시 용은 동족이란 개념이 없었다. 각자의 개체만이 존재할 뿐. 케일은 정말 아무렇지 않아 보이는 검은 용을 보며 입을 열었다.

"나는 인어가 저 늪의 독 때문에 강해졌을 거란 생각을 했었다. 인어의 주무기는 인어 독이니까."

고래족 남매 파세톤과 위티라가 그를 바라봤다.

"하지만 지금은 저 늪의 독보다 저 안에 잔존하는 죽은 마나가 힘을 미쳤을지도 모르겠다는 생각이 드는군. 아니면 둘 다거나."

케일은 남매를 바라봤다.

'독이면 그것만 가져가서 해독할 방법을 찾든가 하면 되겠지. 하지만 드래곤의 죽은 마나라면 이야기가 달라져.'

케일은 깊이 파인 위티라의 미간을 볼 수 있었다. 파세톤은 연신 검은 늪과 주변 지형을 살폈다. 그의 입에서 허망한 목소리가 들려왔다.

"……너무 넓은데."

위티라가 이어 입을 열었다.

"어떻게 해야 할지, 고민되네요."

인어가 강해진 원인은 대충 두 가지로 줄어들었지만, 그것을 해결할 방도가 마땅히 떠오르지 않았다. 독이라면 그래도 어떻게 해보겠건만, 그 뒤의 문제는 곤란했다.

"어둠의 숲에 아무도 들어오지 못하게 막을 수도 없고. 이 검은 늪을 지키고 있을 수도 없고."

위티라는 검은 늪을 바라봤다. 용의 사체라니. 생각도 못 해본 문제였다. 거대한 용이 잠기고도 남을 늪의 크기에 그녀는 잠시 머릿속이 복잡해졌다.

용은 일정 시기를 기점으로 총 세 번에 걸쳐 몸이 성장한다. 그렇게 모든 성장을 마친 성룡의 크기는 실로 어마어마했다. 혹등고래인 자신보다도 대략 5m는 더 컸다.

그때, 케일의 목소리가 들려왔다.

"간단해."

평화로운 목소리였다. 위티라는 고개를 돌렸다. 어느새 케일은 검은 늪의 코앞까지 걸어가 그 늪을 바라보았다. 그는 미소 짓고 있었다.

"일단 너희가 필요한 만큼 이 늪의 물을 채취해."

케일은 늪을 보던 시선을 돌려 위티라를 바라봤다.

"그리고 나와 다시 거래를 하는 거지."

"……거래?"

의문을 나타내는 위티라를 보며 케일은 미소를 더 짙게 그렸다.

'이럴 생각은 없었지만.'

원래는 인어가 강해진 원인만을 채취하게 한 후, 이곳을 뜰 작정이었다. 하지만 상황이 달라졌다.

'잔존하는 죽은 마나는 위험해.'

인어는 어둠 속성의 종족이기에 죽은 마나를 섭취할 수 있었을 것이다. 하지만 다른 자연계 속성인 고래족이나 인간들에게 죽은 마나는 그저 해로운 독이었다.

미지의 적을 강하게 하고 자신에게 해로운 독을 남겨둘 이유는 없었다.

또한 눈앞의 이득이 새로 생겼다.

미라라도 용의 뼈는 남아 있다.

또한 고대의 힘도 있다.

"그래. 나와 거래를 새로 하는 거지."

"그게 이 상황을 해결하는 것과 무슨 관련이 있는 거죠?"

위티라는 저도 모르게 팔에 감겨진 채찍을 쓰다듬었다. 왠지 모를 기대감이 그녀의 마음속에서 피어올랐다. 그리고 케일은 그 기대감을 충족시켜 주었다.

"내가 해결해 줄게."

그는 늘 그렇듯 무엇이든 가벼이 답했다. 그러나 결코 그 모습은 가벼워 보이지 않았다. 위티라는 괜히 입술을 몇 번 달싹이다가 물었다.

"어떻게요?"

위티라는 케일의 눈동자에 맺힌 생기를 볼 수 있었다. 이렇게 생동감이 넘치는 눈동자는 케일에게서 처음 본 것이었다. 그는 늪을 가리키며 단호히 답했다.

"엎어버리게."

"……네?"

위티라는 검은 늪을 바라봤다. 거대한 검은 늪. 이것을 어떻게 한다고? 멍하니 늪을 바라보는 그녀에게 케일의 목소리가 다시 들려왔다.

"그리 어렵게 생각할 필요는 없잖아?"

그녀는 다시 케일을 바라봤다. 그제야 아까부터 눈꼬리에 웃음을 담은 그의 모습이 명확히 눈에 담겼다. 그는 즐거워 보였다.

"없애줄게. 그러니 나와 거래해."

케일은 곧 벌어질 일을 상상했다.

여기는 어둠의 숲이다. 무엇이 일어나도 이상하지 않을 공간. 무엇이라도 단순한 사고로 위장할 수 있고, 모른다고 잡아뗄 수 있는 곳.

"공자."

위티라는 거부할 수 없는 거래 조건이었다.

"거래하죠."

케일과 위티라는 한 번 더 거래를 하기로 했다.

"그런데 지금 내가 딱히 필요한 거래 내용이 없어."

"언제든 케일 공자가 원하는 거래 조건이 떠오르면 말씀하세요. 서로에게 납득 가능한 범위에서 받아들이죠. 나 위티라, 제 이름으로 한 말이니 걱정 마세요."

케일은 그녀의 말에 대충 고개를 끄덕였다. 사실 그녀가 거래 조건을 들어주지 않아도 되었다. 용의 뼈와 고대의 힘. 그것만으로도 충분히 해볼 만한 가치가 있었으니까.

"참고로 늪을 엎고 나온 부산물은 내 소유다."

"……그러죠."

위티라는 용의 뼈가 아쉬웠지만 이를 탐하지 않기로 했다. 고래족. 그들은 지상뿐만 아니라 바다에서도 강했기에 지배자일 수 있었다.

하지만 물이 약점이기도 했다. 물속. 늪 속. 늪의 물과 진흙이 독이라면 고래족에게는 힘든 환경이었다.

케일은 위타라의 대답을 듣자, 바로 일을 진행하기로 했다. 그는 검은 늪과 땅 그 경계에 서서 일행에게 손을 휘이휘이 휘저었다.

"나가."

일행의 눈빛에 물음표가 나타났다. 하지만 케일은 바쁜데 말귀를 못 알아먹는 일행에게 한 번 더 단호히 말했다.

"우리가 왔던 저 숲으로 가서 조용히 있어. 내가 나오라 할 때까진 나오지 마."

케일은 마법 주머니를 펼치며 말을 이었다.

"독에 중독당하거나 다칠 수 있으니까."

가만히 듣고 있던 파세톤은 입을 열었다.

"공자님, 혼자서 하실 작정입니까?"

"혼자 아니다."

케일 대신 검은 용이 답했다.

무심코 소리가 들린 곳으로 고개를 돌린 파세톤은 흠칫했다. 검은 용 주위에 선명한 마나 파동이 보였다. 아지랑이와 같은 일렁임이 검은 용 주변을 맴돌고 있었다. 검은 용은 자신이 가진 힘을 제대로 펼칠 기회를 찾았다.

"우리 둘이서 할 테니, 나가 있어."

"케일 공자, 당신의 끝을 알 수가 없네요."

케일은 위타라의 말을 대충 한 귀로 듣고 흘려버리며 온과 홍의 머리를 한 번씩 쓰다듬었다. 홍의 귀와 꼬리가 축 처져 있었다.

"너희도 나가 있어. 온, 홍 잘 보살펴. 그리고 홍. 늪의 독은 구해 다 줄 테니, 기다려."

무심히 말하는 케일을 가만히 올려다보던 홍은 고개를 끄덕이며 검은 용에게 다가갔다.

"조심해. 다치면 안 돼."

"알았다."

검은 용은 고분고분 홍의 말에 고개를 끄덕이며, 홍의 앞발이 자신의 몸통을 토닥이는데도 가만히 있었다.

케일은 참 애들끼리 잘 논다 생각하며 마법 주머니에서 꺼낸 빈 병을 파세톤에게 던졌다.

"늪 액체를 그 병에 담아. 마법으로 부식이 안 되는 병이니까."

"……어떻게 이런 생각까지."

파세톤이 감탄한 얼굴로 쳐다봤지만 케일은 신경도 쓰지 않았다. 대신 그는 겉으로는 작아 보이지만 실제로는 큰 아공간을 가진 마법 주머니를 뒤적거렸다.

"공자님, 다 담았는데."

"그럼 다들 저리 가 있어."

케일은 꽤 큰 빈 병에 늪의 진흙과 액체를 가득 담은 파세톤과 일행에게 축객령을 내렸다. 위티라는 잠시 망설였지만 고양이들의 보챔에 아까 전까지 있었던 숲 쪽으로 향했다.

검은 용은 그들이 멀리 안전할 만한 곳까지 간 것을 확인 후 케일에게 다가갔다.

"어떻게 할 생각-"

검은 용은 말을 하다가 마법 주머니에서 케일이 꺼낸 것을 보고 입을 다물었다. 그리고 자신을 쳐다보며 부드러이 웃어 보이는 그에게 이어 말했다.

"인간, 너 좀 똑똑해 보인다."

"똑똑하긴."

케일의 손에 두 개의 마법 폭탄이 모습을 드러냈다.

이전에 우바르 영지 앞바다에서 사용했던, 폭발력은 줄였지만 폭발 횟수를 늘린 그 폭탄과는 달랐다. 위퍼 왕국의 비마법사 연맹이 최후의 공격을 감행했을 때 등장한, 살상력과 파괴력을 극대화시킨 최고 화력의 마력 폭탄.

그 폭탄 두 개가 모습을 드러냈다.

"어디 써야 하나, 그 생각했는데. 딱 쓰일 데가 나왔네?"

케일은 마법 폭탄 두 개를 검은 용에게 건넸다.

"마음껏 힘을 써봐."

"그래도 되나?"

케일은 아까 전부터 자신의 진짜 힘을 쓰고 싶다고 모든 이들의 눈에 드러날 만큼 마나 파동을 보이는 검은 용에게 짧게 답해주었다.

"당연한 걸 묻지 마. 물론 나는 다치면 안 되고."

검은 용의 입꼬리가 올라갔다.

휘이이잉.

검은 용을 중심으로 거대한 바람이 휘몰아치기 시작했다. 자연의 힘, 마나가 움직이며 주변의 공기들이 반응한 것이다.

압도적인 힘을 담은 폭발은 모든 것을 휩쓸어 버리기도 했다.

케일은 밀려날 것 같은 기분에 재빨리 부서지지 않는 방패를 펼쳤다. 그와 동시에 케일을 감싸는 실드가 보였다.

한 겹, 두 겹, 세 겹.

총 세 겹의 튼튼한 실드였다.

"그 정도는 해야 안 다칠 거다."

담담히 말하는 검은 용은 눈빛이 반짝이고 있었다. 용은 고래족들과는 성향이 달랐다. 용은 평화보다는 지배와 파괴를 택하는, 난폭하고 자기중심적인 종족이었다.

케일은 모든 준비를 끝낸 검은 용이 자신을 바라보자 검은 늪을 가리켰다.

"뒤엎어 버려."

14장
이게 아닌데

14장
이게 아닌데

검은 늪 일대의 마나가, 공간이 진동을 하고 있었다.

검은 용이 하늘에서 아래를 내려다보고 있었다.

용은 용이었다.

난폭하고 오만한 기운이 늪 일대를 장악했다. 케일은 고개를 돌렸다. 검은 늪과 숲의 경계. 용이 그 경계를 컨트롤하기 때문인지 숲은 떨리지 않고 있었다. 그러나 일행의 얼굴은 하얗게 질려 있었다. 케일은 '영웅의 탄생'에 나왔던 용의 힘에 대한 묘사를 떠올렸다.

고래족이 용에게 그나마 버틸 수 있다는 소리가 도는 것은 죽지 않고 버틸 수 있기 때문이다. 용이 마음만 먹으면 죽지 못할 것은 없다.

용이 왜 스스로를 유일한 존재라고 칭하는지는 그 힘을 보면 알 수 있다.

파아앙. 파앙. 팡!

케일은 고개를 다시 하늘로 돌렸다. 마나들이 여기저기서 부딪치며 검은 용에게로 모이고 있었다. 검은 용은 여유로이 아래를, 늪을 내려다봤다.

4살. 사육당하던 용.

그 이름은 지금의 용에게서 보이지 않았다.

용은 지배할 필요가 없다. 존재가 지배이기 때문이다.

케일은 저도 모르게 팔에 소름이 돋았다.

우-우-우-우-

캬아악.

찌르르르-!

끼리리리리-!

어둠의 숲이 울기 시작했다. 케일은 주위를 둘러보았다. 다른 존재들이 보이지 않았다. 그러나 숲에서는 수많은 소리, 혹은 고함이 들려왔다.

검은 용을 무서워하지 않던 몬스터들. 하지만 지금 저 숲을 뒤덮을 정도로 목이 터져라 우는 소리들은 두려움을 담고 있었다.

-시끄럽다.

케일은 머릿속에 울리는 목소리에 검은 용을 바라봤다. 검은 용도 케일을 보고 있었다. 이미 마법 폭탄 두 개는 공중에 떠 있었다.

검은 용의 눈빛에는 아무것도 담겨 있지 않았다. 이 상황이 이 녀석에게는 그저 아무렇지 않은 일인 것이다.

"하!"

케일의 입꼬리가 점점 위로 올라갔다. 고래족 위티라? 그 거대한 혹등고래와는 비교도 할 수 없는 거대한 위압감이 저 작은 몸에서 흘러나왔다. 케일은 큰 목소리로 답했다.

"나도 시끄러우니, 얼른 해치워 버려."

―너라면 그렇게 말할 줄 알았다.

그제야 검은 용은 씩 웃어 보였다. 검은 용 주위에 녀석만의 검은색 마나가 피어올랐다.

우우우우웅.

이제는 땅이 진동했다. 케일은 발아래의 진동을 느꼈다.

'엄청나군.'

그러나 그는 진동하는 땅 따위는 볼 틈이 없었다.

검은 마나는 사라졌다. 대신 거대한 빛의 구가 검은 늪 위에 나타났다.

파직, 파지직. 구 표면은 마치 태양과 같이 수많은 빛들이 서로 부딪치며 주변 공기를 아지랑이처럼 일렁이게 만들었다.

케일은 저도 모르게 침을 삼켰다.

휘이이이―

바람이 휘몰아치기 시작했다. 마법 폭탄 두 개에 검은 용의 검은 마나가 스며들었다. 달칵, 달칵. 폭탄 두 개가 카운트다운을 시작했다. 폭발력을 최대치로 올린 폭탄. 그리고 거대한 운석처럼 일렁이는 커다란 구.

'뒤엎는 수준이 아니라, 아예 소멸을 시키겠는데.'

용 사체는 괜찮으려나? 케일은 그런 의문이 들었으나, 차마 말로 꺼낼 수 없었다.

–한다.

검은 용의 그 말 뒤, 케일은 아무것도 볼 수 없었다.

콰아아아아아앙!

케일은 자신의 귀를 감쌌다. 어둠의 숲이 울렸다.

"크윽."

케일은 땅의 진동에 잠시 휘청였다. 하지만 눈을 감지 않았다.

세상이 검어졌다.

검은 액체가 하늘로 치솟아 올랐다. 동시에 태양이 부서지듯 환한 빛이 눈을 아프게 만들었다.

끼이이이이이–

소름 돋는 소리가 케일의 귀에 쏟아졌다.

빛과 만난 검은 액체들이 기이한 소리를 내며 산산이 부서졌다. 서로가 서로를 잡아먹으며 결국에는 사라져 갔다. 케일은 고개를 들었다.

검은 기둥이 하늘로 솟구쳤다.

순간 낮과 밤이 함께 공존하는 것 같았다. 그러나 그 모든 것들은 삽시간에 사라져 버렸다. 빛도 검은 기둥도 먼지가 되어 바람처럼 사라졌다.

파지지직. 마지막 남은 실드가 부서졌다. 이미 다른 두 개는 소리도 없이 사라졌다. 케일은 다치지 않았다.

그리고 검은 늪이 사라졌다.

케일은 고개를 돌렸다. 주저앉은 파세톤과 그의 품에 안긴 고양이들, 그리고 나무 기둥을 붙잡은 채 일어서는 위티라가 보였다. 고래족의 눈동자에 공포감이 깃들어 있었다.

그러나 숲은 무사했다.

오로지 늪만 사라졌을 뿐. 죽은 마나는 늪과 함께 없어졌다. 아무리 주변에 생명체나 방해물이 없고 단순한 면적에 가한 힘일지라도 가공할 만한 컨트롤이자, 파괴력이었다. 그래서 고래족은 얼굴에 드리운 공포감을 미처 지우지 못했다.

케일은 고개를 돌렸다. 검은 기둥이 사라진 자리, 홀로 서 있는 검은 용. 그 용은 이미 케일을 바라보고 있었다. 그는 저 작은 용에게 말했다.

"잘했다."

검은 용은 모든 오감을 극대화시킨 상태였다. 용은 자신을 보며 미소 짓는 케일의 팔에 돋은 소름을 보았다. 더불어 그의 눈빛도 볼 수 있었다.

"정말 잘했어."

용을 향한 차분한 눈빛. 검은 용의 입가에 미소가 맺혔다. 용은 자신의 마음을 솔직히 말했다.

"상쾌하다."

그 말에 케일의 표정이 떨떠름해졌다. 정말로 상쾌해 보이는 용을 보며 앞으로 저 녀석을 건들지 말아야겠다 다짐했다. 론이나 최한, 비크로스가 문제가 아니었다. 소형 몬스터 몇 마리 해치운다고 안심하기에는 강한 놈들이 너무 많았다.

케일은 다시 한번 검은 용, 용이라는 존재감을 느끼며 평온한 삶을 사수하리라 다짐했다. 그는 시선을 돌려 바닥을 드러낸 늪을 바라봤다.

검은 늪은 사라졌지만 검은 액체가 아직 조금 남아 있었다.

"용 모양이군."

꼭 용 모양의 진흙처럼, 거대한 성룡 크기의 검은 액체가 남아 있었다. 그리고 용 머리일 것으로 추정되는 곳에 하얀색 왕관이 박혀 있었다.

고대의 힘이다.

"내 마음대로 해도 되나?"

그의 물음에 검은 용은 답했다.

"당연한 걸 묻지 마라."

"고맙다."

케일은 움찔하는 검은 용을 알아차리지 못한 채, 용 모양의 검은 진흙 덩어리로 다가갔다. 검은 진흙을 없애면 분명 용의 뼈가 있을 것이다.

'저거에다가 마탑까지 얻으면. 장난 아니겠는데?'

케일의 입꼬리가 올라갔다. 손바닥이 근질근질거렸다.

파아앗!

케일의 앞에 방패가 펼쳐졌다. 동시에 그의 양손에 소용돌이가 머물기 시작했다. 그 소용돌이는 최대치까지 거대해져 갔다. 그의 발에 바람이 감돌았다.

휘이이잉. 바람의 소리가 울린 순간이었다.

촤르르륵!

검은 액체가 케일을 향해 쏟아져 왔다. 검은 진흙이 그를 집어삼킬 듯 빠른 속도로 덮쳤다.

그때, 새로운 고대의 힘, 그 주인의 목소리가 들렸다. 이것도 장소가 아니라 사람이 남겨둔 힘이었다.

-지배가 무엇인지 아는가?

쿵. 쿵. 쿵. 마치 폐부를 찌를 듯 서늘한 목소리에 케일의 심장이 빠르게 뛰었다. 케일의 몸이 앞으로 쏘아져 나갔다.

파아앙! 파앙!

그의 손에 맴돌던 소용돌이 두 개가 화살처럼 쏘아졌다. 검은 진흙을 공기의 소용돌이가 가로지르며 길을 만들었다. 그 사이를 케일이 빠르게 가로질렀다. 방패와 날개는 질척거리는 검은 액체가 케일에게 닿지 못하도록 막았다.

-지배는 상대의 호흡까지 빼앗는 것.

쿵. 쿵. 목소리가 들릴 때마다 심장이 뛰었다. 마치 두려움을 느낄 때처럼, 심장이 요동쳤다.

"크윽."

케일은 심장의 뜀박질에 입술을 깨물었다.

촤아악-

다시 한번 바람의 화살이 검은 진흙을 갈랐다. 케일의 귓가로 고대의 힘 주인의 중후한 목소리가 계속 들려왔다.

-상대의 숨을, 호흡을 빼앗는 가장 쉬운 방법이 무엇인지 아는가?

휘이잉, 휘이잉.

케일의 손에서 계속 소용돌이들이 형성되어 길을 뚫었다. 케일의 위아래 모든 방위가 검은 액체로 뒤덮여, 그는 진득한 어둠 속에 갇혔지만.

그러나 케일은 바람이 뚫은 길을 따라 나아갔다.

목소리가 들렸다.

-그건 공포다.

케일의 입꼬리가 비틀어지듯 위로 올라갔다. 공포는 얼어 죽을. 케일은, 김록수는 수많은 공포를 이겨내며 살아왔다.

살고 싶었으니까.

편하게, 누구보다도 행복하게 살고 싶었으니까.

이미 인간은 무엇도 예상할 수 없는 미래라는 두려움과 공포를 자신의 현재로 만들며 살아간다.

두 개가 합쳐져 더 거대해진 소용돌이가 케일의 손을 떠나 또다시 길을 뚫었다.

콰아아앙!

이전과는 다른 회전력이었다.

"개소리."

지배? 공포? 그따위 것 알 게 뭐야. 그냥 나한테 득이 되게 이용하면 그만이지.

케일은 자신이 만든 길로 빠르게 나아갔다.

–크흐흐흐, 맞다. 개소리다. 잘 아는군.

찾았다.

똑바로 앞으로만 달린 케일의 눈앞에 하얀 용의 머리뼈가 나타났다. 머리뼈의 정수리에 정확하게 박힌 하얀빛의 왕관. 케일은 그 왕관을 향해 손을 뻗었다. 왕관의 보석이 케일의 손가락 끝에 닿았다.

파아앗!

–잘 이용해 먹어라!

환한 빛이 왕관에서 퍼져 나오며 검은 진흙을 사라지게 만들었다. 동시에 그 왕관이 케일에게로 쏟아졌다. 그는 눈을 감았다. 이전과는 다른 유쾌한 목소리가 들렸다.

–때로는 허수가 너를 살리기도 할 테니까. 으하하하하!

케일은 심장을 감싸는 또 다른 힘을 느낄 수 있었다. 쿵, 쿵. 심장이 크게 뛰었다. 그는 이 힘이 무엇인지 바로 알 수 있었다. 케일의 표정이 떨떠름해졌다.

"……뭐야, 이거."

케일은 눈을 떴다. 그러자 검은 액체가 모두 사라지고 거대한 용의 사체가 보였다.

"인간. 네가 왜 앞발 발톱만큼 강해 보이는 것이지? 아닌데, 아직 약한데. 뭐지?"

검은 용이 케일에게로 다가왔다. 상당히 혼란스러워하는 표정이었다. 케일은 씩 웃어 보였다.

"이 몸의 카리스마가 증가했거든."

"뭔 헛소리를 하는 건가, 인간."

검은 용은 황당한 표정을 지었지만 케일의 말은 사실이었다. 그는 이 힘을 얻자, 이 고대의 힘의 이름을 알 수 있었다.

'지배하는 아우라.'

참으로 오글거리는 이름이었지만, 이 고대의 힘은 이름 그대로의 힘을 지니고 있었다.

아우라'만' 강해진다.

멋들어진 왕관 모양과 달리 참 쓰잘머리 없는 힘이었다.

"딱 사기 치기 좋은 힘이네."

"사기는 나쁘다."

검은 용이 미간을 찌푸리며 잔소리를 하러 다가왔지만 케일은 이를 무시하고 일행 쪽으로 시선을 돌렸다. 다가오지 못하고 멈춰 있는 이들. 케일은 지배하는 아우라의 힘을 거두며 저 멀리 자신을 바라보는 일행에게 까딱까딱 손짓했다.

언제 몬스터들이 울부짖었냐는 듯 숲은 고요했다. 케일은 그 고요함을 깨뜨렸다.

"이리 와."

나지막한 목소리에 귀와 얼굴을 가리고 있던 고양이들이 고개를 바짝 들었다. 이내 검은 용과 케일을 향해 달려왔다. 아주 빨리 달려왔다. 그리고 케일을 지나쳤다.

고양이들은 검은 용에게 달려갔다. 하지만 근처에 당도하자, 쭈뼛쭈뼛거리며 다가갔다.

"다, 다친 것 같지는 않은데!"

"무서웠는데! 우리 막내 다치면 안 되는데!"

고양이들이 검은 용 근처를 맴돌며 용의 몸을 확인했다. 그러고는 슬그머니 다가가 용의 몸을 토닥였다.

"우리 동생이 제일 대단하다!"

"멋있는데! 아주 강한데!"

케일은 용이 가만히 고양이들과 있는 것을 확인하고, 아직도 움직이지 않는 고래족 남매를 바라봤다. 케일의 입가에 나른한 미소가 맺혔다. 그의 곁으로 검은 용이 다가왔다. 케일은 무심한 손길로 용의 머리를 쓰다듬으며 고래족 남매에게 물었다.

"못 오겠어?"

나직이 울리는 목소리가 고래족 남매의 귓가에 울려 퍼졌다. 위티라는 꽉 쥐고 있던 주먹을 살짝 폈다. 지금은 아니었지만 막 검은 진흙이 사라지던 순간, 그때의 케일은 무언가 달라 보였다.

분명 그는 아직 그녀의 채찍 한 번이면 목숨이 위험해지는 인간이었다. 하지만 조금 전은 달랐다.

'강한 힘이 아니다.'

순간이지만 홀로 오롯이 서 있는 케일의 모습은 꼭 고래왕인 아버지를 떠올리게 만들었다. 힘을 말하는 것이 아니었다.

위에 선 자만이 가질 수 있는 분위기. 그것이 그에게서 느껴졌다.

"공자."

케일은 자신에게 다가온 고래족 남매를 느릿하게 살펴보았다.

"다친 곳은 없겠지?"

"……없습니다."

다시 평소와 같은 그의 모습에 위티라는 입을 다물었다. 케일은 고래족 남매에게서 검은 용에게로 시선을 돌렸다.

"잔존하는 마나 향은 있나?"

"이제 없다."

폭발에 휘말린 검은 액체가 사라졌으니, 이제 더 이상 잔존하는 마나도 없었다. 그저 마법 내성이 강하고 마법을 잘 담아낼 수 있는, 무엇보다도 단단한 용의 뼈만 남았을 뿐.

"그럼 네가 이 뼈들 좀 담아라."

"알겠다."

케일은 자신의 종아리에 얼굴을 비벼대는 고양이들을 바라봤다. 눈이 마주친 둘은 괜히 툭툭 앞발로 케일의 발을 때렸다.

"큰일 나는 줄 알았는데. 제일 약하면서 왜 나서는지 모르겠는데."

"우리 막냇동생한테 다 맡기면 될 건데. 물론 동생도 다치면 안 되지만."

케일은 자신을 혼내는 고양이들을 그냥 외면했다. 그는 일행에게
이어 말했다.

"돌아가자."

이제 다시 백작가로 돌아가야 했다.

며칠 뒤, 케일은 당초 예상한 것보다 이틀 늦게 백작가에 돌아왔
다. 그는 얼굴을 보자마자 한스가 인사 대신 건네는 말을 들을 수 있
었다.

"공자님! 왕세자 저하께 연락이 왔습니다. 이게 무슨 일인가요?"

"무슨 일은."

케일은 무덤덤하게 답했다. 하지만 올라가는 입꼬리를 감출 수가
없었다.

"서로에게 좋을 일이지."

위퍼 왕국의 내전이 만든 가장 큰 보물들을 가로챌 좋은 일이었다.

한스는 케일에게 한 가지 소식을 더 전했다.

"아, 그리고 최한 님이 이제 브렉 왕국에서 돌아온다고 연락을 보
내셨습니다."

뭐?

"라크 군도 돌아온다고 합니다. 로잘린 양도요."

"뭐?"

이렇게 빨리 돌아온다고? 브렉 왕국을 그냥 부숴 버렸나?

백작가에 오자마자, 케일의 미간이 찌푸려졌다.

"그런데 공자님, 호위분들은요? 부단장과 아이들은 해리스 마을에 남아서 일을 한다는 얘기는 들었습니다만."

케일은 쉴 새 없이 몰아치는 한스의 말에 얼굴을 구겼다. 그러거나 말거나 한스는 온과 홍을 품에 안으며 말을 이었다.

"부단장은 어둠의 숲을 조사하신다고 했죠?"

어둠의 숲에서 일어난 폭발. 부단장은 그 원인을 케일에게 들어 알고 있지만, 다른 이들에게는 비밀이었기에 명목상 조사를 위해 남는 것으로 해두었다.

'공자님, 이런 자잘한 일은 제가 하겠습니다. 하지만 저는 언제까지고 이 자리에 남아 있지는 않을 겁니다.'

비장하게 말하던 힐스만의 얼굴이 떠올라 케일은 곧바로 생각을 지웠다. 쓸데없는 소리였으니까.

"호위들은 이제 필요 없어서 성문 앞에서 헤어졌다."

고래족 남매는 성문 앞에서 떠났다. 물론 늪의 액체를 담은 병도 남매의 손에 들려 보냈다. 다만 그중에 반은 케일의 품에 있었다. 홍의 꼬리가 살랑거렸다. 홍은 곧 강해질 것이다. 덩달아 온도.

"한스."

"네."

"왕세자 저하께서는 언제 연락을 달라고 하던가?"

케일은 여유로이 물었다. 하지만 한스는 아주 단호하게 답했다.

"당장. 그리 말씀하셨습니다."

케일의 입꼬리가 올라갔다. 어지간히도 급했나 보다. 케일은 느긋하게 말했다.

"그럼 가보지."

케일은 소파에 몸을 기댄 채로 다리를 꼬고 앉아 있었다. 영지의 영상통신을 담당하는 마법사는 힐끗거리며 케일을 쳐다봤다.

"준비 끝났나?"

"아, 네, 네!"

마법사는 침을 꿀꺽 삼키며 말을 이었다.

"왕세자 저하와 바로 영상통신 가능하십니다."

마법사는 왕세자가 찾는 사람인 케일을 조심히 바라보았다. 긴장한 자신과 달리 케일은 아주 태평하게 말했다.

"그럼 나가봐."

명쾌한 축객령에 마법사는 얼른 고개를 숙이면서도 호기심에 몇 번 뒤돌아보며 영상통신실을 빠져나갔다. 케일은 지체 없이 영상통신을 실행했고, 곧 반투명한 구 위쪽 허공에 떠오르는 얼굴을 하나 볼 수 있었다.

"우리 백성들 마음속의 별이신 왕세자 저하의 존안을 보아 무한한 영광—"

—됐고.

화면으로 왕세자의 목소리가 바로 들려왔다. 왕세자 알베르는 아주 몸서리쳐진다는 표정으로 케일의 인사를 거부했다. 케일은 은은한 미소를 머금은 채 그 거부에 응해 입을 닫았다.

화면 속의 알베르는 케일을 빤히 응시했다. 예의에 어긋나지 않게, 그러면서도 여유로이 앉아 있는 케일을 보던 알베르 왕세자는 툭 내뱉었다.

　ㅡ아주 브렉 왕국을 뒤엎었던데?

　케일의 입가에 미소가 짙어졌다. 기다리던 화두였다. 왜 굳이 바로 왕세자를 보러 왔겠는가. 반가운 얼굴도 아닌데.

　'한스보다야 왕세자의 정보통이 가장 정확하지.'

　케일은 가만히 있었다. 그저 아무렇지도 않다는 듯 미소 지었다. 그러면 다 해결되는 법이었다.

　ㅡ별말 없는 걸 보니, 대충 들었나 보군.

　봐라. 가만히 앉아도 해결이 된다.

　ㅡ로잘린 왕녀가 아예 작심을 한 것 같아. 어떻게 대공가를 하루아침에 몰살시켜 버릴 수가 있지?

　몰살이라는 단어에 케일은 심장이 철렁했으나, 티를 내지 않았다. 알베르의 탐색하는 눈초리가 보였기 때문이다. 지금 알베르는 케일을 찔러보고 있었다.

　ㅡ왕위도 포기했고.

　역시 로잘린은 왕위를 포기했다. 이제 그녀는 마법사로서의 본인을 드러낼 것이다.

　ㅡ그런데 들리는 말로는 그녀 곁에 두 명의 아주 강력한 존재들이 있었다고 하더군. 다른 이들이야 그들이 누구인지 모르겠지만 나는 알지.

　왕세자는 참 설명을 잘해주었다. 알베르의 날카로운 눈초리가 케일을 향했다.

　ㅡ자네의 부하들 아닌가?

　최한과 라크. 그 둘을 가리키는 왕세자 알베르에게 케일은 사실을 말했다.

"제 부하라니요?"

그들이 자신의 부하는 아니었다. 최한이야 남이고, 라크는 거래자일 뿐. 케일은 화면 너머 왕세자의 입꼬리가 점점 올라가는 것을 볼 수 있었다. 그도 케일처럼 소파에 몸을 기댄 채 툭 내뱉었다.

―음흉한 놈.

케일은 딱히 부정하지 않았다. 알베르는 고개를 절레절레 가로저으며 물 흐르듯이 말했다.

―마탑은 왜?

왕세자는 이제 아예 케일 앞에서 말을 꾸미거나 혀에 기름칠을 하지 않았다. 케일은 진지한 표정으로 왕세자를 바라봤다.

"저하."

그는 기대고 있던 소파에서 등을 떼었다. 그 행동에 덩달아 왕세자도 소파에서 등을 떼며 관심을 보였다. 케일은 말을 이었다.

"저는 저하와 제가 비슷하다는 생각을 문득문득 합니다."

왕세자의 얼굴이 구겨졌다.

―끔찍한 소릴.

"그렇긴 하죠."

동류에 대한 혐오를 여실히 드러낸 왕세자를 케일은 무덤덤하게 넘기며 바로 말을 이었다.

"로운 왕국은 뭣도 없는 왕국 아닙니까?"

순간 적막이 내려앉았다. 지금 영상통신실 밖에 있는 마법사가 들었으면 기함했을 말이었다. 하지만 케일은 예상대로 미소를 그리는 왕세자 알베르를 볼 수 있었다. 왕세자는 이제야 흥미가 동한 표정이었다.

―막말을 하겠다?

"지금 저하께선 웃고 계십니다만?"

―뭐. 사실이니까.

왕세자는 부정하지 않았다.

로운 왕국. 기사들의 힘도, 그렇다고 마법사들의 힘도 강하지 않은 곳. 오랜 역사를 지녔으나, 모든 영역에서 고만고만한 왕국이었다.

하지만 왕세자 알베르는 평화의 시대라면 몰라도 혼란의 시대에선 고만고만해서는 안 된다는 것을 깨닫고 있었다. 그는 하나라도 특출한 점이 있어야 한다고 생각했다.

그러나 그것은 단기간에 형성되는 것이 아니었다. 왕국 차원의 일은 보통 짧아도 수십 년, 평균 수백 년은 걸리는 일이었으니까. 그래서 그는 한 가지를 결심한다.

뺏자.

다른 왕국의 특출한 점을 뺏어와 우리 것으로 만들자.

그런 그의 앞에 좋은 먹잇감이 나타난다.

마법사들의 나라'였'던 위퍼 왕국.

케일과 왕세자. 둘의 시선이 마주쳤다. 왕세자는 말했다.

―눈치 빠른 놈.

두 사람의 입가에 비슷한 미소가 어렸다. 이번에는 케일이 말했다.

"저는 마탑. 그리고 저하는―"

케일, 그리고 왕세자는 동시에 입을 열었다.

"마법사."

―마법사.

잠시 정적이 내려앉았다. 그러나 이내 왕세자는 손으로 눈가를 가리며 웃음을 터뜨렸다.

-하하, 정말이지. 나 같은 인간이 하나 더 있는 게 참 싫다고 생각했는데 말이야.

한참을 웃던 왕세자는 눈가를 가리던 손을 치우고 케일을 응시했다.

-모든 걸 지원해 주마.

왕세자는 이어질 케일의 답을 기다렸다.

"감사합니다."

딱 더도 말고 덜도 말고. 단 한마디를 내뱉었을 뿐인데, 왕세자는 그 말이 귓가에 정확히 와 닿았다. 당당한 태도가 눈에 담겼다. 그래서 물었다.

-그런데 너는 왜 마탑을 탐내는 것이지?

케일은 왕세자가 다시 탐색하듯이 자신을 바라보고 있음을 눈치챘다. 참으로 마음 편히 대하기 힘든 사람이었다. 하지만 그리 어렵게 대할 필요도 없었다.

'내가 북쪽에 대한 정보를 눈치챘나 싶어서겠지.'

'영웅의 탄생' 5권까지 로운 왕국으로 향하는 위험 요소로서 수시로 언급되는 존재가 있었다. 바로 북쪽 기사들의 나라. 왕세자 알베르는 그곳을 경계했으며, 동시에 그들의 침입을 기다리고 준비했다.

전쟁은 혼돈의 시대이고, 혼돈은 준비된 자에게는 좋은 기회가 될 테니까. 그 기회 중 하나가 위퍼 왕국에서 도망치는 마법사들이었다. 마땅한 세력이 없는 왕세자는 그들을 이용해 세력을 형성하고 왕국 내에서 영향력을 확대하려 할 것이다.

케일은, 김록수는 만약 '영웅의 탄생' 5권 이후를 읽었다면, 새로운 영웅으로 떠오르는 두 세력을 알 수 있었을 거라 가끔 생각했다.
하나는 북쪽의 기사일 테고.

'다른 하나는 눈앞의 왕세자겠지.'

특히 그냥 인간이 아니라는 검은 용의 말에 감이 왔다. 케일은 미
소를 지었다. 지금도 왕세자는 케일이 북쪽의 움직임을 알고 마탑을
원하는 것인지 운을 띄우는 것이리라.

케일의 입이 열렸다.

"그냥 마탑이 가지고 싶어서요."

─……내가 말을 말아야지.

고개를 가로젓는 알베르는 케일의 음흉한 미소를 볼 수 있었다.

"그럼 왕세자 저하께서는 마법사가 왜 필요하십니까?"

알베르의 입가에 부드러운, 기름칠 잘된 미소가 그려졌다.

─그냥 그들을 품어주고 싶어서 말이야.

아주 가식이 판을 쳤다. 하지만 둘 중 어느 누구도 그 사실을 꼬집
지 않았다. 그림 같은 모습으로 소파에 앉은 두 사람은 여유로이 대
화를 주고받을 뿐이었다.

─언제쯤 떠날 거지?

"한 달 뒤. 그때쯤 갈까 합니다."

한 달 뒤, 그때 케일은 모든 준비를 끝내고 위퍼 왕국으로 향할 생
각이었다. 위퍼 왕국에 도착했을 때쯤 내전은 종전을 향해 나아가고
있을 터. 케일의 기억 속 툰카의 그 멍청한 얼굴이 황금으로 빛나고
있었다.

─무엇으로 이동하지?

"배로 갑니다."

-호위는?

호위. 그 단어에 케일은 미소를 지어 보였다. 알베르는 자신의 실수를 알아차렸다.

-쓸모없는 물음이었군. 케일 공자, 몸도 연약한데 조심히 잘 도착해서. 알지?

"좋은 건 다 챙겨 오겠습니다."

-쓸데없이 말이 통한단 말이야.

케일과 알베르. 두 사람은 극과 극으로 다른 외양을 지녔음에도 미소가 너무나도 닮아 있었다.

3주 뒤. 케일은 천천히 눈을 떴다. 그리고 뒹굴었다. 넓은 침대 위를 구르며 그는 하품을 했다.

오후 3시. 지금 일어났다. 그는 대충 눈가를 비비며 멍하니 천장을 바라봤다.

"내가 이겼다. 오늘은 한 시간 더 늦게 일어났다!"

"또 막내가 이겼는데. 왜 자꾸 늦게 일어나는지 모르겠는데."

검은 용과 홍이 시계와 케일을 번갈아 바라보며 대화를 나눴다. 케일은 오른손으로 배를 문질렀다. 배고파서 일어났다. 그는 나른한 얼굴로 중얼거렸다.

"……돈 많은 백수의 삶이란."

행복 그 자체였다.

3주. 그동안 케일은 일을 하지 않았다.

용 이름도 지었지만 검은 용에게는 한 달만 더 시간을 달라고 해 놨고, 준비해야 할 다른 것들은 모두 남에게 시키고, 늦게 자고 늦게 일어나는 삶을 보내면서, 백작가 안에서 놀고먹으며 뒹굴었다. 가족들은 요양을 해야 한다며 계속 쉬라고 하니 잘되었다 싶어 케일은 놀았다.

하지만 그런 케일의 행복은 깨졌다.

"인간, 최한이 온 것 같다."

검은 용은 케일의 귓가에 속삭이며 히죽 웃어 보였다.

"그동안 심심했는데 잘됐다."

케일은 떨떠름한 표정으로 침대에서 몸을 일으켜 앉았다.

오늘 최한 일행이 도착할 예정이었다. 지금이 오후 3시니, 아마 벌써 도착해서 자신을 기다리고 있을 것이다. 그는 기지개를 켜며 침대에서 일어섰다. 3주의 한량 생활을 해보니 더욱더 절실해졌다.

'돈을 모아서 백수로 살자.'

케일의 눈빛에 간절함이 맴돌았다. 그는 위퍼 왕국 건과 정글의 여왕 건을 한 번에 연달아 해결하고 놀아야겠다 다짐했다. 케일은 욕실로 들어갔고, 닫힌 욕실 문을 지켜보던 검은 용은 온과 홍에게 다가갔다.

"역시 약한 인간은 어디를 다녀야 눈빛에 생기가 도는 것 같다."

"맞아. 그래도 다행인데. 이번에는 나도 강해져서 다칠 일이 없을 건데."

검은 용과 홍의 대화를 듣던 은빛 고양이 온은 묘한 표정을 지었다. 그녀는 침대를 뒹굴며 나른한 미소를 짓던 케일을 떠올리고는 나지막이 중얼거렸다.

"과연 생기가 도는 게 맞을까?"

"맞다. 그런 거다."

"맞아, 누나. 그런 거야."

"음, 그렇구나."

온도 이내 수긍하며 털을 정리했다. 온과 홍, 둘의 털 빛깔이 더욱더 선명해져 있었다. 셋은 옹기종기 붙어서 케일이 나오길 기다렸다. 셋은 오랜만의 외출이 기대되었다.

하지만 그 기대와 달리 케일은 무표정한 얼굴로 서재에 와 있었다. 그는 막 다 말린 머리칼을 쓸어 넘기며 소파에 앉아 맞은편 세 사람을 마주했다. 케일은 부집사 한스가 건네는 차를 한 모금 마시며 입을 열었다.

"오랜만이네."

케일은 여전한 최한과 전처럼 소심해 보이는 라크에게 평소처럼 인사를 건네고 로잘린을 바라봤다.

"오랜만입니다, 왕녀 저하."

로잘린은 미소를 지으며 상큼하게 답했다.

"이제 왕녀라고 하시면 안 돼요. 저 왕가에서 제명당했어요."

"……그렇습니까?"

"네, 족보에서 지워졌답니다. 전 이제 성이 없죠."

아주 홀가분하고 상쾌하게 답하는 로잘린을 보며 케일은 그냥 고개를 돌렸다. 그리고 흘러가듯이 덧붙였다.

"앞으로도 전처럼 로잘린 씨라 부르면 되겠네요."

로잘린의 붉은 눈동자가 케일을 눈에 담았다. 왕위는 물론이거니와 왕족에서 제명당한, 물론 실상은 로잘린 자신이 왕족을 버린 것이지만, 그런 자신을 향한 시선들을 요 근래 동안 무수히 느껴온 로잘린은 편안한 마음으로 답했다.

"네. 전처럼, 앞으로 늘 그리 대해주시면 돼요."

그녀는 자신을 보지도 않은 채 대충 고개를 끄덕이는 케일을 지그시 응시했다. 역시 최한을 따라오기 잘했다는 생각이 들었다.

케일은 로잘린의 미소를 보지 못한 채, 최한과 라크를 빤히 쳐다보았다. 정자세로 똑바로 앉아 있는 최한. 그는 상당히 기분이 좋아 보였다.

'어째 더 선해진 것 같은데.'

눈동자가 상당히 맑은 게 선한 느낌이 물씬 풍겨왔다. 한층 더 선한 영웅에 가까워진 것 같았다. 케일은 자신과 맞지 않는 그 선한 분위기에 시선을 라크 쪽으로 틀었다.

라크는 최한과 달랐다. 묘하게 전전긍긍하는 모습을 보였다. 하지만 소심해서 이를 잘 표시도 내지 못한 채 손가락을 꼼지락거리고 있었다.

"케일 님."

"왜?"

굳이 최한을 쳐다볼 필요도 없었다. 자신을 케일 님이라 부르는 이는 최한뿐이었다.

"브렉 왕국의 일을 보고할까요?"

순간 로잘린이 놀란 얼굴로 최한을 바라봤다. 그러나 최한은 로잘린을 보지 않고 케일만을 쳐다볼 뿐이었다. 하지만 라크를 지켜보고 있던 케일은 고개를 가로저었다.

"됐어. 네가 친구를 위해서 한 일을 내가 알 필요는 없다고 본다만."

로잘린은 그 순간 편히 미소 짓는 최한을 볼 수 있었다. 최한은 말했다.

"네. 그래도 궁금한 부분이 있다면 말씀해 주십시오. 바로 보고하겠습니다."

"됐다."

들으면 머리 아플 일이었다. 브렉 왕국을 어떻게 그렇게 짧은 시간에 난장판으로 뒤집어엎어 버리고 대공가를 몰락시켰는지, 어떻게 로잘린이 왕족 지위를 걷어찼는지. 알고 싶지 않았다.

"라크."

대신 그는 라크를 불렀다.

"네, 네?"

최한보다 키가 더 커진 라크는 여전히 어벙했다. 케일은 라크가 저렇게 안절부절못하는 이유를 알고 있었다.

최한 일행은 한 시간 전에 도착했다고 들었다. 그 시간 동안 최한과 로잘린은 여러 가지 절차로 바빴을 것이다. 반면에 라크는 이 낯선 공간에서 어정쩡하게 서 있으면서 무슨 생각을 하고 있었을지 뻔했다. 케일은 어리숙한 얼굴을 보며 말했다.

"네 동생들은 지금 다른 곳에 있다."

라크의 표정이 달라졌다.

"어디요? 모두 다요?"

케일은 그 물음에 담담히 답했다.

"해리스 마을."

케일을 바라보던 최한의 표정이 굳어졌다. 하지만 케일은 그쪽을 쳐다보지도 않은 채 입을 다물었다. 대신 입안에 따뜻한 차를 한 모금 머금었다. 그 사이로 다른 사람의 목소리가 끼어들었다. 부집사 한스였다.

"현재 해리스 마을은 재건 중입니다. 라크 군은 모르겠지만, 산을 근처에 두고 자연과 함께하는 작지만 아름다운 마을이었죠. 그곳이 얼마 전에 안 좋은 일로 큰 화를 입었습니다."

산, 작지만 아름다운 마을, 큰 화를 입고 재건 중. 라크의 머릿속에 그 단어들이 들어왔고 저절로 한 가지 그림이 떠올랐다. 모두 다 타버리고 무너진 고향.

"또한 제대로 된 묘지도 조성 중입니다."

최한은 부집사 한스를 바라봤다. 한스는 최한에게 슬쩍 케일 쪽을 눈짓하며 말을 이었다.

"공자님께서 강력하게 건의하신 부분이었죠."

탁. 찻잔이 차탁에 놓이며 소리를 냈다. 케일은 살짝 찡그리며 입을 열었다.

"강력하게는 무슨."

"그래도 영지 일로서는 처음으로 공자님이 백작님, 아니, 영주님께 부탁하신 것 아닙니까? 저는 공자님이 영지 일에 관심을 두는 것을 처음 봤습니다."

"무슨 큰일이라고."

케일은 더 이상 말하지 말라는 듯 한스에게 손짓했고 한스는 입을 꾹 다물었다. 하지만 더 말할 것이 많다는 듯 근질근질해 보였다. 케일은 이를 가벼이 무시하며 라크를 바라봤다. 무슨 생각인지 멍한 얼굴이었다.

"라크."

"네?"

"네 동생들 보러 가라. 그리고 네 동생들이 살아가는 땅도 보고 오도록."

케일은 라크가 자신을 빤히 쳐다봤지만 그에게서 시선을 돌렸다. 이 녀석이 어벙해도 말귀는 잘 알아들으니 알아서 이해할 터.

"최한."

최한은 평소처럼 무심한 표정의 케일과 시선을 마주했다. 그동안 최한은 브렉 왕국에서 참 많은 일이 있었다. 그걸 최대한 빨리 해결하고 돌아온 집. 그의 귓가로 케일의 목소리가 들려왔다.

"가서 인사하고 와. 네 동생 라크는 길을 모를 테니, 네가 안내하고."

인사. 누구를 향한 인사인지 묻지 않아도 되었다. 최한은 살짝 주먹을 쥐었다가 폈다. 그는 울컥 치밀어 오르는 마음을 가라앉혀야만 했다. 까맣게 모두 타버렸던 해리스 마을. 그 마을이 달라져 있을 것이다.

케일은 말이 없는 세 사람에게 축객령을 내렸다.

"나가봐. 로잘린 씨, 나가셔도 됩니다."

오랜만에 세 사람을 마주하니, 케일은 피곤함이 절로 몰려왔다. 3주의 꿀 같은 휴식이 흩날려 사라지는 기분이었다. 라크와 로잘린이 한스의 안내를 따라 케일의 서재를 빠져나갔다. 최한은 그들이 나갈 때까지 가만히 앉아 있다가 맨 마지막에 자리에서 일어섰다.

"케일 님."

그리고 그대로 허리를 숙였다.

"감사합니다."

인사를 하고 고개를 든 최한은 저도 모르게 짧은 웃음을 터뜨렸다. 상당한 떨떠름함과 귀찮음을 얼굴 한가득 드러낸 케일이 눈앞에 있었으니까.

"그런 인사 필요 없다. 얼른 나가기나 해."

최한은 케일의 말대로 소파를 벗어나 서재 문으로 향했다. 다시 찻잔을 들며 이를 지켜보던 케일은 문고리를 잡은 채로 멈춘 최한의 목소리를 들을 수 있었다.

"한스 씨에게 들었습니다. 위퍼 왕국으로 가신다면서요?"

"그래."

또 뭔 소리를 한다고. 케일은 시답잖은 물음에 대충 고개를 끄덕였다.

"너 마을 갔다 오면 곧바로 갈 거니까. 짐 싸놔."

"네."

최한의 입가에 선하면서도 시원한 미소가 지어졌다. 그러나 이내 미소가 사그라지며, 문고리를 돌렸다. 달칵. 작은 소리와 함께 최한의 입이 열렸다.

"밥이라고 했던가요?"

"네가 그 녀석을 어떻게 알지?"

오랜만에 듣는 툰카의 가명 밥이었다.

한스가 툰카에 대해 말했나? 케일이 의아한 얼굴로 쳐다봤지만, 문고리를 잡고 있는 최한의 뒷모습밖에 보이지 않았다. 최한 특유의 차분하면서도 선한 목소리가 들려왔다.

"비크로스 씨가 말해주더군요. 그 바람에 케일 님이 다칠 뻔하셨다고."

비크로스가 왜 그런 말을 했지? 케일은 그때를 떠올리며 답했다.

"다치긴. 다친 덴 없어. 그냥 돌가루와 물벼락을 맞은 거지."

"······알겠습니다."

별다른 말 없이 최한은 문을 열고 서재를 나갔다. 케일은 부집사 한스가 최한과 스치며 뒤이어 들어오는 것을 볼 수 있었다. 그는 최한과 마주치자 걸음을 멈추더니, 멍하게 서 있었다.

"왜 그래?"

"네? 아, 아뇨. 아닙니다."

한스는 케일의 물음에 손사래를 치며 멀어져 가는 최한의 뒷모습을 지켜보다가, 서재 안으로 들어섰다.

"······공자님."

"왜?"

케일은 한스의 하얗게 질린 얼굴을 빤히 응시했다.

"최한 님과 싸우셨습니까?"

"내가? 뭔 소리야."

"그렇죠? 아, 아닙니다."

케일은 정신을 못 차리는 듯한 한스를 못 미더운 표정으로 바라보면서도 제 할 말을 했다. 지시는 내려야 했으니까.

"10일쯤 뒤에 떠날 거니까. 알아서 준비해."

"네, 알겠습니다. 앞으로 열심히 하겠습니다!"

잔뜩 기합이 들어간 한스를 케일은 영 떨떠름하게 바라봤지만, 한스는 아주 신속하게 서재를 나갔다. 홀로 남은 케일은 달력을 바라봤다.

마탑의 마지막 수호자. 그 자리를 벗어던지고 도망쳤던 패배자.

"……드워프는 처음이군."

온전한 마탑을 사려면 대대로 마탑을 수호했던 가문의 마지막 드워프를 만나야 했다. 케일의 입꼬리가 올라갔다.

드워프도 그냥 드워프가 아니었다.

'쥐 수인족과 드워프 혼혈이라.'

뮐러. '영웅의 탄생'에서 가장 초라하고 비참한 죽음을 맞이해야 했던 소인小人. 드워프처럼 키가 작았지만 쥐 수인족의 특성으로 근육 없이 호리호리했다. 말 그대로 작은 인간이었다.

케일은 서재를 빠져나와 침실로 향했다. 그는 도망친 쥐를 잡는 방법을 떠올리며, 지금쯤 침실에서 검은 용과 놀고 있을 온과 홍에게로 향했다.

10일. 빠듯하게 준비하면 순식간에 지나갈 시간이었다.

케일의 예상대로 시간은 빠르게 흘러 일주일이 지났다. 그는 일주일 전처럼 서재 소파에 깊숙이 몸을 기댄 채 앉아 있었다.

"하아."

케일은 튀어나오는 한숨을 굳이 숨기지 않았다. 그의 미간은 찌푸려져 있었다.

정확히 일주일 전, 로잘린을 두고 둘이서 떠났던 최한과 라크가 돌아왔다. 하지만 혼자 돌아오지 않았다.

"공자님."

부단장 힐스만도 함께 왔다. 그런데 그의 몰골이 이상했다. 부단장, 그 자리의 격에 맞게 차려입던 인물이 소탈한 가죽 갑옷 차림을 하고 얼굴이 상처투성이였다.

'분명 해리스 마을 재건에 신경을 쓰라고 했던 것 같은데.'

왠지 부단장은 케일의 명에, 다른 것들을 더 한 것 같았다.

"저, 돌아왔습니다."

이유는 알 수 없으나 감격한 표정으로 말하는 부단장 힐스만을 케일은 외면했다. 그런데 이 녀석뿐만이 아니었다.

"공자님! 보고 싶었어요!"

"케일 공자님! 저희도 왔어요!"

"안녕하세요? 잘 지내셨어요?"

동시에 열 명의 아이들 목소리가 케일의 귓가를 후려쳤다. 메스를 비롯한 늑대족 아이들이 케일을 보며 순하게 생글생글 웃고 있었다. 그런데 그 표정과 다르게 분위기가 달라져 있었다. 아이들은 반창고와 붕대를 여기저기 붙이고 있었다. 뭔가 케일이 생각하던 범위 밖의 일이 이들에게 일어난 것 같았다.

"언제 오라 말씀하지 않으셔서, 형들 따라왔습니다."

대표로 메스가 의젓하게 말했다. 케일은 한숨을 삼켰다.

'언제 오라 말하지 않은 건 굳이 오지 않아도 되어서 그런 것인데.'

이미 온 이들에게 도로 가라고 할 명분도 없어 케일은 그 인사들을 대충 받아주며 고개를 돌렸다. 최한과 라크가 서 있었고, 케일은 그들에게 지시했다.

"짐 싸놔라. 모레 떠날 거니까."

그런데 대답이 다른 곳에서 들려왔다.

"네!"

총 11명. 부단장과 늑대 아이들이 힘차게 답했다. 마치 오랜 시간 훈련한 기사들을 보듯 절도 있는 모습이었다. 최한과 라크가 이를 흐뭇하게 바라봤다. 특히 최한은 마치 스승의 눈빛으로 그들을 바라봤다.

케일의 표정이 미묘해졌다.

이게 아닌데.

그 미묘함은 그날 저녁 식탁까지 이어졌다. 케일은 그냥 한마디를 던졌을 뿐이었다.

"위퍼 왕국에 잠시 다녀오겠습니다."

챙그랑. 막냇동생 7살 릴리의 손에 있던 스푼이 바닥으로 떨어졌다. 케일은 그 소리에 릴리를 바라봤다. 릴리는 하얗게 질린 얼굴로 입술 끝이 떨리고 있었다.

"선생님이 그랬는데."

릴리는 스푼을 주울 생각도 안 하고 중얼거렸다.

"지금 위퍼 왕국은 무섭고 매일매일 사람들이 죽고, 귀족들은 숨어 다녀야 하고, 맛있는 것 먹기도 힘들고! 잠도 편히 못 자고! 선생님이 그랬는데!"

어째 점점 갈수록 감정이 격해지는 듯 목소리를 높여갔다. 그리고 케일을 빤히 보며 얼굴을 일그러뜨렸다.

"안 된다."

그때 릴리의 말을 끊으며 데르트 백작이 단호히 말했다. 케일은 의아함을 담아 그를 봤다. 위퍼 왕국행. 왕세자는 케일이 무사히, 비밀리에 잘 도착할 수 있도록 지원을 약속했다.

'자네 가문에는 내 밀명을 수행하는 것이라고 해두지. 마탑이니, 마법사니 이런 것들은 말할 필요가 없잖아?'

'그렇죠. 비밀이 좋죠. 그리고 행선지도 가족들과 우바르 영주에게만 밝혀두고 싶습니다.'

'당연하지. 준비해 두겠네.'

왕세자 알베르는 바로 데르트 백작에게 내용을 밝힐 수 없는 밀명이라는 말과 함께, 케일에게 임무를 내렸다고 전했다.

"아버지, 왕세자 저하의 명이십니다만."

"상관없다."

사람 좋게, 평범하게 생긴 데르트 백작의 얼굴이 있는 대로 구겨졌다. 케일은 시간이 정지한 듯 굳어 있는 차남 바센을 지나 유일하게 담담한 얼굴의 한 사람, 바이올란을 바라봤다. 눈이 마주친 그녀는 평온히 물었다.

"네 뜻이니?"

"네, 제가 가고 싶습니다."

"케일."

"네."

바이올란은 스푼을 내려놓고는 다시 입을 열었다.

"그곳이 위험한 곳임을 알고 있겠지?"

"네."

케일은 가벼이 긍정했다. 위험한 곳은 맞았다. 하지만 함께 갈 최한에, 검은 용에, 로잘린, 라크만으로도 안전에 대해 걱정할 필요가 없었고, 나아가 힐스만과 10명의 늑대 아이들이 보여준 따라가겠다는 그 집념을 보면 전혀 위험할 것 같지 않았다.

"케일, 한 가지는 기억하렴. 나는 내 아들인 너를 늘 걱정한단다. 우리는 모두 너를 걱정해. 하지만."

순간 바이올란의 눈빛이 매서워졌다.

"이 왕국 따위는 걱정하지 않아."

"크흠. 부인, 왕국이 안전해야 우리 가족들도 안전하지 않겠습니까."

얼굴을 구기던 데르트 백작이 표정을 풀며 헛기침을 해댔다. 하지만 바이올란은 이를 가벼이 모른 체하며 케일에게 이어 말했다.

"네 뜻이니?"

바이올란은 같은 질문을 한 번 더 케일에게 건넸다. 케일은 그 질문에 곧바로 답했다.

"저는 황금 거북이입니다."

데르트 백작은 순간 자신이 아들에게 했던 말을 떠올렸다.

'우리는 가장 단단한 껍데기로 무엇이든 지키지. 하지만 제일 중요한 것은 스스로를 지키는 것이다.'

그는 아들을 응시했다. 아들은 차분했고 편안해 보였다.

"단단한 껍질로 제가 안전한 게 가장 중요한 사람입니다."

케일은 헤니투스가 사람들에게 말했다.

"저는 헤니투스가 사람이죠."

아무렴. 케일은 자신의 안전이 가장 중요했다. 피치 못하게 전투를 하는 상황이 생겨도 무조건 이길 것 같을 때, 옆에 강한 이가 같은 편일 때만 나섰다.

"걱정 마세요."

확신이 가득한 목소리였다. 그리고 단호함이 느껴지는 눈빛이기도 했다. 바이올란 백작 부인의 입가에 미소가 어렸다.

"그래, 알겠다. 하지만 걱정은 늘 할 것 같구나. 그게 부모란다."

굳이 걱정할 필요가 없는데. 케일은 속내를 굳이 밝히지 않은 채 바이올란의 말에 고개를 끄덕였다. 데르트 백작은 입을 꾹 다물고서 다시 식사를 이어갔다. 가지 말란 소리가 없는 것으로 보아 그럭저럭 납득한 듯싶었다.

"가만히 있었더니. 사람이 시키는 대로 다 하는 줄 알아."

다만 그는 이따금씩 혼자 중얼거리며 거칠게 고기를 씹어댔다.

케일은 더 이상 다른 반박이 튀어나오지 않자, 다시 편안하게 식사에 집중했다. 그러나 접시를 보고 있던 그는 보지 못했다. 데르트 백작과 바이올란 백작 부인이 주고받는 눈빛이 예사롭지 않았다는 것을. 그리고 그날 데르트 백작이 집사에게 돈이 얼마가 들든 비밀리에 왕세자와 위퍼 왕국 관련 자료를 모아 오라고 지시했다는 것을, 케일은 알지 못했다.

그는 오늘도 만족스러운 식사를 끝내고 식당을 나왔다. 그런 그의 뒤를 다급하게 쫓아오는 발소리가 들렸다. 귀족의 예를 어기는, 보기 드문 황급한 발걸음이었다.

"바센?"

케일의 뒤를 쫓아온 이는 바센과 릴리였다.

"……형님, 꼭 가셔야 합니까?"

"대충 그렇지."

꼭, 반드시 가야 하는 건 아니었다. 다만 1년 편한 것보다는 10년 편할 미래가 더 좋아 가는 것뿐. 케일은 아무런 말이 없는 남매에게 말했다.

"둘 다 공부, 훈련 열심히 해. 너희들이 있어서 편히 다니는 거니까."

아무렴. 바센이 영주가 되고 릴리가 군사를 담당할 것을 생각하면 늘 마음이 편안했다. 적어도 후계자 경쟁이나, 장자와 능력 좋은 차남을 사이에 둔 아침 드라마 재벌 속 이야기 같은 건 안 펼쳐질 것 아닌가?

케일은 말없이 자신을 바라보는 동생들에게 미련 없이 등을 돌렸다. 지금부터 준비할 일이 꽤 많았다. 케일은 뒤돌아 걸어가며 동생들에게 말했다.

"위퍼 왕국 기념품 사 오마."

케일은 뒤돌아 서 있었기에 바센과 릴리가 케일을 뚫어지게 쳐다보다가 서로 눈빛을 교환하며 결연하게 고개를 끄덕이는 것을 보지 못했다. 그는 동생들이 스스로 미래의 직업을 이미 정했음을 꿈에도 알아챌 수 없었다.

며칠 뒤, 케일은 계획대로 백작가를 떠나 딱 예상했던 시간에 배에 올라탈 수 있어 꽤 기분이 좋았다.

"케일 공자."

케일은 배에 올라타려 걸음을 내딛다가 아미르 영애의 목소리에 그녀를 바라봤다.

"영애."

아미르는 오랜만에 만나도 여전히 여유로운 모습의 케일을 가만히 응시했다. 우바르 영주는 이미 왕세자와 한배를 탄 사이였기에, 왕세자의 밀명을 받자마자 아미르에게 곧바로 가장 튼튼하고 큰 배를 준비하라 지시했다.

"공자, 무사히. 이번에는 다치지 않고 돌아오시길 바랍니다."

"당연한 말씀을."

케일은 다칠 생각이 눈곱만큼도 없었다. 그는 납득이 안 된다는 듯 미간을 찌푸린 아미르를 볼 수 있었다.

"저하께서 어찌하여 막 요양이 끝난 케일 공자를 그 위험한 곳으로 보내시는지 모르겠습니다. 하지만 한편으로는 케일 공자이기에, 저하께서 믿으시는 것이겠지요."

믿기는. 왕세자는 누구를 믿을 인간이 아니었다. 이를 케일은 솔직히 말했다. 절로 떨떠름한 미소가 지어졌다.

"글쎄요. 믿는 것 같지는 않습니다만."

아미르는 케일의 쓸쓸해 보이는 미소에 목소리를 높였다.

"그럴 리가요! 공자, 적어도 저는 공자를 믿습니다."

"아, 네. 뭐, 고맙습니다, 영애."

차분한 모습과 달리 강하게 의사를 내비치는 아미르의 모습에 케일은 흘러가듯 답했다. 그리고 다시 걸음을 내디뎠다. 얼른 제시간에 떠나야 했다. 만날 사람들이 있었다.

"공자―"

"가보겠습니다, 영애."

아미르는 할 말이 더 있었지만 입을 다물었다. 바닷바람에 흔들리는 붉은 머리칼을 쓸어 올리며 배에 올라타는 케일의 모습에서 설렘과 상쾌함이 함께 느껴졌다.

케일은 아미르가 더 이상 붙잡지 않자, 홀가분한 기분으로 배 위에 올라탔다. 거대한 배의 갑판 위에서 바라본 마을은 한창 공사로 여기저기가 시끄러웠다. 또한 몇몇 소용돌이가 사라져 거대한 배가 왔다 갔다 할 수 있을 만큼의 해상로가 확보되었다.

'물론 나머지 소용돌이들은 그대로지.'

케일은 주변 경관을 보던 시선을 돌려 갑판 위를 바라봤다.

"……하."

어쩌다가 이렇게 사람이 많아졌을까.

최한, 라크, 로잘린.

오들오들 떨면서도 기필코 가겠다는 표정의 고양이 온, 홍과 그 곁의 한스.

그리고 배를 타 하얗게 질린 부단장 힐스만과 그를 감시하는 비크로스, 그들 곁의 늑대 아이들 10명.

'이러고 가서 내가 다치면 그거야말로 개연성 파괴지.'

어디 누가 보면 나라 하나 부수러 가는 줄 알 것이다.

―바다 냄새 좋다.

특히 검은 용도 따라오는데, 무엇이 겁나겠는가.

케일은 자신을 바라보는 일행에게 명했다.

"출항해."

뿌우우우-

출항을 알리는 뿔피리 소리가 우바르 영지 앞바다에 울려 퍼졌다.
그 배는 무역을 위한 상선으로 위장되어 있었다. 사실 위장이라고
할 것도 없었다.

'뭐, 무역은 무역이지.'

물론 불공정 무역이 될 것이다. 케일 자신에게는 한없이 공정하
지만 타인에게는 불공정한.

-인간, 그렇게 웃지 마라. 사기 칠 것 같다.

검은 용의 목소리가 들렸지만 케일은 무시하며 시원한 바닷바람
을 맞이했다. 그렇게 배는 위퍼 왕국의 가장 작은 항구로 향했다.

그날 밤. 케일은 잠들지 않고 갑판 위에 나와 있었다. 자정에 가까
운 시각이라 아무도 없었지만 갑판 위는 은은한 조명으로 시야가 꽤
밝았고, 보름달이 있어 어둡지 않았다.

오늘 여기서 그는 손님들을 맞이할 계획이다. 케일은 배 난간에
한쪽 팔을 기댄 채 여유로이 밤바다를 감상했다.

"인간."

검은 용이 모습을 드러내며 다가왔다. 이 장소에 아무도 없음을
깨닫고 나타난 것이다.

"왜?"

"혹시 말이다."

검은 용은 고민이 많아 보였다. 아니, 굉장히 미심쩍어하는, 케일의 기분을 떨떠름하게 만드는 표정을 지은 채 그를 위아래로 훑어보았다.

"……이름 외자 아닌가, 인간?"

"갑자기 무슨 소리야?"

용은 고심이 많아 보였다.

"왠지 검이나 용이나. 그런 거 할 것 같다."

"아, 네 이름?"

무슨 소리를 하는가 했더니, 용은 자신의 이름에 대해 말하고 있었다. 케일은 4살의 근심 가득한 표정에 마주 진지한 표정을 지었다.

"……별론가? 그런 이름은?"

케일의 표정은 꽤 심각해져 있었다. 검은 용은 근래 들어 이렇게 심각한 케일의 표정을 보지 못했다. 검은 용의 동공이 흔들렸다. 용은 다급히 답했다.

"그렇지는 않다! 나는 아무거나 다 좋다! 인간, 네가 지어주면 다 좋다! 걱정하지 마라!"

날개가 세차게 파닥였고, 꼬리가 이리저리 휘둘리며 강하게 자신은 그렇지 않음을 어필했다. 케일의 표정은 언제 심각했냐는 듯 순식간에 태평해졌다.

"그럼 다행이고."

그는 무심히 툭 내뱉었다.

"라온, 네 이야기를 들었으면 온과 홍이 섭섭해했을 거야."

순간 정적이 흘렀다.

"……인간, 방금 뭐라고 했나?"

케일은 검은 용의 생각과 달리 용의 이름에 대해 꽤 고민했었다. 이름은 그 사람에게 주어지는 유일한 것이다. 김록수. 홀로 살아야 했던 그에게, 유일하게 온전히 주어진 것이 부모님이 지어주신 그 이름이었다.

"이름은 라온."

라온. 순우리말로 '즐거운'을 뜻했다.

"그리고 성은 미르."

미르. 순우리말로 용.

즐거운 용. 참으로 웃긴 이름이지만, 케일은 꽤 진심을 담아 지었다. 순우리말 이름이라 최한이 좀 신경 쓰였지만 그에게야 대충 둘러대면 될 터.

용은 여전히 케일의 무심한 목소리가 들려왔지만, 눈앞의 케일의 표정은 처음 보는 표정이었다. 잔잔한 미소가 케일의 입가에 지어져 있었다.

"나는 네가 행복하고 즐겁게 살길 바라는 마음으로 지었다."

"……무슨 뜻인가?"

검은 용은 케일에게 이름의 뜻을 물었다. 케일은 손가락으로 검은 용을 가리켰다.

"너."

라온, 그리고 미르. 이 세상에는 없는 단어였다. 이 세상에서 이 단어들의 의미는 오로지 하나를 가리켰다.

"너다. 너만을 위한 글자이고 단어들이야."

"……나만?"

"그래."

케일은 씩 미소를 그리며 용의 머리를 쓰다듬었다.

"넌 아주 위대한 용이니까."

"……나만…….."

한참을 중얼거리던 검은 용은 자신의 머리를 쓰다듬는 케일의 손을 툭 쳐내며 날개와 어깨를 쫙 펼쳤다. 날개가 심하게 파닥였다. 용은 콧방귀를 뀌었다.

"쓸 만하다. 특별히 써주겠다."

"그래, 라온."

용은 코를 찡긋거렸다. 입꼬리가 씰룩이며 위로 올라갔다.

"나는 위대한 라온 미르다."

"그래, 라온."

"맞다. 나는 라온이다."

용은 4년 만에 이름을 가졌다. 성도 가졌다. 이 몸 말고도 유일한 자신의 것이 생겼다. 용은 고개를 들었다.

동굴의 어둠과 다른 밤하늘의 어둠이 눈동자에 담겼다. 처음 동굴 밖을 나왔을 때도 이렇게 밤이었다. 용은, 라온은 그 순간도, 그리고 지금도 잊지 못할 것 같았다.

케일도 용을 따라 고개를 들었다. 밤하늘은 어디를 가든 늘 같았다. 케일의 귓가로 용의, 라온의 목소리가 들려왔다.

"고맙다, 케일."

"……뭐라고?"

케일이 놀란 얼굴로 라온을 바라봤다. 용은 어느새 평소의 표정으로 돌아왔다.

"인간, 너는 어떻게 단박에 못 알아듣나?"

"한 번 더 말해보지?"

케일이 피식피식 웃으며 용의 머리를 쓰다듬으려 손을 뻗었다. 용은 그 손바닥에 박치기를 해버리며 강하게 거부했다.

"싫다. 매우, 아주, 상당히 싫다! 약한 인간, 감기 걸린다. 들어가서 자라!"

그러나 그 행동과 달리 용의 날개는 파닥이고 있었고 꼬리는 마치 온과 홍처럼 살랑거리고 있었다. 케일은 그 모습에 작게 웃었다. 낮은 웃음소리와 함께 미소 짓는 케일의 모습은 밤임에도, 바다 위임에도 라온에게 선명히 잘 보였다.

"들어가는 건 곤란하겠는데."

"왜 곤란-"

퉁명스럽게 묻던 용, 라온의 목소리가 뚝 멈췄다. 그리고 바다를 바라봤다. 저 멀리 배와 떨어진 곳.

좌아아아아악-

바다 물살이 갈라지며 거대한 존재가 서서히 모습을 드러냈다.

고래였다.

"케일 님!"

누군가 황급히 배 안에서 튀어나와 케일을 향해 아주 빠른 속도로 달려오고 있었다. 최한이었다. 그는 다급한 표정으로 저 멀리 서서히 모습을 드러내는 존재를 탐색했다. 그리고 얼른 케일에게로 시선을 돌려 그에게 다가갔다.

"음?"

그제야 최한은 볼 수 있었다. 케일은 그에게 들어가라는 듯 휘이

휘이 손을 젓고 있었다. 그것도 아주 귀찮은 표정으로. 옆에서 검은
용 라온이 최한을 보며 비웃듯 말했다.

"적 아니다."

"뭐?"

최한은 그 말에 다시 바다로 고개를 돌렸다. 동시에 케일은 난간
에 기댄 몸을 일으켜 바다를 향해 고개를 숙였다.

고래는 하나가 아니었다. 총 셋이었다.

손님이 도착했다.

하나는 혹등고래, 위티라. 또 다른 하나는 범고래. 그리고 마지막.

"고래왕을 뵙습니다."

케일은 가장 거대한 혹등고래, 고래왕에게 인사했다.

고래왕. 시켈러.

거대한 고래의 눈동자가 케일을 향했다. 케일의 입꼬리가 살짝 위
로 올라갔다.

'압박감이 느껴지는군.'

바다라는 한 영역을 다스리는 왕. 서대륙의 일부를 차지한 제국의
황제와는 비교도 안 되는 존재감을 지녔다. 그래서 케일은 더 미소
를 지었다.

시켈러의 눈동자에 이채가 감돌았고, 고래의 눈매가 휘며 미소를
그렸다. 케일은 살짝 뒤로 물러서며 두 팔을 벌렸다.

"대화는 갑판 위가 어떨까 싶습니다만."

쥐이이익.

바다 위로 수증기가 피어올랐다. 그와 동시에 세 명의 인영이 빠
른 속도로 소리 없이 배로 다가왔다. 타닥. 타닥. 탁. 세 사람은 가벼

이 갑판 위로 내려섰다. 그 순간 케일은 머릿속으로 검은 용 라온의 목소리를 들을 수 있었다.

─용이 더 아름답고 멋지고 위대하다!

케일은 용의 마음을 이해해 녀석의 머리를 쓰다듬어 주었다. 순혈의 고래족 세 명은 가히 그 외모만으로도 폭발적이었다.

'이쪽은 아예 굳어버렸군.'

최한은 고래족 수인을 보며 굳어버렸다. 케일은 최한의 시선을 따라 제 앞에 선 세 명을 한 명씩 바라봤다. 고래왕 후계자 위티라. 그녀는 평소와 같았다.

그리고 범고래, 하얀 머리칼의 남자. 그는 분명 고래족의 가장 위대한 전사 아치일 터. '영웅의 탄생' 고래족 편에서 꼭 나오던 인물이었다. 라크를 팬 인간이 이자였으니까. 괴팍하고 성격 더러운 놈. 그러나 충성심은 꽤 강했다.

"남쪽 바다까지 내려온 건 오랜만이군."

중후하면서도 멋진 목소리에 최한은 고개를 돌렸다. 시켈러, 고래왕이 인자한 미소를 짓고 있었다. '영웅의 탄생'에서 가장 잘생긴 중년인. 책에서는 그의 외모에 대한 설명을 네 줄에 걸쳐서 하고 있었다. 작가가 혼을 갈아 넣어 묘사를 한 느낌이었다.

'그럴 만하네.'

하지만 외모가 밥 먹여주는 것도 아니고. 케일은 그저 받아먹을 것들만 받아먹으면 되었다.

"남쪽이 따뜻해서 좋죠?"

시켈러의 눈동자에 이채가 감돌았다.

'위티라의 평대로군.'

약하지만, 강한 사람입니다. 딸은 그렇게 눈앞의 자에 대해 평했다. 그 평대로 이자는 이 갑판 위에서 가장 약했다. 하지만 당당했다.

"남쪽도 좋군. 우리 아들을 구해줘서 고맙네. 감사 인사를 꼭 하고 싶어서 딸과 함께 왔어."

"별말씀을. 그냥 할 일을 했을 뿐입니다."

부드러이 미소를 지어 보인 케일은 예의 바르게 손을 내밀었다. 굳이 이 야밤에 긴 이야기를 해서 뭐 하겠는가.

"피차 서로 바쁜 사이이니, 본론으로 바로 들어갈까요?"

"그러지. 그런데 말이야."

시켈러가 작게 한숨을 내쉬었다. 케일도 마찬가지였다. 그는 내민 손의 방향을 틀었다.

"최한."

툭. 케일은 최한의 어깨 위에 손을 올렸다.

시켈러 역시 마찬가지였다.

"아치."

최한과 아치가 무슨 일인지 몰라도 서로를 노려보고 있었다. 오늘 처음 본 사이건만 이들이 왜 이러는가 싶었다. 케일은 최한의 어깨를 잡은 손에 힘을 주었고, 최한이 그를 바라봤다.

아까 전만 해도 고래족 외모에 넋이 빠져 있더니, 지금은 또 왜 열이 받아 있을까. 최한이 배 위에서 싸우기라도 하면 이 배는 칼질 한 번에 두 동강 나 수심으로 가라앉을 것이다.

"왜 그래?"

"……케일 님."

최한은 입술을 꽉 깨물었다. 그때 케일에게 명쾌한 답이 들려왔다. 늘 그렇듯 검은 용 라온이었다.

－저 고래가 널 위아래로 훑어봤다! 감히!

씩씩거리는 용의 거친 숨소리가 케일에게 닿았다. 그는 최한에게서 시선을 돌려 하얀 머리칼의 남자를 쳐다봤다.

아치. 그는 툰카보다 글러먹은 놈이다. 악역이 아닌데 고구마를 담당하는 놈이 있지 않은가? 같은 편인데, 신경 건드는 놈.

딱 그놈이 아치였다. 오로지 시켈러에게만 충성을 맹세하고 다른 이들은, 심지어 같은 종족에게도 신경 안 쓰는 망아지 같은 놈. 케일은 마침내 아치와 눈이 마주쳤다.

'음.'

케일은 침음을 삼켰다. 정말로 그를 바라보는 아치의 눈빛이 살벌했다. 이 자식은 또 왜 이러는 것일까? 하지만 답은 나왔다.

'분명 시켈러가 직접 나를 만나러 오게 해서겠지.'

이 녀석에겐 케일이 시켈러의 아들을 구한 일이나 큰 도움을 준 것은 중요치 않았다. 위터라 때보다 더한 강한 자의 눈빛에 케일은 살짝 몸에 힘이 들어갔다.

시켈러는 케일의 몸에 힘이 들어간 것을 느끼고 황급히 아치를 매섭게 바라봤다. 그러지 말라고 몇 번이나 말해놓았음에도 이놈은 도통 말을 들어먹지 않았다.

"아치, 그만－"

시켈러는 말하던 것을 멈췄다. 그는 고개를 돌렸다.

'아버지, 케일 공자는 다른 사람이에요. 정말로, 한순간이었지만 그가 아주 커 보였어요.'

순간 위터라의 말이 떠올랐다. 그의 눈에 케일이 담겼다. 언제 몸에 힘이 들어갔냐는 듯 여유로이 서 있는 그를 볼 수 있었다. 하지만 분위기가 이전과는 달랐다. 그는 비로소 딸이 케일에게 강하다고 말한 연유를 깨달을 수 있었다.

무심한, 깊이를 알 수 없는 눈빛이 아치에게로 향해 있었다. 그 눈빛을 옆에서 지켜보던 최한은 저도 모르게 찡그렸던 얼굴이 펴졌다.

"……케일 님."

그는 저도 모르게 자연스레 케일의 이름을 불렀다. 하지만 케일은 돌아보지 않았다. 최한은 그게 순간 당연하게 느껴졌다.

오로지 앞만 보는 케일의 무심한 눈빛. 그리고 그를 휘어 감고 있는 분위기가 모두의 시선을 사로잡았다. 강한 압박감과는 달랐다. 오히려 그에게서 뿜어져 나오는 기운은 나른하면서도 편안해 보였다. 그러나 쉬이 다가가지 못하게 만들었다. 케일의 미간이 찌푸려졌기 때문이다.

'몸이 자동 반응하네.'

압박을 느끼자 심장의 활력이 강하게 움직였고, 덩달아 지배하는 아우라를 조금 펼쳐 버렸다. 이 둘이 강자의 압박을 벗어나게 만들었다. 케일의 입이 천천히 열렸다.

"넌 누구지?"

이왕 상황이 이렇게 되었다면. 이참에 아예 아치를 팍 눌러놓으면 좋을 터.

케일은 아치의 저런 눈빛을 썩 좋아하지 않았다. 그는 천천히 앞으로 걸어갔다. 끼익끼익. 갑판 위의 나무판자가 그의 걸음을 따라 소리를 냈다.

"넌 누구이기에."

지배하는 아우라가 서서히 그 힘의 절반을 드러냈다. 반걸음. 딱 그 정도. 케일은 아치를 앞에 두고 멈춰 서서 그에게 무심한 투로 물었다.

"나를 그렇게 바라보는 것이지?"

아치는 입이 떨어지지 않았다. 자신이 케일보다 조금 더 컸다. 그럼에도 케일이 자신을 내려다보는 것 같았다. 분명, 약해 보였는데. 지금도 한 손으로 죽일 수 있을 것 같은데.

그는 눈앞의 남자, 케일의 입꼬리가 부드럽게 올라가는 것을 볼 수 있었다. 케일은 아치의 눈빛에 깃든 기세가 줄어들어 가는 것을 차갑게 관찰하며 툭 내뱉었다.

"답할 수 없는 눈빛이라면."

눈앞의 남자는 아치를 내려다봤다. 아치는 그것을 깨달을 수 있었다.

"쉬이 남에게 들키지 마."

케일과 아치는 몇 초간 정적과 함께 서로를 바라봤다. 아치의 발이 살짝 뒤로 주춤했다. 그 순간, 케일은 곧바로 지배하는 아우라의 힘을 갈무리했다. 그리고 유쾌한 미소를 지으며 시켈러를 바라봤다.

"그렇지 않습니까, 전하?"

앞으로 몇 번은 더 보아야 하고 거래도 해야 하는 입장에서, 케일은 그들과 싸우기 싫었다. 그래서 지배하는 아우라를 절반만 사용했고, 최대한 밝은 미소를 지으며 시켈러를 바라봤다.

"……그렇지."

시켈러는 한참 만에 대답하더니, 케일의 눈에 보일 정도로 강하게 아치의 어깨를 잡았다.

"사과하고 자기소개를 하도록."

케일은 시켈러가 아치의 성질머리를 어떻게 죽였는지 알고 있었다. 팼다. 물속에서 먼지가 날 정도로. 정말 그럴 정도로 시켈러는 아치를 팼다고 했다. 망나니는 매가 약이라며 패고 또 팼다.

그리고 개과천선한 아치는 시켈러의 충성스러운 부하가 되었다. 때문에 케일은 아치가 저런 눈빛을 보여도 자신에게 해를 입힐 수 없음을 알고 있었다. 케일은 그가 있는 쪽을 쳐다도 보지 않고 고개를 숙이는 아치를 볼 수 있었다.

"……죄송합니다."

아주 작은 목소리였다. 어지간히도 사과하기 싫었나 보네. 케일은 그리 생각하며 고개를 드는 아치를 빤히 바라봤다. 순간 눈이 마주친 아치가 황급히 눈빛을 피했다.

"아치입니다."

"그래. 케일 헤니투스다."

그때 케일의 머릿속으로 라온의 목소리가 들렸다.

─인간, 방금 내 발톱 조금만큼 강해 보였다. 잘했다! 칭찬한다!

4살짜리에게 칭찬받는 카리스마라니. 케일은 한숨을 삼키며 어정쩡하게 자신을 바라보는 시켈러에게 친절히 손을 내밀었다.

"물건 주십시오."

"아, 그렇지."

묘하게 허둥지둥거리는 시켈러는 왕의 위엄은 어디 갔는지 동네 아저씨 같았다. 친해지면 그런 캐릭터이기는 했다. 시켈러는 위티라에게 눈짓했고, 그녀는 앞으로 나섰다.

"공자."

"오랜만이야. 물건."

위티라는 여전한 그의 모습에 안도했다.

'안도했다고? 내가?'

그녀는 제 속마음에 놀랐지만, 이내 마음을 가라앉히며 물건들을 내밀었다. 총 세 개의 물건이 케일의 손안에 들어왔다. 그중 독을 제거하고 오로지 드래곤의 죽은 마나만이 담긴 작은 병이 있었다.

죽은 마나. 어둠의 속성이 아닌 산 사람에게는 치명적인 존재였다. 그래서 시켈러는 궁금했다.

"그런데 이 죽은 마나는 왜 필요한가? 인간들 중에서는 필요한 이가 없을 텐데. 뭐, 예전에 사라진 네크로맨서라면 몰라도. 그것도 이적은 양을."

"글쎄요."

케일은 의뭉스러운 미소를 그렸다. 그에게 필요한 것은 딱 이 정도의 적은 양이었다. 케일은 받은 물건들을 마법 주머니에 모두 넣고 고래 왕족들과 몇 가지 이야기를 한 후, 그들과 헤어졌다.

"다음에 또 보지. 오늘 아치의 잘못된 행동은 내가 한 번 더 사과하네."

"괜찮습니다."

"아니야. 아직 덜 배워 처먹어서 그래."

"……아버지."

위티라는 거친 말이 튀어나온 시켈러를 진정시키며 케일에게 다음을 기약했다.

"공자, 다음에 꼭 봐요."

"그러죠."

이 고래족들과는 앞으로 써먹어야 할 데가 많아서 좀 더 봐야 했다. 케일은 떠나는 위타라와 시켈러, 그리고 주춤주춤 인사를 꾸벅하는 아치에게 여유로이 손을 흔들어 보이며 자신의 일행에게로 뒤돌아섰다.

"최한, 뭐 해?"

"……아, 아닙니다."

최한은 소스라치게 놀라며 고개를 절레절레 가로저었다. 케일은 아까 전부터 넋을 놓고 가만히 있던 최한을 지나쳐 배 안으로 향했다.

"난 먼저 자러 간다."

그 뒤를 따르던 검은 용 라온은 휙 뒤돌아보며 최한에게 말했다.

"난 라온 미르. 아주 멋지고 아름답고 위대한 존재다! 기억하도록!"

최한은 상당히 신난 얼굴로 돌아가는 용을 바라보다가, 평소처럼 여유로운 뒷모습을 보이는 케일을 가만히 응시했다.

"……나도 성장해야 돼."

홀로 남은 갑판 위에서 최한의 목소리가 바닷바람과 함께 희미하게 울려 퍼졌다. 물론 케일이 들었으면 기겁할, 이 대륙을 부술 작정이냐고 생각할 말이었다.

다음 날 케일은 아침부터 검은 용, 이젠 라온이라 불릴 용의 옆에 쭈그리고 앉아 투덜거리는 홍을 볼 수 있었다.

"라온도 좋은데. 멋있는데. 그런데 나는 라홍도 좋을 것 같은데."

반면 늘 조용하던 온은 드물게 신이 난 듯 사뿐사뿐 고양이 걸음을 내디디며 라온 주위를 빙빙 돌았다.

"라온 미르! 우리 막내 이름 너무 좋은데! 최곤데!"

배 안 자신의 침실 침대 위에 드러누워서 이를 지켜보던 케일은 그 광경을 외면했다. 용은 계속해서 외치고 있었다.

"거기 늑대인간! 나는 라온 미르다! 거기 마법사! 나는 라온 미르다! 최한!"

"알아, 네 이름."

오죽하면 선한 최한이 라온에게 대충 답했다.

현재 케일의 방 안에는 용과 고양이들, 그리고 최한, 라크, 로잘린이 있었다. 용은 최한에게 다가갔다.

"알면 불러봐라."

"그래, 라온."

용의 입꼬리가 씰룩였다. 그때 최한이 케일을 바라봤다.

"미르. 그 성은 어떻게 떠올리셨습니까?"

최한의 표정이 묘했다. 케일은 그런 그의 반응을 충분히 이해했다. 최한은 '라온'이라는 순우리말은 모르는 듯했다. 다만 '미르'는 아는 모양이었다.

"그냥 만든 단언데?"

"만든 단어요?"

"어. 왠지 라온을 보니 그 단어가 떠오르더군. 문득 말이야. 신기한 경험이었어."

케일은 무심히 답하며 침대 위에서 포도를 한 알씩 떼어 먹었다.

그리고 최대한 아무렇지 않게 물었다.

"왜?"

"아뇨. 신기해서요."

최한의 눈빛이 그리운 것을 그리는 듯 감회에 젖어 있었다. 순우리말이니 그러는 것이리라. 그는 고개를 끄덕이더니 용에게 말했다.

"라온. 멋진 이름과 성이야."

라온은 최한의 말을 못 들은 체하며 의기양양하게 날개를 파닥였다. 케일은 이를 감흥 없이 바라보다가 창 너머의 바다로 눈길을 돌렸다. 그는 얼른 위퍼 왕국에 도착하길 바랐다.

그리고 그 바람대로, 그는 며칠 뒤 위퍼 왕국의 가장 작은 항구에 배를 대었다. 배를 맞이하는 이가 있었다. 이번 일의 가장 중요한 조력자.

"공자님!"

더욱더 토실토실해져 한층 더 돼지 저금통과 닮게 된 플린 상단의 서자 빌로스. 그가 갑판에 선 케일을 맞이했다. 배가 서자마자 날렵하게 올라타 반가이 케일에게로 다가온 그는 평소와 달리 조금 가벼워 보였다.

"아이구, 공자님. 멀미는 안 하셨는지요?"

그런 그에 대해 투명화한 라온이 평했다.

─간신 같다.

그러나 케일은 그런 빌로스의 모습이 참으로 마음에 들었다. 케일은 반갑다는 듯 빌로스의 어깨에 손을 올려 격려하듯 두드리며 귓가에 속삭였다.

"한몫해야지?"

빌로스의 눈이 보이지 않을 정도로 눈매가 휘었다.

"공자님만 믿습니다."

마탑은 무너진다. 마탑주는 툰카에게 갈기갈기 찢겨 죽는다. 마탑의 모든 마법사들이 죽는다. 하지만 마탑주는 탐욕스러운 인간이었다.

케일은 로운 왕국 바다와는 사뭇 다른, 엉망이 된 작은 항구를 보며 툭 내뱉었다.

"보물찾기는 재밌는 법이지."

물론 보물을 얻었을 때 한정이었다.

15장
의도와 달리

15장
의도와 달리

케일은 빌로스의 어깨를 두드렸다. 빌로스의 눈빛에 기대감이 차올랐다. 그는 케일이 건네는 말을 들을 수 있었다.

"그러니 보물이 필요하면 일해."

참으로 간단하고 무심한 지시였다. 그럼에도 빌로스는 명쾌하게 답했다.

"얼마든지요, 흐흐."

딱 봐도 신이 난 간신 같은 모습에 케일은 고개를 절레절레 가로저었다. 일부러 저리 행동하는 것이지 지금 빌로스의 머릿속은 복잡할 것이다.

'내가 자세히 말하지 않았으니까.'

그저 한 단어를 전했을 뿐이었다.

마법 장치. 그 단어에 빌로스는 알겠다고 답했을 뿐이다. 케일은 빌로스가 일하러 가는 것을 쳐다보다가 한 사람을 찾았다.

일행 중 지금 이 위퍼 왕국에서 가장 조심해야 하는 사람.

로잘린.

마법사는 다치기 싫으면, 죽기 싫으면 이곳에서 조심해야 했다. 케일은 갑판에 서 있는 로잘린을 발견하고 그녀에게 다가갔다. 주의를 주기 위해서였다.

"……로잘린 씨."

하지만 그럴 필요가 없었다. 케일은 잠시 무슨 말을 해야 할까 생각했다.

"케일 공자, 왜 그러시죠?"

차분한 그녀의 음성에 케일은 이내 로잘린의 모습을 있는 그대로 물었다.

"손에 그건 몽둥이입니까?"

로잘린의 손에 들린 몽둥이가 거센 바람을 일으키며 휘둘러지고 있었다. 그 모습이 꽤 익숙해 보였고 절도까지 있었다. 그녀의 로브 안으로 가벼운 가죽 갑옷이 보였다. 그녀는 케일에게 상큼하게 답했다.

"네, 몽둥이죠. 마법 스태프 휘두르는 거나 몽둥이 휘두르는 거나 그게 그거죠. 때리는 건 같더라고요."

"현명하십니다."

케일은 진심으로 감탄하며 그녀에게 엄지를 척 올려 보였다. 굳이 케일이 그녀에게 위퍼 왕국에서 마법사로 돌아다니는 위험에 대해 말하지 않아도 되었다.

"현명은요. 저 때문에 모두가 곤란해지는 일은 없어야죠. 이래 봬도 어릴 때 기본적인 무투술은 다 배웠어요."

툭. 툭. 로잘린은 손에 들린 몽둥이로 가볍게 자신의 다른 손바닥을 두드렸다. 왕족으로서, 그것도 계승 서열 제1왕족으로서 그녀는 호신술을 비롯한 몇 가지 기본 무술을 배웠다. 몽둥이를 잡고 있는 그녀의 눈빛이 서늘하게 가라앉았다.

"그리고 이곳을 제대로 한번 둘러보고 싶거든요."

케일의 입꼬리가 살짝 위로 올라갔다. 미래에 새로이 생겨날 마탑의 주인으로 가장 이름이 오르내리던 인물, 로잘린. 그녀는 최한과 비슷하게 선한 이였다. 그러니 동료로 함께 성장했겠지.

하지만 기본적으로 명확한 꿈과 냉정한 이성을 지녔다. 위퍼 왕국은 그녀에게 복잡한 마음과 배울 기회를 안겨주리라.

케일은 로잘린을 따라 항구를 바라봤다.

위퍼 왕국에 자리한 이 항구는 가장 작은 항구여서 가장 덜 망가졌다. 그리고 이 항구는 부족민들이 주로 이용하는 곳이어서 그나마 안전했다. 그러나 오가는 배가 적었고, 배에서 내리는 이들의 얼굴이 어두웠다. 다만 항구에 사는 이들의 표정은 꽤 밝았다.

'마탑에서 노예처럼 부리던 부족민들이 많았던 곳이었으니까.'

저 멀리 검은 연기들이 피어올랐다. 내전이 끝난 자리에는 부서진 것들만이 남게 마련이었다.

"공자님, 이제 이동하시면 됩니다. 마차 준비되어 있습니다."

"그래."

케일은 빌로스의 말에 고개를 끄덕이며 배에서 내렸다. 위퍼 왕국의 땅을 처음 밟은 케일은 입을 열었다.

"썩 좋은 냄새가 나지는 않네."

그는 다 타고 망가진 곳에서만 나는 매캐한 냄새를 맡으며, 빌로스가 준비해 둔 숙소로 향했다. 마차를 타고 숙소에 도착한 케일은 자신의 방에서 빌로스와 대면했다.

"꽤 준비를 잘했는데?"

케일은 항구 근처에서 가장 조용한 숙소, 플린 상단의 표식을 새겨 위장한 마차, 그 외의 자잘한 모든 것들을 준비한 빌로스에게 칭찬의 말을 건넸다. 빌로스는 별것 아니라는 듯 가볍게 어깨를 으쓱였다. 그런 그에게 케일은 한 가지를 더 물었다.

"소문 안 나게 조용히 준비했나?"

"당연한 것 아니겠습니까?"

빌로스는 정색을 하며 답했다.

"제 이득을 왜 나눕니까?"

탐욕이 가득한 눈빛에 케일은 미소와 함께 말했다.

"역시 넌 마음에 들어."

"공자님도요."

케일은 소파에 몸을 기대며 툭 던지듯 물었다.

"승리지?"

빌로스는 신중한 표정으로 천천히 고개를 끄덕였다.

"네, 공자님 말씀대로입니다."

"그렇군."

결국, 아니, 예상대로 비마법사 연맹이 승리했다. 케일은 내전이 끝나는 시기에 딱 맞춰서 도착했다.

내전의 끝을 알리는 기준은 단 하나였다.

부서진 마탑.

마법사들 최후의 보루인 마탑이 무너지는 것이 내전의 끝이었다. 물론 아직 자잘한 일 처리들이 남아 있을 것이다.

"그, 비마법사 연맹이 생각보다 더 저돌적이더군요."

빌로스는 잔뜩 미간을 찌푸린 채 내전에 대해 말하기 시작했다.

"그들은 죽음을 두려워하지 않고 일단 죽이는 것에만 초점을 두고 있던 것 같습니다."

빌로스는 살짝 어깨를 떨었다. 그는 내전이 지나간 자리, 혹은 내전이 시작되기 전의 광경만을 눈에 담았다. 그때가 물건을 사고팔기 좋았으니까.

그러나 그것만으로도 그는 많은 것들을 볼 수 있었다.

"특히 마법 내성이 있는 부족민들이 대거로 나타나 앞장서면, 참 무섭더군요."

비마법사와 마법사 연맹. 그 싸움에서 가장 크게 영향을 미친 변수가 '마법 내성'이었다.

부족민들 안에서 마법 내성을 지닌 이들이 몇 대에 걸쳐 하나둘 탄생했다. 그들은 숫자도 적었지만 마법도 배울 수 없어, 더욱더 위퍼 왕국에서 탄압을 받아야만 했다.

하지만 그 마법 내성을 지닌 부족민들이 이번 대에는 아주 많이 태어나 버렸고, 그 바람에 그것은 하나의 장점이 되고야 말았다.

부족민들은 이를 자연의 계시라 여겼다. 마나로 자연을 다룰 수 있다 믿는 저 오만한 마법사들을 죽일 계시.

"특히나 비마법사 연맹 우두머리로 툰카라는 자가 있습니다."

케일은 아무 말 없이 듣고 있었다.

"그자와 그자의 직속 부하들은 정말이지, 말 그대로 본능에 따라 움직이더군요. 딱 한 번 멀리서 그자를 본 적이 있는데, 그때 마법사의 목을 손으로 뽑아내고 있었습니다. 어찌나 살벌하던지."

어휴. 빌로스는 한숨을 내쉬며 고개를 절레절레 가로저었다.

"그때 잠을 제대로 못 잤죠. 지금도 툰카와 그 직속 부하들을 떠올리면 속이 쓰리다니까요."

빌로스는 그자들만큼은 무조건 피하고 조심해야겠다 다짐했다. 말이 통할 것 같지 않아 보였으니까. 그나마 툰카의 참모들이 똑똑해 말이 잘 통했지만.

"많이 잔인했나 보군."

케일이 툭 건네는 말에 빌로스는 크게 고개를 끄덕였다.

"네, 아주 잔인했습니다. 산 채로 찢어 죽인 마법사들 시체가 각 성 앞에 다 걸려 있었습니다."

그러나 빌로스는 그것이 나쁘다 말하지 않았다.

"뭐, 위퍼 왕국민들 입장에서야 그렇게 해도 부족하겠지만요."

그 심정이 이해가 가는 빌로스였다. 그리고 내전의 여파로 돈을 벌고 있는 자신이 누가 더 나쁘다 착하다 말할 형편은 되지 못했다.

"그런데 말입니다, 공자님."

빌로스는 다시 입가에 미소를 그리며 은근슬쩍 케일에게 말을 붙였다.

"왜?"

어찌 보면 차갑다 느껴질 만큼 케일이 툭 되물었지만, 빌로스는 꿈쩍도 하지 않았다.

"그럼 이제 어디로 가는 겁니까?"

목적지가 어디이며, 도대체 보물이 무엇인지. 빌로스는 아주 궁금했다. 그는 지금까지 그저 자신의 이야기를 담담하게 듣던 케일의 입가에 미소가 떠오르는 것을 볼 수 있었다. 그 미소에 빌로스는 기대감이 차올랐다. 그때 케일의 목소리가 울려 퍼졌다.

"툰카 만나러."

"……네? 누구요?"

빌로스는 순간 자신이 잘못 들었나 생각했다. 내전 내내 잠을 제대로 자지 못해서 헛소리를 들었나 싶었다. 케일은 처음 보는 빌로스의 어벙한 표정에 대고 제 할 말을 다 했다.

"마탑에 간다."

"네?"

아주 작은 항구. 케일이 이곳을 택한 이유는 한 가지가 아니었다. 마탑과 어정쩡하게 가까운 거리를 지닌 항구였다. 공격 범위 밖이면서도 부족민들이 많은 항구. 이곳을 택한 이유는 여러 가지였다.

케일은 멍하면서도 복잡한 표정으로 마주 앉아 있는 빌로스에게 여유로이 말했다.

"나만 믿어."

빌로스는 몇 번 입술을 열었다 닫았다 반복하더니, 이내 벌떡 일어나 케일의 숙소 찬장에 마련된 술병을 하나 꺼내 바로 뚜껑을 따 벌컥벌컥 마셨다. 병이 반쯤 비워졌을 때 그는 케일에게 답했다.

"제 감을 믿겠습니다."

"네 감이 뭔데?"

빌로스는 새로운 술병을 케일에게 건넸다.

"제 감은 공자님을 따라가는 것입니다."

케일은 그 술병을 받아 병째로 한 모금을 마셨다.

"자네는 꽤 훌륭한 상인의 재목을 지녔어."

참으로 여유롭고 권태로워 보이는 모습이었다. 빌로스는 술병을 꼭 쥔 채 케일의 어깨 너머 창밖을 바라봤다.

공식적인 내전은 끝이 났지만 아직 모든 마법사 잔당들을 잡지 못해 위퍼 왕국은 곳곳에서 죽음의 비명이 오고 갔다. 광기와 절망, 슬픔. 그 모든 것들이 공존하는 공간이 이곳이었다.

"술맛이 좋네."

빌로스는 무심한 케일의 목소리에 자신의 감을 더 믿기로 했다.

며칠 뒤, 케일은 플린 상단의 상징이 그려진 마차에서 내려섰다. 그의 마차 뒤로 총 세 대의 마차가 더 있었다.

"공자님, 이곳이 마차로 마탑과 가장 가까이 갈 수 있는 지점입니다."

케일의 눈에 저 멀리 부서진 마탑이 보였다. 그런데 생각보다 덜 부서져 있었다.

'덜 부수란 말을 잘 지켰군.'

툰카가 꽤 말을 잘 들었다.

"아름다운 마탑이군."

옆에 있던 빌로스의 눈동자에 이채가 감돌았다. 그 순간 케일은 품 안에서 살짝 무언가를 꺼내, 일부분만을 빌로스에게 보여주었다.

"헉!"

빌로스가 숨을 들이켰다.

황금패.

일부분이었지만 저건 분명 로운 왕국의 황금패였다. 상인 빌로스의 눈빛이 달라졌다.

"존경합니다, 공자님."

케일은 그 말을 가볍게 무시했다. 부집사 한스가 그에게로 다가왔다.

"공자님, 이제 무엇을 할 예정이십니까?"

한스는 케일에게 어떻게 할 것인지 물으며 주변을 둘러봤다. 이곳은 마탑 앞에 세워진, 넓게 형성된 진지의 입구 부근이었다.

수많은 천막과 집들이 자리해 있었다. 진지라기보다는 마을이라고 보는 게 맞을 규모였다. 그리고 독특한 복색의 사람들도 곳곳에 있었다. 이들은 부족민들이었다. 그들 외에도 다양한 이들이 한스의 눈에 보였다. 이내 한스의 눈동자가 흔들렸다.

"크읍!"

그는 저도 모르게 손으로 입을 막았다. 전사로 보이는 이들이 피 칠갑을 한 채 시체를 토막 내고 있었다. 그 시체의 옷이 희미하게 보였다. 로브였다. 마법사이리라. 그 뒤로 잘린 마법사들의 머리가 한데 모여 뒹굴고 있었다.

순간 피 냄새와 썩은 내가 한스의 후각을 지배했고 귓가로 시체 태우는 소리가 났다.

"속 쓰리면 쉬어."

한스는 담담한 음성에 케일을 바라봤다. 그리고 이내 깨달았다. 이 자리의 모든 이들이 담담했다. 늑대족임을 알게 된 메스를 비롯한 아이들도 차분하게 서서 그 광경을 눈에 담고 있었다.

"한스."

"……네, 공자님."

"여긴 전쟁터다."

한스는 그 단어가 실감 났다. 동시에 그 광경을 담담히 바라보는 케일의 눈동자를 제대로 볼 수 있었다.

케일은 무미건조한 눈빛으로 천막과 전사들, 그리고 오고 가는 상인을 비롯한 여러 사람들을 천천히 바라보았다. 그는 잠시 김록수였을 때 일하던 순간을 떠올렸다. 갑자기 피곤함이 몰려와 저택에서 쉬면서 책이나 보고 싶다는 마음이 들었다. 하지만 그의 얼굴은 평소처럼 담담했다.

케일의 시선이 다시 한스에게로 향했다. 그는 한스에게 물었다.

"쉴 건가?"

"괜찮습니다!"

부집사 한스는 평소 같은 모습으로 자신에게 말하는 케일을 볼 수 있었다.

"그럼 일해야지."

그 모습에 한스는 마음이 편안해져 왔다. 케일은 한스가 진정한 것을 확인 후, 일행을 자신의 앞으로 모았다.

이미 내전이 끝난 뒤라, 신분증을 제시한 케일 일행은 수월하게 마탑 앞의 진지까지 올 수 있었다. 사실 이제는 내전이 끝나고 난 후, 잠시 군영 전체가 쉬는 곳이라 볼 수 있었다.

물론 이 진지 입구까지 올 수 있었던 것은 빌로스가 전쟁 중 이미 몇 번, 물품 거래를 진행했기에 가능한 일이었다. 플린 상단 이름으로 온 것이니까.

하지만 지금부터 그들이 할 일은 조금 달랐다.

"우리는 오늘 툰카라는 이를 만나러 왔다. 그러니 그 전까지는 웬만하면 시비에 걸릴 일을 만들지 말도록."

가만히 듣고 있던 최한이 입을 열었다.

"툰카라는 분은 누구십니까?"

"아, 그때 밥이라는 녀석이 툰카야. 밥은 가명이지."

케일은 대수롭지 않게 최한의 물음에 답하며 빌로스 쪽으로 시선을 돌렸다. 그때 그의 귓가로 최한이 중얼거리는 목소리가 희미하게 들려왔다.

"······그자군요."

"어?"

"아닙니다."

최한은 아무렇지 않은 표정으로 답했고, 케일은 별것 아닐 것이라 생각하며 빌로스에게 말했다.

"일단 빌로스, 자네가 참모들이 있는 천막까지는 갈 수 있다고 했던가?"

"네. 모든 인원은 불가하고 저 포함해서 6명 정도는 될 것 같습니다."

"너 돈을 꽤 벌었나 봐?"

참모와 대화를 할 정도라면, 빌로스가 내전으로 벌어들인 것이 참 많다는 것을 의미했다. 빌로스는 씩 웃으며 더 답하지 않았다. 케일의 머릿속으로 투명화한 용, 라온의 목소리가 들려왔다.

-재밌다.

또 뭔 소리야. 케일의 미간이 살짝 찌푸려졌다.

-재밌는 일이 일어날 것 같은 감이 온다.

무슨 감은. 괜히 케일은 뒷목이 서늘해져 와 제 뒷머리를 쓰다듬으며 라온의 말을 무시했다. 그는 곧바로 함께할 4명을 뽑아냈다.

"최한, 라크, 힐스만."

케일은 로잘린과 눈이 마주쳤다. 그녀는 위퍼 왕국에 도착해 숙소 근방을 둘러보고 온 후 말이 없었다. 마법사로서 같은 마법사들의 죽음에 분노하는 것일까.

하지만 케일은 그것보다 로잘린에게서 왕족의 눈빛을 보았다. 이렇게 백성들이 날뛸 때까지 그대로 유지시킨 위퍼 왕가에 대한 한심함을, 그녀의 눈빛은 담고 있었다.

"로잘린 씨, 갈 거죠?"

로잘린은 가죽 갑옷을 입은 채 등에 짊어진 커다란 몽둥이를 고쳐 매며 답했다.

"네."

함께 갈 인원이 정해졌다. 케일은 나머지 이들을 한스에게 맡겼다.

"근처 조용한 곳에 가서 가만히 있겠습니다! 제가 다 안전하게 지키겠습니다!"

부집사 한스의 말에 케일은 콧방귀를 뀌는 온과 홍을 볼 수 있었다. 둘은 동시에 케일에게 눈빛으로 물었다.

'마탑에 언제 가요?'

케일도 눈빛으로 답했다.

'조금만 더 기다려.'

고양이들이 날뛸 장소는 금방 도착할 수 있을 것이다.

"가자."

"네."

빌로스는 플린 상단의 상징이 그려진 커다란 목걸이를 차고서 앞장섰다. 케일은 그의 뒤를 따랐다. 진지 입구를 넘어선 순간, 날카로운 시선들이 쏟아졌다.

"앞만 봐."

하지만 케일의 명에 모두 앞만 봤다. 부족민들과 기사, 백성들이 섞인 비마법사 연맹. 피 칠갑을 한 모습 그대로 승리에 도취되어 있는 이들 사이로, 케일 일행은 눈에 띄었다. 동시에 앞을 보며 걸어가는 케일의 눈에도 그들의 모습이 담겼다.

'아직 부족한가 보네.'

전쟁을 원하는 이들, 더 싸우기를 원하는 광기들이 이 진지 안에 가득했다. 케일은 곧 허수아비나 다름없는 위퍼 왕가를 손아귀에 쥐고 제국과 정글로 덤벼들 툰카를 떠올렸다.

동시에 툰카라는 폭군 아래 통제되는 병사들을 훑어보았다. 그들은 함부로 시비도, 싸움도 걸지 않았다. 그러나 어디에도 수그러드는 이는 없었다. 본능의 공포를 자극하는 툰카에 홀린 이들이었다. 오히려 귀족처럼 보이는 케일을 죽일 듯이 노려볼 뿐.

"다 왔습니다."

빌로스는 한 천막 앞에 섰다. 생각보다 진지 깊숙한 곳이 아니었다. 입구에서 조금 떨어진 곳이었다.

"사실 참모진들은-"

"빌로스."

케일은 빌로스의 말을 잘랐다. 그가 할 말이 무엇인지 알고 있었기 때문이다.

비마법사 연맹이 이성을 몰락시켰다고 여겨지지만, 그 실상을 들여다보면 마법에 의해 억눌려 있던 또 다른 이성이 폭발한 경우라고 볼 수도 있었다.

마법사만 똑똑한가? 그들만 배웠는가?

아니다. 이 세상엔 무수히 많은 지식이, 배움이 존재했고, 그 지식을 익힌 자들이 마찬가지로 무수히 존재했다. 학자들, 그들이 툰카의 밑으로 들어갔다. 억눌림을 참다못한 학자들은 눈이 뒤집혔다.

'툰카보다 더 마법을 증오하지.'

그냥 제대로 미쳤다고 보면 되었다. 똑똑한 놈들이 미치면 더 무서운 법이다.

"연락해."

"네."

빌로스는 참모들이 머무는 천막들 중 가장 큰 천막으로 다가갔다. 그런 그의 옆에 한 전사가 달라붙어 감시 겸 안내를 했다.

참모진들의 천막. 이곳에는 다른 곳보다 정돈된 전사들이 많이 대기하고 있었다. 툰카는 약한 병사들은 버리면서도, 우습게 이 참모들은 보호했다.

'그러니 진짜 영웅이 못 되는 것이지.'

케일은 천막 앞 전사들의 날카로운 감시를 여유로이 흘려넘기며 빌로스가 천막에서 데리고 나올 참모를 기다렸다. 그들에게 툰카와의 만남을 부탁하면 될 터. 아마 두 손 들고 반길 것이다.

그런데.

'왜 이리 뒤통수가 서늘할까?'

케일은 이상한 기분에 주위를 둘러보았다. 생각보다 오래 빌로스가 나오지 않고 있었다. 사람 하나 데려오는 게 이리 오래 걸릴 일이 아닌데?

  −인간.

  라온의 나지막한 목소리가 들리는 순간, 케일은 빌로스가 들어갔
던 천막의 입구 천이 들썩이는 것을 볼 수 있었다. 꼭 커다란 인간이
사람들을 뿌리치며 튀어나오려 하는 것 같았다.

  '설마?'

  그때 케일의 뒤에 서 있던 최한이 굳은 표정으로 앞으로 나서더
니, 그의 앞을 지키듯 섰다.

  "최한?"

  "기운이 좋지 않습니다."

  "뭐?"

  촤악! 거칠게 천막의 입구가 열렸다.

  "냄새가 나, 어디서 강한 냄새가 나! 크하하하하! 심심하던 차에
잘됐어!"

  피 칠갑을 한 거구의 사내가 모습을 드러냈다. 그 뒤로 그보다는
작지만 역시 거구의 남성과 여성이 한 명씩 나타났다.

  "하아."

  케일은 한숨을 내쉬었다.

  저 마법사의 피로 샤워를 한 듯 피 칠갑을 한 미친놈은 당연히 툰
카다. 오늘도 역시나 맛이 간 툰카는 한 곳을 정확히 응시했다.

  "이놈이구나!"

  그의 눈길이 멈춘 곳엔 케일을 툰카로부터 가려주고 있는 최한이
있었다. 툰카는 뒤에 있는 케일은 보이지도 않는 듯했다.

  "다른 것들도 강한 냄새가 나지만, 네가 가장 강해 보여! 이런 냄

새를 맡고 자고 있을 수는 없지!"

케일은 툰카의 저 모습에 얼른 앞으로 나서야겠다 생각했다.

"저자가 툰카입니까?"

그의 귓가로 최한의 물음이 들려왔다. 그 목소리는 잔뜩 가라앉아 있었다.

"어, 바로 알아보네."

케일은 최한의 물음에 무심히 답했고, 그 답을 하는 동시에 툰카가 최한을 가리켰다.

"나랑 싸우자고. 손이 근질근질하지 않아?"

케일은 한숨을 내쉬었다. 참 어지간히도 변함없는 인간이었다.

최한은 당연히 거절할 것이다. 그의 성정상 무의미한 싸움을 할리 없었다. 처음 보는 이와 싸울 사람이 아니었다.

케일은 자신을 가린 최한을 지나쳐 앞으로 걸어가려 했다. 그때, 최한의 목소리가 들렸다.

"좋다."

뭐라고? 케일의 머릿속으로 라온의 목소리가 들렸다.

-역시 내 예상이 맞다. 나 위대한 라온은 똑똑하다!

사뭇 밝은 라온의 목소리와 달리 케일의 얼굴이 사정없이 구겨졌다.

반면 툰카는 자신을 바라보는 최한의 눈빛에 입맛을 다셨다. 다른 놈들은 보이지도 않았다. 이곳에서 가장 강한 냄새. 고래 수인들을 떠올리게 하는 그런 강함이 그를 노려보고 있었으니까.

"크흐흐, 그래. 그런 눈빛 좋지."

툰카는 흥분되었다. 마법과 같은 시시한 것이 아닌, 진짜 신체의 싸움을 할 수 있을 것 같았다.

최한은 그 광기에 물든 눈빛을 보며 검 손잡이에 손을 올렸다. 그는 고요했다. 하지만 최한의 눈빛은 툰카를 해부라도 할 듯 날카로이 빛나고 있었다.

스릉. 검대에서 살짝 검이 그 모습을 드러냈다.

그 순간이었다. 꽈악. 최한은 어깨를 꽉 잡는 손힘을 느낄 수 있었다. 그리고 뒷목이 서늘해져 왔다. 한 번 느껴보았던 그 기세였다.

밤바다 위, 모두의 시선을 사로잡던 그 기운. 나른하면서도 거부할 수 없었던 카리스마. 최한은 그제야 천천히 뒤돌아보았다. 조용하면서도 조금의 감정도 담기지 않은 목소리가 그의 귓가에 닿았다.

"최한."

케일이 자신을 바라보고 있었다. 탓하는 것도, 지시하는 것도 아닌 그저 바라보는 눈동자는 끝을 알 수 없이 깊어 보였다. 최한은 그 눈동자에 저도 모르게 검 손잡이를 잡고 있던 손을 떼었다. 달캉. 검이 다시 검대에 밀려들어 갔다.

"지금 싸우려는 건가?"

지배하는 아우라가 케일의 온몸을 감싸고 있었다. 그는 최한을 지나쳐 앞에 섰다. 피비린내가 코끝을 자극했다.

"툰카."

케일은 이제 툰카보다 우위에 서야 했다. 조금 상황이 복잡해졌지만 지금을 그 기회로 삼아도 될 터. 케일은 붉은 머리칼을 손으로 쓸어 넘기며 멍하니 굳어 있는 툰카에게 나른히 인사했다.

"오랜만이다."

"너, 넌-"

툰카는 순간 그가 누군지 못 알아보았다. 하지만 붉은 머리칼이 눈에 들어오자 한 사람이 떠올랐다. 그러나 달랐다. 그는 주먹을 쥐었다. 알 수 없는 분위기가 저 자식에게서 흘러나오고 있었다.

자신을 바다에 처박아 버리고 내려다보던 그놈. 그 눈빛은 두 달 전이나 지금이나 같았다. 케일 헤니투스. 두 달도 더 전에 봤던 그자가 툰카에게 물었다.

"싸우고 싶은가?"

케일은 은근한 미소와 함께 물었다. 그러나 그는 툰카의 대답을 듣지 않았다.

"최한."

"……네."

최한은 케일의 무심한 목소리에 고개를 끄덕일 수밖에 없었다.

"싸우고 싶으면 싸워라."

그리고 답할 수밖에 없었다.

"반드시 이기겠습니다."

최한은 다시 검 손잡이에 손을 올렸다. 꽉 쥔 손이 이전보다 더 강한 의지를 느끼게 해주었다. 케일은 툰카에게로 고개를 돌렸다. 툰카의 입꼬리가 슬금슬금 위로 올라갔다. 이내 크게 웃음을 터뜨렸다.

"크하하하하하하!"

주변이 울릴 정도의 목소리였다. 하지만 툰카는 아직 몸의 긴장을 풀지 못했다. 분명 눈앞의 이놈은, 케일은 약한데, 그러한데!

지금 이 공간을 장악하는 아우라. 툰카는 그 아우라를 무시하며 더 크게 외쳤다. 흥분되었다. 몸의 열기가 들끓었다. 피, 피가 필요했다.

"싸우자고! 좋아! 아주 좋아!"

케일의 머릿속에 라온의 비웃음 가득한 목소리가 들렸다.

-아주 맞고 싶어서 환장한 놈이다. 멍청하다. 우리 편이 훨씬 강하다!

당연한 소릴. 오늘은 날씨도 선선한 게, 아마 툰카는 비 오는 날 먼지 나듯 처맞을 것이다.

최한은 일단 싸우면 봐주는 법이 없는 놈이었다. 케일은 혼자서 외쳐대고 웃어대는, 이상하게 더 미쳐 보이는 툰카를 보며 최한에게 말했다.

"맘껏 싸워."

그 대답에 최한의 입가에 미소가 어렸다. 물론 전혀 선해 보이지 않는 미소였다. 그 미소에 케일은 만족했다. 그는 툰카를 불렀다.

"밥."

갑자기 튀어나온 두 달 전의 그 가명에, 툰카는 웃던 것을 뚝 멈추고 케일을 바라봤다. 케일은 툰카의 부하들이 바라보는 눈빛과 이 참모진 천막으로 슬금슬금 다가오는 병사들, 가까이 다가오지는 못하고 굳어 있는 자들, 그 모든 것들을 눈에 담고서 마지막으로 툰카를 보며 입을 열었다.

"판 깔아."

이왕 싸우려면 제대로 판을 벌여야 하는 법이었다. 케일은 툰카가 한껏 흥분한 얼굴로 외치는 목소리를 들을 수 있었다.

"당장 준비해!"

순식간에 싸움판을 위한 장이 진지에 형성되기 시작했다. 별다를 것 없었다. 싸움과 전투라면 눈이 돌아가는 부족민들은 훈련장 옆 천막들을 치워 버리고 점점 더 거대한 원형 공터를 만들었다.

－인간, 통통한 인간이 너를 쳐다본다.

케일은 검은 용 라온의 말에 시선을 돌렸다. 하얗게 질린 빌로스가 저 멀리서 케일을 쳐다보고 있었다. 그는 그런 빌로스에게 대충 손을 휘저어 보였다. 빌로스 옆의 참모들이 보였지만, 지금은 이걸 신경 쓸 때가 아니었다. 케일은 순간 앞에 그림자가 드리워지자 정면으로 시선을 돌렸다.

"앞쪽으로 안내하겠습니다."

거구의 여인. 툰카의 왼팔이자 부족민 최고의 창술을 구사하는 펠리아. 그녀는 케일에게 대련장이 될 공터의 관람석 맨 앞을 가리켰다. 케일의 표정이 떫어졌다.

"굳이 그럴 필요는 없다만."

케일은 저 앞으로 전혀 가고 싶지 않았다. 대련장과 가장 가까운 곳. 툰카라도 날아온다든지, 최한이 오러라도 잘못 쏘아봐라. 죽는 건 자신이었다.

"가장 좋은 자리를 내어드려야 합니다."

펠리아가 그렇게 말하며 앞을 쳐다보자, 케일은 마치 기적처럼 병사들이 공터 중앙까지 쫙 길을 펼치는 것을 볼 수 있었다. 역시 군기반장, 펠리아였다.

케일은 한숨을 내쉬며 병사들 사이로 펼쳐진 길을 따라 공터의 맨 앞으로 향했다. 이미 지배하는 아우라를 감춘 그였지만, 펠리아와 병사들은 케일에게서 시선을 떼지 못했다. 마치 산책이라도 나온 듯 느릿느릿 걸어가는 걸음은 여유로워 보였고, 그의 뒤를 따르는 소년과 여인은 범상치 않아 보였다.

－왜 위험한 자리로 가려고 하나! 약한 인간, 발톱만큼 강해졌다고

이러면 안 된다!

하지만 케일은 4살 라온의 잔소리를 들으며 그저 가기 싫어서 느리게 걸을 뿐이었다. 그런 케일의 뒤를 따르는 로잘린과 라크의 표정이 좋지 못했다.

"케일 공자."

"왜 그러시죠?"

로잘린은 최한과 툰카가 싸울 대련장을 보며 조심스레 말했다.

"이러다가 미움을 받으면 어쩌죠?"

미움? 케일의 눈동자에 의문이 어렸다. 라크가 옆에 가까이 다가오며 속삭였다.

"누나 말대로, 최한 형이 이겨 버리면 큰일이지 않을까요? 저들이 반발심을 가지면 어떡하죠? 툰카라는 자도 지면 분노해서 아무것도 안 하려고 하지 않을까요?"

로잘린과 라크의 머릿속에는 최한이 진다는 가정이 아예 없었다. 이는 케일도 마찬가지였다. 그러나 케일은 그들과 생각이 조금 달랐다.

케일은 높은 직급의 이들을 위해 급히 마련된 의자에 천천히 착석했다. 그는 아직 서 있는 두 명에게 자신의 양옆 자리를 가리켰다.

"계속 서 있으려고?"

로잘린과 라크는 걱정을 지우지 못한 기색으로 의자에 앉았다. 그때 케일의 목소리가 두 사람의 귓가에 닿았다.

"걱정 안 해도 됩니다."

툰카는 그렇게 강한 자가 아니다. 물론 인간 세상에서 보면 강한 자였지만, 고래나 용에 비하면 터무니없이 약한 이였다.

그러나 툰카가 만약 강한 자를 만나 진 후 괴로워하며 그들에 대한 복수를 다짐했다면, 그는 결코 이 자리에 올 수 없었을 것이다.

그리고 이는 그뿐만이 아니었다.

"보시죠."

로잘린은 케일이 원형 공터를 가리키자 그쪽으로 시선을 돌렸다.

그 순간이었다.

"우! 우! 우!"

드넓은 공터를 울리는 목소리들. 대련장을 빙 둘러싼 병사들의 외침이 로잘린의 귓가를 두드렸다. 그것이 끝이 아니었다.

쿵! 쿵! 쿵!

부족민들이 발을 굴리는 소리가 공터를 가득 채웠다. 지켜보던 라크는 발밑의 진동을 느낄 수 있었다. 부족민들이 발을 굴리기 시작하자, 점차 기사와 일반 병사들까지, 누구 하나 가릴 것 없이 발을 굴렸다.

"우! 우! 우!"

쿵! 쿵! 쿵!

그 소리는 점차 커져갔다. 마치 대지가 울리는 것 같았다.

"공자님! 뭐, 뭐죠?"

간이 작고 소심한 라크가 그 광경에 하얗게 질린 얼굴로 케일을 바라봤다. 그는 미소 짓는 케일을 볼 수 있었다. 케일의 눈동자에 이채가 감돌고 있었다. 그는 라크와 로잘린을 위해 말해주었다.

"저들에게 중요한 것은 이기고 지는 게 아냐."

그때 케일의 곁으로 펠리아가 다가왔다. 케일의 뒤쪽에 착석하기 위해서였다. 그녀의 귓가로 케일의 목소리가 들려왔다.

"전사의 의식."

그녀는 앉던 것을 멈추고 케일을 바라봤다. 그것을 모른 채 케일은 앞만 바라봤다. 서서히 공터로, 전장으로 두 전사가 모습을 드러냈다.

최한과 툰카. 둘을 보며 케일은 무심히 이어 말했다.

"싸운다."

툰카가 이끄는 자들에게 중요한 것은 승패가 아니었다. 싸운다. 그것만이 중요했다. 특히 그 상대가 적이 아니라면, 오히려 전사들의 싸움은 신성한 것이었다.

"오로지 그것만이 중요한 거야."

케일은 말을 끝내고 최대한 의자 등받이에 몸을 기댔다. 막상 툰카와 최한이 싸우려고 공터에 들어선 것을 보자 괜히 다칠까 봐 겁이 났다. 검은 용 라온의 목소리가 들려왔다.

─걱정 마라, 약한 인간. 저 두 녀석보다 내가 세다! 안 다친다.

안쓰러움이 한가득 담긴 목소리였다. 케일은 묘하게 기분이 나빴지만 일단 최대한 등받이에 몸을 기대다가 슬쩍 뒤쪽을 봤다.

"왜 그런가?"

"아닙니다."

케일은 자신을 쳐다보던 펠리아가 앉는 것을 보고는 시선을 앞으로 돌렸다. 물론 의자 등받이에서 등을 뗐다. 고리타분하지만 툰카에게 충성하는 펠리아가 혹 자신에게 해코지할까 싶어서였다.

─그래. 그렇게 불쌍하게 의자에 앉지 말고 당당히 허리를 펴고 봐라! 인간, 훌륭하다!

검은 용 라온의 헛소리를 무시하며, 케일은 툰카의 또 다른 심복 호타가 심판으로 나서는 것을 지켜봤다.

'뭐, 딱히 심판이랄 것도 없지.'

상대가 정신을 잃거나 굴복하기 전까지. 그것이 부족민의 대련 방식이었다. 그리고 여기서 기절은 저들에게 치욕스러운 일이었다.

"공자, 그럼 안심해도 될까요?"

"네, 그러시면 됩니다."

케일은 로잘린의 물음에 답하며 호타가 외치는 목소리에 공터를 주시했다. 호타는 작은 피리를 불었다.

삐이이이–!

대련이 시작되었다.

바로 치고받고 싸우면 좋겠건만. 최한과 툰카는 서로를 주시한 채 움직이지 않았다. 케일은 그 모습을 별다른 생각 없이 바라봤다.

그 찰나 툰카의 목소리가 들려왔다. 대련장은 아주 넓었지만 바로 근처에서 관람하고 있었기에 목소리 정도는 들렸다. 그리고 목소리가 아주 컸다.

"왜 약한 놈의 눈치를 봐?"

약한 놈? 케일은 왠지 그 말이 자신을 가리키는 것 같았다.

'최한이 내 눈치를 본다고? 왜?'

케일은 의문이 생겼지만 더 이상 생각할 수 없었다. 로잘린과 라크가 힐끔힐끔 자신의 눈치를 봤기 때문이다. 역시 툰카가 말하는 약한 놈은 자신이 맞았다.

그때 최한의 목소리가 들려왔다.

"……뭐라고 했나?"

그 목소리는 잔뜩 가라앉아 있었다. 케일은 툰카의 입가에 지어지는 비웃음을 볼 수 있었다.

"눈치를 왜 보냐고. 약한 놈들은 전쟁터에서든 어디서든 제일 먼저 죽어야 되는 놈들이다! 그걸 모를 리 없잖아?"

로잘린과 라크가 미간을 찡그렸다. 그 순간, 두 사람의 귓가로 소리가 들려왔다.

"하아."

케일이 한숨을 내쉬었다. 그 모습에 라크는 입을 꾹 다물었다. 그의 손톱 끝이 날카로워지며 조금씩 자라고 있었다. 로잘린은 손가락으로 눈가를 쓸어내렸다. 하지만 두 사람의 움직임은 곧 멈췄다.

"불쌍한 놈."

……불쌍? 두 사람의 얼굴에 의문이 서리고, 그들은 케일을 바라봤다. 케일은 언제 한숨을 쉬었냐는 듯 무덤덤한 얼굴로 대련장을 바라봤다.

케일이 아는 최한은 고1에서 세상이 멈추고, 가장 약한 상태에서 어둠의 숲이라는 지옥으로 떨어졌다. 그런 최한에게 약한 놈은 제일 먼저 죽어야 된다고 말하는 툰카가, 케일은 그냥 불쌍했다.

"케일 공자, 방금 누가 불쌍하다고-"

"……보십시오."

케일은 로잘린에게 대답 대신 대련장을 가리켰다.

최한이 허리에 차고 있던 검대를 풀었다. 평범한 철검은 최한이 가볍게 던지자 공터 구석으로 날아갔다. 툭. 검집이 떨어지는 소리가 났다. 케일은 그 행동에 고개를 끄덕이며 중얼거렸다.

"역시 때리기에는 손맛이 더 좋지."

라크와 로잘린이 흠칫했다. 그리고 케일의 말은 현실이 되었다.

퍼억!

"크윽!"

로잘린은 케일이 말한 불쌍한 놈이 누군지, 답을 알 수 있었다.

퍼억! 퍽!

쿠웅.

퍼어억!

대련장은 조용했다.

누구 하나 입을 열지 못했다. 하지만 케일의 머릿속에서는 라온의 목소리가 울려 퍼지고 있었다.

-아주 쥐어 터진다!

그렇다. 최한은 툰카를 아주 쥐어 패고 있었다.

"크윽, 이 자식이!"

거대한 덩치와 달리 툰카는 날렵하게 최한에게로 쏘아져 가 주먹을 내질렀다.

팡.

귀여운 소리와 함께 주먹은 최한의 손바닥에 가로막혔다. 최한은 그 주먹을 그대로 감아쥐더니 툰카 쪽으로 몸을 움직였다. 이 모든 것들이 순식간에 벌어졌다.

케일은 거기까지만 볼 수 있었다. 그 뒤는 케일에게 보이지 않았다. 다만 들려왔다.

쿠웅!

툰카의 몸이 흙바닥에 내리쳐졌다. 흙이 부서지며 비산했다.

"커헉!"

툰카의 입에서 숨넘어가는 소리가 들려왔다. 하지만 케일은 웃고 있는 툰카를 볼 수 있었다.

"좋다! 이런 강함! 신체의 싸우- 크윽!"

"말이 많다."

그러나 최한은 툰카가 웃고 있도록 두지 않았다. 일어서던 툰카가 공격을 막으려고 두 팔을 올렸지만, 그대로 최한의 다리에 맞고 날아갔다.

"크헉! 하하하!"

툰카는 날아가면서도 웃었다. 그리고 몸을 틀어 다시 덤비려 했다. 그래도 쥐어 터졌다. 뭘 해도 그냥 맞았다.

케일의 눈에는 그저 흩날리는 툰카의 피와 엉망이 되어가는 옷, 점점 퉁퉁 부어 알아보기 힘든 얼굴, 그리고 비산하는 흙만이 보였다.

"흐흐……. 흐흐, 하지만 나는 쓰러지지 않는다!"

툰카는 비틀거리며 일어섰다. 그때 케일은 용의 심각한 목소리를 들을 수 있었다.

-……저놈은 맞는데 왜 웃지? 맞는 게 좋나?

케일은 시선을 하늘로 돌렸다. 그럼에도 샌드백이 팡팡 터지듯 얻어터지는 소리가 들렸다.

그래. 고래족과도 싸우는 최한이, 저 툰카 하나 마음대로 못 쥐어 패면 그게 말이 되겠는가. 검은 용 라온과 고래왕 시켈러. 그 둘에게 덤빌 수 있는 자는 최한뿐일 것이다.

역시 주인공 최한이었다.

퍼억! 퍽!

아련한 눈빛으로 케일은 저 멀리 허공을 바라봤다.

최한이 언제쯤 다 팰까?

아마 툰카 체력이 다 떨어질 때가 아닐까.

그런데 툰카의 체력은 너무나도 좋았다.

"공자, 최한을 말려야 하는 거 아닐까요?"

로잘린의 조심스러운 물음에 케일은 단호히 답했다.

"전사의 의식에 끼어들어선 안 됩니다. 관두는 것은 전사들의 의지로 행해져야 합니다. 그 신성한 의식을 우리는 오롯이 지켜보면 될 뿐."

케일은 자신이 말하는 동안 뒤에 착석한 상급 전사들이 그를 바라보고 있음을 알아차리지 못했다. 그는 다만 퍼억, 쾅! 하고 한 번 더 울려 퍼지는 소리에 시선을 아래로 내렸다.

"흐흐흐, 정말 강한 놈이군. 쓰읍, 퉤!"

툰카는 피를 한 움큼 토해내며 웃고 있었다. 최한은 그런 그를 질린다는 듯 바라봤다. 최한도 툰카의 미친 점을 알아챘으리라.

패도 패도 웃는다. 비 오는 날 먼지 나는 것보다 더 팼음에도 일어선다. 굴복하는 법이 없다. 꼭 소년 만화에 나올 것 같지 않은가.

'그래서 미친놈이지.'

케일은 툰카의 사지가 떨리고 있는 것을 눈으로 확인했다. 툰카의 눈가는 시퍼레서 눈을 뜨고 있는 것인지 감은 것인지 감도 안 잡혔다. 그는 비장한 표정으로, 괴성과 함께 마지막으로 덤벼들었다.

"으아아아아!"

그리고 날았다.

"……날아가는군."

툰카가 하늘로 솟구쳤다. 최한의 반투명한 검은 오러와 함께 툰카는 날려 보내졌다.

"어, 어?"

"피, 피해!"

"다들 비켜!"

병사들은 저 높은 하늘에서 자신들에게로 날아오는 툰카를 피해 황급히 뒤로 물러섰다.

콰아앙!

마치 폭발이 난 듯 커다란 소리와 함께, 운석이라도 떨어진 것처럼 깊숙한 구덩이가 생겼다. 그 구덩이 안에는 기절한 툰카가 있었다. 그가 가장 치욕스러워하는 기절이었다.

최한은 그 상태를 확인할 필요도 없다는 듯 케일에게로 다가왔다. 케일은 자리에서 일어섰다. 그는 이 순간을 기다려 왔다. 그를 따라 덩달아 최한을 반기려 일어나던 로잘린과 라크가 멈칫했다. 툰카에게로 뛰쳐나가려던 툰카의 수하들 역시 마찬가지였다.

한 번 느꼈던 그 기운. 나른하면서도 몸을 긴장하게 만드는 그 분위기. 케일은 자신의 앞으로 다가온 최한에게 손을 내밀었다.

"수고했다."

"네, 케일 님."

최한이 그 손을 잡으며 미소를 그렸다. 케일은 지배하는 아우라를 온몸에 두른 채 주위를 둘러보았다. 자신과 최한을 향한 시선. 진영에 처음 들어왔을 때와는 판이하게 달랐다. 케일의 입가에 여유로운 미소가 걸렸다.

이제야 판이 제대로 깔렸다. 케일이 원하는 판이.

툭. 툭. 툰카는 자신의 뺨을 살짝 두드리는 손길에 눈을 떴다. 펠리아가 그를 깨우고 있었다. 그러나 툰카는 그녀의 어깨 너머 케일을 보고 있었다. 케일은 누워 있는 툰카를 내려다보며 말했다.

"마탑으로 안내해."

케일은 툰카의 표정 변화를 여실히 지켜볼 수 있었다. 멍하니 눈을 깜박이더니, 이내 다 떠오른 듯 얼굴이 서서히 일그러져 갔다.

"내가 졌군."

하지만 튀어나온 음성은 담담했다. 케일은 그런 그에게 말했다.

"그래도 전사의 싸움이었다."

툰카는 멍하니 케일을 바라보다가 슬금슬금 입꼬리가 위로 올라갔다. 그 꼴이 상당히 보기 흉했다. 얼굴 여기저기가 쥐어 터져 안 그래도 오크 같던 얼굴이 이제는 돌연변이 트롤 수준이 되었다. 멍으로 푸르뎅뎅했으니까.

케일은 그 얼굴이 썩 보기 싫어 툰카를 외면했다. 그때 툰카의 목소리를 들을 수 있었다. 툰카는 펠리아에게 명했다.

"오늘 새로운 전사가 나왔다!"

아주 우렁찬 목소리를 들은 병사들이 구덩이 쪽으로 다가왔다. 부족민들의 얼굴에 기대감이 어려 있었다. 그들은 기절한 우두머리에 대한 한심함이나, 혹은 최한에 대한 적대감을 보이지 않았다.

전사. 오늘 이 자리에서 마법사들 따위와는 비교도 할 수 없는 멋진 이름. 전사라는 그 이름을 가진 자가 나왔다.

"오늘 밤 축배를 들 것이다! 이를 준비하도록!"

쿵. 쿵. 쿵. 부족민들이 발을 굴렀다. 동시에 그들은 최한과 툰카에게 환호를 보냈다. 부족민들은 이런 행동들 때문에 야만족이란 평을 들었으나, 케일은 그저 그랬다.

물론 최한이 툰카를 심하게 박살 낸 바람에 일부 병사들 사기가 떨어지고, 꽤 높은 자리의 이들 몇몇이 케일 일행에게 적대감을 가질 것이다.

'하지만 내 알 바는 아니잖아?'

챙길 거 챙겨서 그대로 가버리면 그만이었다. 케일은 등 뒤로 툰카가 최한에게 건네는 말을 들을 수 있었다.

"전사! 다음에 너를 반드시 죽여주마! 으하하하하!"

케일은 질린 듯 구겨진 최한의 얼굴을 볼 수 있었다. '영웅의 탄생'에서 최한은 툰카를 아주 질려 했다. 케일은 뒤이어 들려온 툰카의 목소리에 발걸음을 뗄 수 있었다.

"두 달 뒤를 대비해서 덜 부쉈지!"

마탑을 보러 간다는 소리였다.

케일은 구덩이 위로 올라서며 하얗게 질린 빌로스의 어깨를 두드렸다.

"빌로스."

"네."

"가서 진지 밖에 있는 애들 모조리 데려와."

빌로스는 살짝 의문을 드러냈지만 이내 수긍하며 손으로 다른 이를 가리켰다.

"네, 그런데 먼저 소개할 분이 있습니다."

케일은 빌로스의 손이 가리키는 이를 바라봤다. 갈색 머리에 갈색 눈동자. 지극히 평범한 얼굴. 너무 평범하고 흔하게 생겼지만, 오히려 그래서 보기 드물게 생긴 이.

"공자님, 헤롤 참모장이십니다. 현재 총 참모로서 연맹을 이끌고 계시지요."

헤롤. 이 비마법사 연맹에 없어서는 안 될 인물이었다.

"반갑습니다, 케일 공자님. 헤롤입니다."

위퍼 왕국의 평민들은 성이 주어지지 않았다. 케일은 그에게 손을 내밀었다.

"반갑네. 케일이라고 한다."

헤롤은 케일이 내민 손을 조심스레 잡으며 낮게 속삭였다.

"툰카 대장님이 마탑을 팔겠다고 하시더니, 사실 분이 케일 공자님이셨군요."

케일은 별다른 답 없이 미소와 함께 악수하고 있던 손을 놓았다.

헤롤. 그는 지략이 그렇게 뛰어난 인물도 아니었고, 간신 같은 이도 아니었다. 그렇다고 특출한 능력이 있는 것도 아니었다. 물론 뛰어난 학자였지만 지금 참모부의 다른 이들에 비하면 모자랐다.

그러나 그는 비마법사 연맹의 최초 멤버 중 한 명이었다. 마법사라는 권위만으로 왕가는 물론이거니와 왕국민들을 손바닥에 놓고 가지고 놀던 마법사들. 그들에게서 왕국민들을 구하고자 한 그는 비마법사 연맹 사람들과 왕국민들에게 영웅과도 같은 이였다.

오히려 평범한 이였기에, 사람들은 그를 따랐다. 툰카와 헤롤. 이 둘의 조합은 위퍼 왕국민들에게 희망과도 다름없었다.

"만나 뵙게 되어 영광입니다. 앞으로 깊은 이야기를 해야 할 것 같군요."

돈이 필요한 비마법사 연맹. 헤롤은 케일에게서 최대한 돈을 많이 뽑아내고 싶을 것이다. 그 순간 케일의 귓가로 검은 용 라온의 목소리가 들려왔다.

-쟤 거짓말쟁이네?

역시 용은 날카로웠다. 케일은 헤롤에게 부드럽게 답했다.

"그럴 것 같군."

불공정거래. 그건 툰카보다 헤롤에게서 시작되었다.

케일은 마탑의 입구에 서서 시선을 위로 올렸다.

20층의 마탑은 대륙에서 두 번째로 높은 건물이었다. 가장 높은 건물은 제국의 연금술 종탑이었다.

'생각보다 양호하네.'

툰카는 생각보다 마탑을 덜 부쉈다. 특히 외벽에 부서진 곳이 덜했다. 물론 창문이란 창문은 다 부서지고 창문 너머의 내부는 엉망이었지만.

'진짜 마탑은 이게 아닌데.'

케일은 마탑에서 시선을 돌려 툰카를 바라봤다.

"너도 들어가나?"

그의 물음에 툰카가 얼굴을 일그러뜨렸다.

"미쳤다고 저런 더러운 곳에 들어가?"

더러운 곳. 서대륙에서 유명한 건물을 툰카는 더러운 곳이라 하였다. 부족민들과 왕국민들의 노역이, 고혈이 담긴 건물이었으니까.

"헤롤이 안내해 줄 거다."

그렇게 말하면서 툰카는 연신 비크로스와 힐스만, 늑대 아이들, 라크를 힐끗거렸다. 제 식대로 강한 냄새가 나서 그러는 것이리라.

그러면서도 케일의 품에 안긴 두 아기 고양이들을 연신 힐끗거렸다. 그리고 로잘린과 대화 중인 최한을 보더니 마지막으로 케일에게 툭 던지듯 말했다.

"약해서 신기한 놈."

케일은 가벼이 무시했다. 그러나 툰카는 계속 툭툭 던졌다.

"이상하게 강해 보이는 약한 놈."

하지만 툰카는 더 이상 말할 수 없었다. 최한이 빤히 툰카를 쳐다 봤기 때문이다. 툰카는 최한이 쳐다보자 이를 드러낼 듯 환히 웃으며 그에게 다가갔다.

"왜, 싸우고 싶어?"

최한은 한숨과 함께 무시했다. 케일은 툰카와 최한이 하는 꼴을 보다가 마지막으로 빌로스와 헤롤이 대화를 나누는 것을 확인한 후, 품 안의 고양이들을 쓰다듬으며 노래를 부르듯 작게 흥얼거렸다.

"쥐를 잡자, 쥐를 잡자. 몇 마리?"

품 안의 온이 앞발을 움직였다.

툭. 딱 한 번 쳤다.

케일은 흘러가듯이 말했다.

"다치지 않게. 생명은 귀중하니까."

홍이 콧방귀를 뀌며 앞발을 움직였다. 툭, 툭. 두 번 두드리더니 꼬리도 살랑살랑 움직였다. 온은 케일과 홍의 입가에 지어진 미소를 보며 고개를 절레절레 가로저었다. 갈수록 둘의 악동 같은 미소가 닮아갔다.

그러나 온의 꼬리도 살랑거리고 있었다. 케일의 머릿속으로 은밀한 목소리가 들려왔다.

—나도 따라갈까? 인간.

검은 용은 어지간히도 따라가고 싶은지, 드물게 케일의 눈치를 보며 물어왔다. 케일은 단호히 고개를 가로저었다. 그는 고양이들에게 다정히 말을 건네듯 작게 속삭였다.

"넌 나랑 다른 거 잡아야 돼."

다른 거라는 단어를 말할 때 케일의 표정을 본 아기 고양이들과 검은 용은 입을 다물었다. 그것도 재밌어 보였으니까.

곧 케일의 곁으로 헤롤과 툰카가 다가왔다. 툰카는 헤롤을 가리켰다. 그 태도가 퍽 다정했다.

"우리 참모장이 안내해 줄 거다. 그리고 펠리아도 함께할 거야."

헤롤의 경호원으로 펠리아를 붙여둔 것이리라. 케일은 고개를 끄덕이며 물었다.

"마탑 안에 마법사들 시체는 치웠나?"

"몇 개는 놔뒀다."

그럴 줄 알았다. 케일의 얼굴은 담담했다. 그때 라온의 목소리가 들려왔다.

—넌 인어의 시체만 무서워하는구나. 나중에 인어들은 못 다가오게 막아주겠다.

……인어도 무서운 건 아닌데. 케일은 굳이 대답하지 않았다. 인어를 볼 일이 없을 테니까.

툰카는 힐끗 케일의 얼굴을 살펴보더니, 툭 내뱉었다.

"영혼의 위로를 해줄 필요도 없는 놈들이다."

영혼의 위로. 화장을 의미했다.

부족민들은 전염병이나 다른 이유로, 될 수 있으면 마법사들의 시체를 태웠다. 물론 머리가 잘려서 굴러다니는 시체들도 있었지만, 그 시체들도 곧 태워질 터.

하지만 태우지 않고 놔둔 시체들은 이유가 있을 것이다.

'왕국민들을 제일 많이 죽였겠지.'

마법 장치가 발전하려면 무엇이 가장 필요할까?

실험.

그럼 실험 대상자는 누구일까?

사람이다.

증거 없는 실험을 자행한 마법사들이 참으로 많았다.

"물론 나중에, 왕국의 마법사들 씨가 마르면 그때 치울 생각이다. 흔적도 없이."

툰카는 드물게 차분히 중얼거리며 다짐했다. 하지만 케일은 그 말에 크게 귀를 기울이지 않았다.

마탑의 모든 마법사들은 죽었지만, 위퍼 왕국의 모든 마법사들이 죽은 것은 아니었다.

'마탑은 마법사 연맹 소속 마법사들이지.'

그들은 대체로 권위적이고 탐욕적이었다. 탑이라는 것은 결국 위와 아래가 정해지는 것. 위에 선 자들은 아래로 내려다보길 즐겼다.

하지만 그런 권력과 탐욕과는 거리가 먼 마법사들이 존재했다. 특히 정치에 환멸을 느껴 은둔한 자들이 많았다. 그런 이들은 현재 숨을 죽인 채 위퍼 왕국을 벗어날 방법과 더불어, 어디로 갈지 고민하고 있으리라.

소설 속에선 그들의 방패가 되어준 이가 알베르 크로스만 왕세자였다. 왕세자는 정치를 싫어하고 권력과 거리가 먼, 오로지 마법 탐구만을 좋아하는 마법사들을 손쉽게 수중에 넣는다.

케일은 툰카에게 물었다.

"들어가도 되나?"

케일은 품 안의 고양이들을 땅에 내려놓았다. 이들은 나중에 알아서 은신한 후 탐색을 하리라. 입구 문만 열어두면 되었다. 케일의 뒤로 최한과 비크로스가 섰다. 케일은 비크로스가 뒤에 서자, 의아한 얼굴로 그를 쳐다봤다. 하지만 비크로스는 상당히 혐오스럽다는 표정으로 엉망인 꼴의 툰카를 훑어보았다.

"헤롤."

"네, 대장님. 케일 공자님, 안내하겠습니다."

끼이이익. 마탑의 문이 열렸다. 케일의 미간이 찌푸려졌다.

"썩은 내가 진동을 하네."

마탑 1층. 문을 열자마자 마탑주를 상징하는 금빛 로브를 입고서 부패된 시체와 그 외의 마탑을 상징하는 물건들이 부서져 있었다. 케일은 이런 미친 짓을 한 이들의 광기에 질린 기분으로 말했다.

"환기하게 문 열어놔. 난 이런 냄새는 못 맡으니까."

그는 툰카에게 말했다.

"그리고 가려놔. 난 담이 약해서 시체를 오래 못 보니까."

툰카는 코웃음을 치면서도 입구를 지키고 있던 병사에게 손짓했다. 케일은 하얗게 질렸지만 차분한 로잘린의 눈빛을 확인한 후, 그녀와 다른 이들을 두고서 마탑 안으로 들어섰다. 곧바로 그의 앞에 최한이 섰고 후방에는 비크로스가 섰다.

"한 층, 한 층 다 안내해 드릴까요?"

"참모장."

"네."

"꼭대기."

다른 데는 굳이 볼 필요가 없었다.

"······꼭대기요?"

"제일 위에서 내려다보는 전경이 궁금해서 말이야. 마탑주 방. 거기부터 가도록 하지."

"알겠습니다."

현재 마탑 안에서 유일하게 작동하는 마법 장치. 케일은 굳이 마법사가 없어도 잘 작동되는 이동 장치에 올라탔다. 일행을 20층까지 단번에 올려 보내줄 것이다.

"용케 이건 안 부쉈군."

"혹시 모를 일이 생기지 않을까 해서 말입니다."

헤롤이 부드러이 답했지만 케일은 그의 대답에 속으로 코웃음을 삼켰다.

우우웅.

짧은 진동음과 함께 마탑에서 유일한 마법 장치가 작동했다. 케일과 일행이 올라선 판이 서서히 위로 올라갔다. 그리고 마침내 가장 꼭대기에서 멈췄다. 케일은 꼭대기에 놓인 유일한 문을 보며 입을 열었다.

"저기가 마탑주 방인가?"

"네, 그렇습니다. 아, 공자님?"

케일은 헤롤의 부름에 답하지 않고 가장 먼저 걸음을 옮겼다. 그는 거침없이 걸어갔고, 그 뒤를 일행이 다급히 따랐다. 케일은 문 앞에 서서 문고리를 돌렸다.

벌컥. 문이 열렸고 마탑주의 방이 모습을 드러냈다.

"엉망이네."

케일의 무심한 평이 일행 사이로 내려앉았다.

한 층을 다 쓸 만큼 넓은 공간이었지만, 현재 그 안은 엉망이었다. 마탑주의 방 안은 모든 것이 다 부서져 있었다. 사방에 피가 흩뿌려져 있었다. 일부러 보라고 피를 뿌린 것 같은 형태였다.

"엉망이군. 참모장, 저 창문까지 가봐도 되겠는가?"

마탑주의 방을 상징하는 유일한 증표. 커다란 창문이 보여주는 가장 높은 곳의 풍경만은 온전했다.

"네, 얼마든지요. 제가 안내하겠습니다."

"조용히 생각을 좀 하고 싶은데. 혼자서는 무린가?"

"……그건 좀."

헤롤이 난색을 표할 때 최한이 마탑주 방에서 멀어져 이동 장치 앞에 섰다.

"여기에 있겠습니다."

비크로스도 그 옆에 가서 섰다. 저런 끔찍하게 엉망인 곳에 들어가지 않아 다행이라는 표정이었다. 남겨진 펠리아는 난색을 표했다. 이내 헤롤이 다짐한 표정으로 말했다.

"펠리아 님, 제가 공자님을 모시고 갔다 오겠습니다. 공자님, 저와 오 분 정도의 시간이면 되겠습니까?"

"그럼, 충분하지. 한쪽 문은 열어두게. 그러면 안심할 것 아닌가."

"감사합니다."

펠리아의 인사에 케일은 사람 좋은 미소를 그려 보였다.

마탑주 방은 양쪽 문으로 열렸다. 그중 하나를 열어두고 케일은 마탑주 방 안으로 들어섰다. 20층. 한 층을 통째로 자신만의 방으로 사용했는지라, 마탑주 방은 아주 넓었다.

그래서 그 방의 끝인 창가에 도착하면 웬만한 청력으로는 케일의 목소리가 마탑주 방 밖의 이들에게 닿지 않을 것이다.

'최한은 들릴지도 모르지만. 걔는 들어도 상관없으니까.'

케일은 모든 것이 부서진 마탑주 방을 가로질러 걸었다. 책들과 책상과 의자, 카펫. 모든 것들이 쓰레기가 되어 있었다. 그는 방의 입구에서 가장 먼 창문 앞에 서며 입을 열었다.

"다 부쉈네?"

흘러가듯이 케일이 건넨 물음에 헤롤은 담담히 답했다.

"당연하죠. 가장 악랄한 인간이 있던 곳이니까요. 마나가 만든 괴물이 있었던 곳입니다."

마나가 만든 괴물. 마법사.

−거짓말쟁이.

검은 용 라온이 기가 찬다는 듯한 목소리로 투덜거렸지만 케일은 신경 쓰지 않았다. 대신 그는 자신의 옆에 서는 헤롤에게 나직이 속삭였다. 지금까지 아무도 알지 못했던 헤롤만의 비밀.

"그러는 너도 마법사잖아?"

마나는 느낄 수 있지만, 심장에서 마나를 거부하는 존재. 부족민과 마법사 사이에서 태어난 혼혈. 가장 불운한 마나 사용자.

출생의 비밀은 어디를 가나 있는 법이었다.

"참모장, 아니지."

케일은 하얗게 질린 헤롤의 어깨 위에 손을 올리며 그를 불렀다.

"헤롤 코디앙."

똑똑한 놈이 미치면 무섭다는 건, 헤롤 코디앙을 두고 한 말이었다.

"아버지의 흔적을 모두 없애고 싶지 않은가?"

마탑주 피스터 코디앙은 알지 못했던 존재. 그도 모르게 태어난 그의 핏줄. 마나가 만든 괴물이라 불리는 마법사가 진정으로 탄생시킨 진짜 괴물.

"어떻게 알았습니까?"

창백한 미소를 지으며 물어오는 괴물에게 케일은 가벼이 말을 이었다.

"네 대답부터 듣지."

마탑을 산다. 이런 말을 할 필요는 없었다. 케일은 헤롤의 소망을 말해주었다.

"마탑을 없애주지. 어때?"

"어떻게 알았습니까?"

"마나가 나에게 가르쳐 주었지."

부드러이 답하는 케일을 보는 헤롤의 입가에 뒤틀린 미소가 맺혔다.

마나가 나에게 가르쳐 준다. 이 말은 지금은 죽어버린 마탑주가 자주 했던, 꽤 유명한 말이었다.

헤롤 코디앙. 그는 부족민과 마법사 사이에서 태어났고 그 둘의 특징을 모두 가졌으며, 외양은 부족민을 전혀 닮지 않았다.

"……제 피를 약점으로 잡으실 생각입니까?"

케일은 바로 물음에 답을 하기보다는 시선을 돌려 20층에서 내려다보는 전경을 감상했다.

영웅의 탄생. 그 안에선 기억에 남는 조연급, 혹은 엑스트라들이 참으로 많았다. 그중에 한 명이 헤롤 코디앙이었다. 그의 어머니는 그를 홀로 낳다가 죽었고, 아버지는 그의 존재를 몰랐다. 그 사실이 헤롤에겐 분노의 시작이었다.

'하지만 그는 몰랐지.'

'영웅의 탄생' 책에서는 오로지 작가와 독자만이 알 수 있는 단 한 줄로 그의 분노를 서글프게 만들어 버렸다.

헤롤 코디앙. 그는 두 사람의 사랑의 결실로 태어났지만, 안타깝게도 이를 알 수 없었다.

그 자세한 내막은 책에서 설명해 주지 않았다. 다만 마탑주가 젊을 적 수련 여행 도중에 만나 사랑을 했다는 말만 있었을 뿐.

케일은 여전히 창밖으로 시선을 둔 채 마탑을 부숴 버린 마탑주의 아들에게 말했다.

"피가 무슨 죄라고 그것을 약점으로 잡나?"

헤롤은 아무런 대답이 없었다. 케일은 고개를 돌려 헤롤을 직시했다.

"어차피 급한 건 너희 쪽 아닌가?"

가을 추수의 계절이 오기 전. 봄을 넘기고 여름으로 향해 가는 요즘. 마탑이 가져가는 세금을 견디다 못해 먹고살기 위해 일어선 자들. 그들의 욕구를 헤롤은 어느 정도 채워주어야 했다. 그래야 또 다른 광기가 펼쳐질 수 있었다.

툰카보다 더 전쟁을 원하는 자가 헤롤이었다. 그는 세상 모든 마법사들의 씨를 말려 버리고 싶었다.

"……일행 중에 마법사분이 계시더군요."

"그렇지."

마탑주만큼 마나를 느낄 줄 알지만 이를 사용할 수 없는 헤롤. 그가 로잘린의 정체를 모를 리가 없었다. 용이야 논외의 존재라 못 느꼈겠지만. 헤롤은 담담하다 못해 태연하게 느껴지는 케일을 보며 물었다.

"로운 왕국에서 마탑으로 무슨 짓을 하려는 겁니까?"

케일의 미간이 살짝 찌푸려졌다. 그는 헤롤에게 명확한 사실을 알려주었다.

"마탑은 내 것이다."

헤롤은 마탑 꼭대기 창밖을 응시한 채 입을 여는 붉은 머리칼의 남자를 응시했다.

"난 내 걸 누구와도 나누지 않아."

미쳤다고 그걸 왕국에 갖다 바치겠는가. 케일은 이곳까지 오느라 허비했던 시간들을 떠올렸다. 절대 그럴 수 없었다. 마탑은 안락하고 세상에서 가장 단단한 성을 만들 재료가 되어주어야 했다.

헤롤의 눈빛이 복잡해지는 것이 케일에게 뻔히 보였다.

'똑똑하게 미친놈이라 고민도 많나 보네.'

이 미친 녀석의 최종 목표는 마법사를 없애는 것이다. 그리고 고대로의 회귀였다. 고대의 힘. 오로지 순수하게 타고난 힘과 신체의 힘만으로 이루어지는 세계를, 그는 동경했다. 우습게도 재능이 부족해 슬퍼하며 이를 뒤엎으려던 놈이 원하는 세상은 재능이 더 좌지우지하는 세상이었다. 그러니 미친놈이라는 거지만.

"⋯⋯케일 공자께서는 위퍼 왕국 내 마법사들을 원하는 것 아닙니까?"

"내가?"

진심으로 말도 안 된다는 듯 케일의 입가에 헛웃음이 흘러나왔다. 그에게는 라온 미르, 검은 용이 있었다.

"나는 더 이상 마법사들 따위는 없어도 돼. 더 위대한 존재가 내 곁에 있거든."

─……인간, 여기 참 풍경이 좋다! 위대한 나는 여기 있다, 인간!

라온의 목소리가 들렸지만 케일은 신경 쓰지 않았다. 헤롤은 복잡해 보였다. 그도 그럴 것이, 어찌 되었든 마법사들은 왕세자가 빼돌릴 예정이었다. 어쨌든 얼추 헤롤의 생각이 맞았다 해도 어쩌겠는가. 눈앞의 케일은 그럴 예정이 아닌데.

'물론 왕세자에게 살짝 도움을 줄 거지만.'

도움이라 칭하고 실상은 빚을 안겨줄 작정이었다.

"자, 헤롤 코디앙 참모장."

헤롤은 복잡한 자신과 달리 상쾌해 보이는 케일을 볼 수 있었다. 그는 문을 가리켰다.

"케일 님, 5분 되었습니다."

그 순간, 둘만의 대화 시간은 끝이 났다. 최한이 열린 한쪽 문으로 얼굴을 내밀며 시간이 끝났음을 알림과 동시에, 한마디를 더 이었다.

"그리고 다른 분들도 오셨습니다."

다른 분? 헤롤의 얼굴에 의문이 서렸을 때, 케일은 그에게 말했다.

"자세한 이야기는 내 사람들에게 듣도록."

그 말이 끝나며 열린 한쪽 문으로 두 사람이 등장했다. 빌로스와 부집사 한스였다. 한스의 품에는 서류 가방이 한가득 안겨 있었다. 케일이 왜 빌로스와 한스를 불렀겠는가. 이런 일에 써먹으려고 불렀지.

헤롤은 자신의 어깨 위에 닿는 케일의 손을 느낄 수 있었다. 툭,

툭. 케일은 부드러이 어깨를 두드리며 말했다.

"잘 논의해 봐."

그 여유로운 목소리에 헤롤은 탄식처럼 웃더니, 곧 평소의 흔하면서도 사람 좋은 얼굴로 돌아갔다.

"잘 논의해 보지요."

그는 짧은 대답을 남겨두고 곧장 한스와 빌로스에게 다가갔다. 한스와 헤롤이 대화를 나누는 동안 빌로스가 슬그머니 케일에게로 다가와 조심스럽게 속삭였다.

"공자님."

"어."

"계산은 그럼 일단 제 이름으로 할까요?"

대금 지급 방식은 빌로스를 가운데에 두고 행해졌다. 빌로스가 케일에게 돈을 받아 비마법사 연맹에 돈을 지불하는 방식이었다. 이는 돈을 환전하는 등의 문제가 있어서였다.

물론 빌로스는 케일이 아니라 왕가의 돈을 받아서 지불하겠지만, 그걸 비마법사 연맹이 지금 알 방도는 없었다.

"그래."

"그럼 계약금을 걸고 한 달 내 지급으로 하겠습니다."

"알아서 해."

"그런데 말입니다."

빌로스는 게슴츠레 눈을 뜨며 입맛을 다셨다. 케일은 그 표정이 영 이상해, 꺼림칙한 얼굴로 어서 말해보라는 듯 턱짓했다.

"그, 얼마 생각하십니까?"

유구한 역사를 지닌 위대한 건축물인 마탑. 사람들이 이동 장치를 제외한 모든 마법 장치가 산산이 다 부서졌다고 믿는 마탑. 그리고 왕국 내 백성들이 증오하는 건축물.

케일은 빌로스의 앞에 검지를 하나 펼쳤다. 그 검지를 본 빌로스의 눈동자에 이채가 돌더니 조심스레 질문을 던졌다.

"……억이요?"

"아니."

"십억이요?"

케일은 대답하지 않았다.

"……백억?"

조심스러운 물음에 케일은 고개를 끄덕였다.

"그쯤으로 알아서."

보통 군량미로 한 달에 최소 몇백억 젤론 이상이 드는 것에 비하면 적은 돈 같지만, 지금 당장 급하게라도 왕국민들을 안정시킬 큰돈이기도 했다. 쓰기에 따라 천차만별일 금액. 거기다가 왕세자가 낼 돈이지, 케일이 낼 돈도 아니었다.

빌로스는 살짝 미간을 찌푸린 채 낮게, 하지만 아주 빠르게 속삭였다.

"마탑이 다 망가졌는데요? 아니, 원래 마탑이라면 천억도 부족하죠. 엄청나니까. 하지만 지금은 마법 장치들이 아예 가동 불가능한데요?"

"그러니까 최대 백억이란 소리지. 뼈대만 남은 건물로 치고 깎아버려. 아, 그리고 돈을 더 써도 되니 인근 땅까지 넉넉히 사."

"……네?"

"이 마탑 가격만큼 팔 게 있거든."

잠시 정적이 내려앉았다.

"하."

빌로스는 깊은 한숨을 토해냈다.

"전 모르겠습니다만, 무엇이든 이윤은 최대가 되어야겠지요?"

"그렇지."

"일단 깎겠습니다."

만족스러운 대답에 케일은 미소를 지어 보였다. 빌로스는 그 미소에 허탈한 표정을 지었지만 이내 간신과 같은 미소를 매달았다.

"큰돈 단위가 나오니 심장이 떨립니다, 공자님."

"신나서 뛰는 것이겠지."

빌로스는 케일의 말에 부정하지 않았다. 그는 예의 바르게 인사를 하고는 느긋하게 헤롤에게 다가갔다.

어차피 비마법사 연맹은 마탑을 쓸데가 없고, 왕국민들의 분노를 생각하면 마탑을 부수거나 혹은 그에 상응하는 행동을 취해야 했다. 그럴 바엔 작은 이득이라도 취하는 게 나았다.

"케일 님."

최한과 비크로스가 다가왔다. 비크로스는 마탑주 방 안을 둘러보더니, 케일에게 물었다.

"사면 청소하실 겁니까?"

그 물음에 케일은 부드러이 답했다.

"싹 치워 버리게."

비크로스가 안도의 한숨을 내쉰 순간, 케일은 창가에 기대고 있던 몸을 일으켜 세우며 걸음을 옮겼다. 다른 곳은 더 볼 필요가 없었다.

어차피 밤에 올 테니까.

케일의 미간에 깊은 골이 파였다. 그런 그에게로 툰카의 목소리가 들려왔다.

"몸이 안 좋다고?"

"그래."

무심한 답에 툰카의 얼굴이 일그러졌다. 주변은 아주 시끄러웠다. 부족민들은 새로운 전사를 반기는 축배를 즐기고 있었다.

툰카도 현재 그들의 예산을 모르는 것이 아닐 터, 그럼에도 그는 자신의 위상이 더 중요했고, 전사라는 이름으로 사람들을 이끌어야 했다. 그렇기에 참모진도 이 저녁의 축배 시간을 준비한 것이리라.

"……약한 놈."

퉁퉁 부은 얼굴로 무엇이 마음에 안 드는지 영 탐탁지 않아 하는 툰카에게, 케일은 최한을 가리켰다.

"그래도 주인공은 있으니 상관없을 텐데. 그리고 난 약하니 쉬어야지."

케일이 마찬가지로 탐탁지 않아 하는 최한을 살짝 밀자, 최한은 어기적어기적 툰카 일행 근처로 갔다. 그 옆에는 당연히 부단장 힐스만이 있었다.

"하하하! 이 위퍼 왕국 전사들의 낭만이 느껴지는군요! 축배라니! 멋집니다!"

역시 부단장은 사회생활을 좀 했다.

"그럼 이만."

케일은 미련 없이 축배 장소를 떠났다. 그런 그의 호위로 달라붙은 이가 비크로스였다. 그는 병사들이 있는 곳에서 꽤 떨어진 곳에 위치한 케일 일행의 천막으로 향하며 물었다.

"그냥 천막 앞만 지키면 됩니까?"

"어, 나는 잔다."

"그런 것으로 알죠."

비크로스는 말이 잘 통했다. 쓸데없는 설명도 필요 없었고.

천막 안으로 들어선 케일은 세 명을 집합시켰다. 물론 그 세 명을 보기 위해서는 허리를 숙여야 했다.

땅바닥에 온과 홍, 라온이 일렬로 앉아 있었다.

"찾았나?"

온과 홍이 씨익 웃어 보였다.

"어딘지 감이 오는데!"

"대강 그 근처는 찾은 것 같은데!"

고양이들은 아주 신이 난 모습이었다. 이미 야행복으로 갈아입은 케일은 검은 용 라온을 바라보며 말했다.

"마탑주 방까지. 부탁해."

케일과 온, 홍, 라온은 비행 마법과 투명화 마법으로 사람들 눈을 피해 20층 마탑주 방에 도달할 수 있었다. 여기까지 오는 데에 어려움은 없었다. 이미 예전에 모든 알람 마법 장치가 부서졌고, 축배를 드느라 입구에만 감시 인원을 세워뒀기 때문이다. 이는 툰카의 강력한 명령이었다. 참 이럴 땐 도움이 되는 놈이었다.

와아아아아—

하하하하—

웃음과 박수 소리, 심지어 노랫소리까지 울려 퍼지며, 한데 뭉쳐 불빛 아래에서 춤을 추는 부족민들과 병사들. 그들은 오랜만에 벌어진 잔치에 신이 난 듯했다.

케일은 마법 주머니를 대충 허리에 걸며 고양이들을 바라봤고, 고양이들은 살금살금 케일을 안내했다. 은신의 묘족답게 은밀하게 움직이는 그들을 따라 케일은 계단을 내려갔다. 마법 장치는 기록이 남기에 쓸 수 없는 노릇이었다.

그런데 케일의 얼굴이 점점 구겨졌다. 그는 정확히 15층 계단에서 멈춰 서며 물었다.

"……어디에 있지?"

뮐러에 대해 '영웅의 탄생'에서는 이렇게 표현했다.

뮐러는 작은 몸집을 이용해 마탑 계단에 있는 비밀 벽으로 숨어들었다. 오로지 그의 가문과 마탑주만이 대대로 알아온 길이었다. 겁쟁이는 그곳에 숨어들었다. 그는 경비병들이 무서워 나오지도 못한 채 자발적으로 갇혀 버렸다.

어느 계단의 벽일까. 어디쯤 위치일까.

홍이 윤기가 흐르는 붉은 꼬리를 살랑거리며 말했다.

"지하 1층이요!"

제기랄. 위치 선정을 잘못했다. 케일은 한숨을 참으며 조용히 바람의 소리를 사용하고는 고양이들을 품에 안았다. 그리고 라온에게 말했다.

"따라와."

케일의 몸이 아주 빠르게 계단 아래로 내려갔다. 타닥, 타닥. 입구

문을 지키고 있을 병사들에게는 들리지 않을 정도로 아주 작은 소리였다.

마탑은 지상 20층, 지하 3층 구조로 알려져 있었다.

"대, 대단한데!"

"순식간인데!"

-약한데 발톱만큼 빠르다, 인간!

평균 7세의 칭찬을 들으며 케일은 지하 1층으로 내려가는 계단 앞에 섰다.

"여기쯤이라고?"

"네!"

고양이들이 쥐 수인족 냄새가 난다고 말했다. 하지만 정확한 위치는 이 아이들이라도 알 수 없을 것이다. 케일이야 책을 읽어 위치만 알면 열 수 있었다.

'참 쓸데없는 걸 많이 적어뒀단 말이야.'

'영웅의 탄생'은 한 줄이라도 지나가는 조연들과 엑스트라에 대해 꼭 설명을 해주었다. 그 덕이었다.

케일은 마법 주머니에서 작은 쇠막대기를 꺼냈다. 온과 홍이 흠칫하며 바라봤지만 그러거나 말거나 케일은 그 막대기로 벽을 두드리며 한 계단, 한 계단 내려갔다.

탕.

타닥.

"어디 있을까나?"

탕.

타닥.

붉은 머리칼의 남자가 희미한 야광석이 박힌 계단을 하나씩 내려가며 흥얼거렸다.

케일은 굶어 죽을 뻔하다가 압사되어 온몸이 부서지고, 더불어 가족들의 무덤이 파헤쳐지는 것을 보면서 죽어야 했던 불쌍한 엑스트라, 뮐러를 구할 수 있어 그래도 꽤 기분이 좋았다.

탕.

타닥.

그러나 그의 뒤를 따라오는 고양이와 용의 표정이 좋지 못했다.

그때, 케일이 한 계단을 내려서며 벽을 두드렸다.

퉁.

"찾았네."

다른 벽과 똑같아 보이지만 저 안은 다른 벽과 다를 것이다. 케일의 입가에 미소가 짙어졌다. 그는 마법 주머니에서 마정석을 꺼냈다. 그리고 벽을 더듬었다.

섬세함을 요하는 일이라, 케일은 꽤 신중했다.

'벽에 별 모양으로 다섯 개의 홈이 일정하게 있는 곳이 있다고 했는데.'

케일은 별 모양의 다섯 개 홈을 찾아냈다. 그리고 그 별 모양들의 중심에 마정석을 대었다. 그 순간이었다.

끼리릭. 작은 소리와 함께 벽이 움직이며 마정석을 삼켜 버렸다. 케일은 한 발 뒤로 물러섰다.

기이이이익. 기괴한 소리가 나면서 서서히 벽이 열렸다. 그 안에 아주 작은 사람이 서서히 모습을 드러냈다. 케일은 조금씩 보이는 얼굴을 보며 다정히 인사하려 했다.

"……음?"

그런데 이상했다.

"흐어어어엉."

아주 작은 겁쟁이가 오들오들 떨면서 하얗게 질려 있었다. 마치 귀신이라도, 아니, 연쇄살인마라도 마주한 듯 창백한 얼굴로 케일을 보며 덜덜덜 떨고 있었다.

케일이 그를 구해준 영웅으로서 뮐러를 착실히 빼먹으려던 의도 와 조금 다른 반응이었다.

"허어엉, 히끅!"

심지어 딸꾹질까지 했다. 케일은 일단 뮐러에게 최대한 선량한 미 소를 보이며 인사했다.

"안녕?"

그런데 뮐러는 더 덜덜 떨며 겁을 집어먹었다. 온과 홍, 라온은 뮐 러를 안쓰러이 바라봤다. 케일은 의아했다.

'이 자식이 왜 이럴까.'

케일은 온과 홍, 라온을 바라봤다.

'왜 이래?'

그가 눈빛으로 물었지만 세 명은 대답 대신 한숨과 함께 고개를 가로저어 보였다.

"허어어엉."

그 순간에도 우는 소리가 들렸다. 뭐가 서럽다고 저렇게 우는 것 일까. 케일은 뮐러를 다시 바라봤다.

드워프도 쥐족도 태생적으로 키가 작았다. 그 특징을 아주 심하게 이어받은 뮐러는 드워프보다도, 쥐족보다도 작았다. 마치 동화 속

난쟁이 같다고 해야 할까. 거기다가 외모도 동글동글 귀염상이라, 어른이라면 성별을 떠나 이 작은 사람을 보며 절로 보호 본능이 생겨날 것 같았다. 그러나 케일은 탐탁지 않았다.

"불쌍한데."

온과 홍이 꼬리를 살랑거리며 안쓰럽다는 표정으로 뮐러에게 다가갔다. 둘이 다가갈수록 뮐러는 더 덜덜 떨었다. 이제는 입까지 틀어막고 울었다.

"……진짜 불쌍해 보이는데."

온의 말에 케일은 속으로 코웃음을 흘렸다.

'불쌍은 무슨.'

올해로 나이가 서른에, 마탑 설계자 집안으로 누릴 것 다 누리고 부릴 것 다 부리며 살아왔다.

거기다가 무섭다고 혼자 숨어버리고, 유일하게 이 마탑의 최후 방어벽을 알고 있음에도 사용하지 않았다. 그러려면 자신을 드러내야 하니까. 죽을까 봐 겁이 나, 그는 아버지의 마지막 유언을 외면했다.

그것만 아니었다면 아마 마법사 연맹은 이렇게까지 몰락하지 않았을 것이다. 물론 케일에게는 잘된 일이었다.

겉보기에는 나이를 가늠할 수 없는 어리고 귀여운 소년이었으나, 그 안에 든 것은 제 안위가 제일 중요한 세상사 다 아는 서른 넘은 놈이다. 당연히 케일에게는 그 편이 좋았다.

"허어어엉."

슬슬 케일은 다 큰 놈 우는 꼴을 더 보기가 싫었다. 최대한 다정한 척을 하려던 케일은 착한 얼굴을 집어치워 버렸다.

"야."

케일의 부름에 뮐러는 크게 움찔했다. 그는 케일 손에 들린 쇠막대기를 힐끗거리며 덜덜 떨었다. 여기서 자신의 인생이 좋나는구나 싶었다.

투둑, 툭. 아직도 벽 안에 웅크리고 있던 그의 품으로 웬 물건이 안겼다. 우유가 담긴 병과 빵이었다. 케일이 마법 주머니에서 꺼내 던진 것이었다. 뮐러의 눈동자가 일렁거렸다. 그는 조심스럽게 케일을 바라봤다. 케일은 살짝 짜증이 난 얼굴이었다.

"먹어."

명령하듯 내려진 말에 뮐러는 황급히 빵을 입에 베어 물었다. 케일은 눈물 젖은 빵을 먹는 뮐러를 보며 한 가지 이상한 예감을 느꼈다.

'……이거 좀 많이 띨빵해 보이는데.'

감이 좋지 않았다. 눈앞의 녀석은 어벙을 넘어선 띨빵함이 보였다. 분명 드워프의 기술력, 쥐족의 세심함과 은밀함, 그것들이 모여 최고의 설계자와 건축가로서의 기질을 가졌다고 들었는데. 어찌하여―

"가, 감사합니다."

어째서 이렇게 띨한 느낌을 주지?

케일은 뭔가 찝찝해져 왔다. 그러거나 말거나 온과 홍, 라온이 불쌍해하는 표정으로 뮐러 곁에 다가갔다. 그가 케일을 무서워하는 것 같자 나름 방패막이가 되어주려는 의도였다.

하지만 의도와 달리 뮐러는 빵의 맛도 제대로 못 느끼고 있었다. 순혈 묘족과 용 한 마리. 지금 그를 둘러싼 존재들의 정체였다. 체할 것 같은 기분에 순간 빵 먹는 것을 멈춘 뮐러에게 소름 돋는 소리가 들려왔다.

탕, 탕. 케일이 쇠막대기로 벽을 두드렸다. 별다른 생각 없이 그냥 한 행동이었다. 그는 밀러를 가만히 바라봤다. 이 녀석에게서 썩 좋은 느낌을 받지는 못했지만, 일단 데려가기로 마음먹었다.

헤니투스 영지에는 조각가도 많았지만 여러 분야의 기술자들도 많았다. 특히 건축 분야가 많았다. 채석장이 있었으니까. 그래서 밀러는 쓸데가 있었다.

"살고 싶지?"

케일의 나직한 목소리가 울려 퍼졌다. 그는 또 울려고 하는 밀러의 모습에 살짝 짜증이 났다.

탕. 탕.

쇠막대기로 벽을 두드리며 케일은 마음을 가라앉혔다. 겁이 많으니 다정히 대해야 할 터. 케일은 상냥한 미소를 머금으며 밀러에게 물었다.

"살려줄까?"

밀러가 아주아주 격하게 고개를 끄덕였다. 빵 부스러기가 휘날릴 정도였다. 그 격렬한 반응에 케일은 흐뭇해져 조금은 편히 말했다.

"그럼 내 말 잘 들어. 알았어?"

"네, 네!"

"일단 빵부터 먹어."

밀러는 빵을 아주 빨리 먹기 시작했다. 그 속도에 흡족해하며, 케일은 쥐에게 흘러가듯 물었다.

"너, 마탑주의 보물방 알지?"

툭. 손에 들고 있던 빵이 떨어졌다. 케일은 상냥히 말했다.

"빵 떨어졌어. 주워야지."

밀러는 황급히 빵을 주웠다. 그는 아직도 벽에 갇혀서 웅크리고 있었다. 케일에 온, 홍, 라온이 그를 둘러싸고 있었다.

"너 알지? 마탑주만의 방이 따로 있잖아. 진짜 탑주를 위한 방."

20층이 진짜 마탑주의 방이 아니었다. 마탑. 그곳은 그리 쉬운 건물이 아니었다. 뮐러의 눈동자에 혼란이 서렸다.

'어떻게 그곳을 아는 거지?'

탑주와 설계자 집안에만 대대로 내려오는 이야기를 눈앞의 남자가 묻고 있었다. 그 순간, 그의 귓가로 케일의 목소리가 한 번 더 들려왔다.

"그리고 지하 4층. 거기 들어갈 수 있지?"

케일은 뮐러의 얼굴에 서리는 경악을 볼 수 있었다. 마탑은 지하 3층, 지상 20층으로 알려져 있었다. 그런데 케일은 지하 4층을 언급하였다.

그걸 다 어떻게 알았냐는 듯, 뮐러가 두려움에 덜덜 떨면서 케일을 쳐다보았고, 케일은 그 눈빛에 기분이 묘해졌다. 이러니 꼭 인질범, 협박범이 된 기분이었다. 자신은 그럴 생각이 전혀 없었다. 오히려 뮐러를 살려주고 그에게 안전한 울타리를 만들어줄 작정이었다.

케일은 인내심을 가지고 미소를 띠며 덜덜 떠는 쥐를 달랬다.

"일단, 내 말대로 하면 살려는 줄게."

물론 자유롭게 해줄 수는 없었다. 데려가서 일 시켜야 하니까. 케일은 황급히 답하는 뮐러를 볼 수 있었다.

"무, 무엇이든지 할게요."

쥐족 혼혈은 심하게 간절히 말했다.

"그래."

케일은 그 간절함에 답했다.

뮐러는 흔들리는 눈동자로 하나하나 눈에 담았다. 그는 무시무시한 묘족, 그것도 더 끔찍한 순혈들, 또 더하여 검은 용까지 데리고 온 남자를 보며 깊은 공포감을 느꼈다.

"그럼 일단 빵 다 먹고, 지하 4층부터 안내해."

"그런데 거기 가려면 마정—"

뮐러가 다 말하기도 전에 그에게 주머니가 하나 건네졌다. 마정석이 몇 개 담긴 주머니였다. 뮐러는 눈물에 젖어버린 빵을 황급히 다 먹었다. 그리고 케일 일행에게 둘러싸인 채 지하 3층까지 내려가야 했다.

지하 3층 계단. 그곳에는 지하 3층으로 들어서는 문만이 있었고, 그 아래로 향하는 계단은 없었다. 하지만 마정석을 꺼낸 뮐러가 혼자 벽으로 다가가 뭔가 조작을 했고, 이내 벽에서 기계장치가 나타났다.

끼이이익—

작은 소리와 함께 동굴이 하나 나타났다. 지하 4층으로 향하는 동굴이었다.

"앞장서."

케일이 설레는 마음으로 명령하자 뮐러는 기계적으로 앞장섰다. 동굴 안은 완만한 경사로, 아래로 향했다. 물기도, 습도도 없는 쾌적한 동굴 안은 야광석으로 시야가 어둡지 않았다.

지하 4층. 이곳은 마탑주와 비밀 연구원 마법사들, 그리고 설계자 집안의 뮐러만이 아는 장소였다. 케일은 한참 동굴 아래로 내려간 끝에 작은 문을 하나 마주할 수 있었다.

"……알람 마법 장치가 있는데."

우물쭈물 뮐러가 말할 때 라온이 나섰다. 가볍게 앞발을 휘젓자, 작은 문이 열렸다. 당연히 알람 소리는 없었다. 뮐러가 경악했으나, 케일은 홀로 그 문 안으로 들어섰다.

'찾았다.'

첫 번째 보물을 찾았다.

마탑에는 무엇이 숨겨져 있는가.

그중 가장 큰 것은 마탑에서 비밀리에 하던 두 가지의 연구였다. 두 연구의 이름은 간단했다.

고대의 힘 원리를 이용한 마나 저장 장치.

마법 내성이 생기는 이유.

전자는 헤롤이 미친 듯이 원할 연구였고, 후자는 부족민들의 가장 큰 강점을 없애는 내용이 담겨 있었다. 위퍼 왕국에 큰 영향을 미칠 모든 연구가 이곳에 있었다.

"멋지네."

두 개의 거대한 원형 관 속에 이중 삼중으로 보안 처리가 된 연구 자료들이 있었다.

고대의 힘을 동경하는 부족민들, 그리고 마법을 증오하면서 원하는 헤롤. 그들이 이 연구 자료를 발견했을 때, 얼마나 큰 환희를 느꼈겠는가.

'하지만 이제는 그럴 일이 없겠지.'

그 환희는 케일의 몫이었다.

케일은 두 연구 자료가 담긴 두 개의 관 사이에 놓인 거대한 구에 다가갔다. 거대한 알처럼 생긴 투명한 원 안에 여러 반짝이는 액체들로 감싸인 씨앗이 보였다.

"인간, 저거 재밌어 보인다!"

검은 용 라온이 그 알에 다가갔다. 그리고 그 알의 유리 면에 들러붙어 눌린 찐빵 같은 얼굴로, 반짝이는 액체 속의 씨앗을 구경했다. 케일은 다가가 용의 뒤통수를 쓰다듬으며 물었다.

"네가 한번 키워볼래?"

"그래도 되나, 인간?"

"어. 대신 다 키워내면 내가 가지고."

"좋다!"

죽 쒀서 남 준다는 소리에도 아직 어린 4살은 흔쾌히 받아들였다. 케일은 흐뭇한 미소를 지으며 라온에게 이어 말했다.

"여기 있는 것 다 챙기자."

"당연하다! 다 궁금하다!"

나중에 라온에게 연구실이나 하나 지어줘야 할 것 같다. 케일은 부화할 씨앗과 이 연구 자료들이 얼마짜리인지 알기에, 저절로 입가에 미소가 지어졌다.

"뮐러."

"허억, 제, 제 이름까지 아, 알고 계시는군요."

케일은 입구에서 들어오지도 못한 채 쭈그리고 앉아 있는 뮐러에게 다가갔다. 아공간에 넣는 것인지 문서들과 거대한 알을 통째로 사라지게 만드는 검은 용, 그리고 다가오는 케일. 뮐러는 그 둘을 번갈아 바라봤다. 그의 동공이 정처 없이 흔들리고 있었다.

"이제 마탑주의 방에 가도록 하지."

"네, 네!"

"라온."

"왜 그러나, 인간?"

"여기 알람 장치 깔아둬. 그리고 마법 함정도 몇 개 만들어놓고."

이 지하 4층은 마탑이 부서지며 드러난다. 툰카와 비마법사 연맹은 이것들을 얻으며 다시 한번 전력이 한층 강화된다. 물론 케일은 전력이 강화되지 않을 방안을 원했다.

'그리되면 더 빨리 자멸하겠지만.'

내 알 바는 아니지 않은가?

케일은 라온이 신이 나 마법 함정을 펼치는 모습을 별생각 없이 바라봤다.

"여기 재밌는 거 다른 인간들이 가져가면 안 된다! 발을 들이는 순간, 죽게 해야 한다!"

케일은 4살짜리가 신이 난 모습을 흐뭇하게 바라봤지만, 밀러의 얼굴은 갈수록 하얗게 사색이 되었다. 그러거나 말거나 케일은 밀러가 라온의 함정 마법으로 도배가 된 지하 4층 동굴 입구를 다시 닫는 것을 확인한 후, 그의 목덜미를 잡았다.

"마탑주 방."

그 단어에 밀러는 온몸을 웅크린 채로 답했다.

"우선 20층에 가야 하는데요."

온과 홍이 케일의 품에 뛰어들었다. 밀러는 온, 홍과 함께 케일의 품에 동석했다. 밀러의 몸에 홍의 앞발이 닿았다. 쥐는 곧 죽을 것 같은 기분이었다. 밀러는 용기를 내 말했다.

"저, 저는 걸어서 가면- 억!"

그러나 말이 끝나기도 전, 그는 엄청난 속도에 입을 다물어야 했다. 케일은 바람의 소리를 이용해 빠른 속도로 20층으로 향했다.

다시 20층에 도착했을 때, 뮐러는 비틀거리며 바닥에 바로 섰다. 그는 어지러운 듯 몇 번 휘청이다가 부축을 받아 제대로 섰다. 물론 온의 부축이었다.

"고, 고맙습니다."

냐아아옹.

온이 씩 웃어 보였으나, 뮐러는 떨며 외면했다. 그는 곧 설명과 행동을 요구하는 케일의 지긋한 눈빛에 입을 열었다.

"마탑에는 사실 한 층이 더 있습니다."

"21층이 마탑주의 방인가?"

"아뇨, 저희는 마탑주의 방을 21층이라 하지 않습니다."

"그럼 뭐라고 하지?"

마탑주의 방. 그 방은 비마법사 연맹도 발견하지 못했다. 케일은 다만 '영웅의 탄생'에서 서술된 내용을 하나 기억할 뿐이었다.

비마법사 연맹은 지하 4층은 발견했지만, 마탑주의 진짜 방이 존재한다는 것은 영영 알지 못했다. 이를 알았다면 위퍼 왕국의 국력은 한층 더 상승했을 것이다.

케일의 귓가로 뮐러의 목소리가 들려왔다.

"0층. 0층이라고 부릅니다."

"준비해."

"네."

케일은 이제 빠릿빠릿하게 말을 알아듣고서 울지도 않고 일을 해내는 뮐러를 꽤 만족스러운 눈빛으로 바라봤다. 그의 입가에 절로 미소가 살짝 그려지자, 뮐러의 움직임은 더 빨라졌다. 손이 조금 떨리는 것 같아 보였으나, 역시 드워프와 쥐족의 특성을 이어받아 행동이 빨랐다.

"오."

케일은 살짝 감탄을 흘렸다.

우우웅―

"여기일 줄은 몰랐는데."

뮐러가 마탑주 방의 바닥을 몇 번 조작했다. 여러 기계 장치들이 튀어나오고 끼릭끼릭, 나사 돌아가는 소리가 들려왔다. 마지막으로 마정석을 사용하자, 꽤 큰 소리가 마탑주 방 안을 울렸다.

쿠웅.

하지만 저 멀리서 울려 퍼지는 축배의 소리에 케일은 다소 큰 소리가 나도 안심할 수 있었다. 그러나 그는 곧 의문을 드러냈다.

"……뮐러, 설명."

"네."

아무런 변화가 없었다. 뮐러는 아무것도 변화가 없는 방이 아닌, 다른 곳을 케일에게 가리켰다.

"저깁니다."

"……저기라고?"

케일은 뮐러가 가리킨 곳을 바라봤다.

창문이었다.

20층 밖의 전경이 보이는 커다란 창문.

"뛰어내리시면 됩니다."

"저 창 밖으로?"

"네. 그러면 0층으로 가요."

뮐러는 자신의 앞에 드리운 그림자에 고개를 들었다. 케일의 눈빛이 보였다.

"······거짓말이면, 알지?"

쇠막대기가 반짝였다. 케일은 덜덜 떨면서 고개를 끄덕이는 뮐러를 보며 싱긋 미소를 지어 보였다. 그리고 그의 뒷덜미를 잡았다.

"아이고, 갑자기 왜? 사, 살려는 주신다고 했는데!"

케일은 그를 무시하며 높은 창밖과 검은 용, 고양이들을 바라봤다. 자신을 올려다보는 세 쌍의 눈동자를 본 케일은 한숨을 내쉬었다.

"먼저 가라."

"무슨 이런!"

뮐러가 창밖으로 던져졌다. 그러나 뮐러가 땅바닥으로 추락하는 모습은 보이지 않았다. 케일은 곧바로 자신이 그 뒤를 이었다. 다행히도 그는 20층 밖으로 떨어지는 그런 경험을 하지 않아도 되었다.

타닥. 바로 케일의 발끝에 바닥이 닿았다.

"마법은 마법이네."

간단한 감상을 말하는 그의 눈앞에 진짜 마탑주의 방이 나타났다. 동시에 그의 등 뒤로 아이들의 목소리가 들렸다.

"누나, 나 지금 뭘 보는 건지 모르겠는데."

"홍아, 나 눈 괜찮은데. 근데 이상한데."

오. 검은 용은 단 하나의 감탄만 흘렸다.

케일의 입꼬리가 씰룩이며 위로 올라갔다.

마탑주는 욕심이 아주 많은 이였다. 과거에 겪은 일로 생긴, 하나의 반항과도 같은 탐욕이었다.

황금, 보석, 마법 장치. 아주 넓은 공간을 가득 채운 돈 덩어리들.

사방팔방이 번쩍거렸고, 온갖 곳에 돈 될 것들만 가득했다.

그 탐욕심은 가히 웬만한 성룡만 했다.

"정말 드래곤 레어를 떠올리게 하네."

케일은 마법 장치들이 쌓여 있는 곳으로 향했다. 싼 마법 장치는 하나도 없었다. 모두 보석과 진귀한 장식이 된 마법 장치들로, 딱 봐도 귀족이나 왕족을 위한 마법 장치들이었다. 그런 것들이 마구잡이로 쌓여 있었다.

마탑주는 몰락의 위기에도 이 마법 장치들을 사용하지 않았다. 왜냐면 그렇게 사용하는 것은 자신이 아닌 마탑 모두를 위해 쓰는 것이었으니까.

케일은 두 손으로 얼굴을 가렸다. 가려진 시야로 완벽한 백수 라이프가 아른거렸다.

"하하하하!"

케일은 터져 나오는 웃음을 참지 않고 마음껏 터뜨렸다. 그런 그를 지켜보던 밀러는 알고는 있었지만 생전 처음 들어와 본 마탑주 방을 이리저리 구경했다. 그는 한껏 움츠러든 채로 슬그머니 손을 뻗었다. 그러고는 자신의 제일 가까이에 있는 황금 브로치를 하나 손에 쥐었다.

냐아아옹.

그때 그의 귓가에 닿은 소름 돋는 소리. 온과 홍이 꼬리를 살랑거리며 그를 보고 있었다. 검은 용이 한 걸음 다가왔다. 밀러는 손에 들린 황금 브로치를 놓았다. 서른의 쥐는 아무것도 할 수 없었다.

반면에 케일은 함박웃음을 입가에 매단 채 아이들을 바라봤다.

"우린 이제 부자다."

표정과 다른 담담한 말에 온, 홍과 라온은 방긋방긋 웃기 시작했다. 마치 축배를 즐기는 부족민들처럼 밝고 활기찬 기운이 그들 사이를 감돌았다.

이를, 쥐는 공포에 어린 눈동자로 지켜보았다.

16장
선한 사람

16장
선한 사람

무사히 마탑을 빠져나온 케일은 천막 앞을 지키고 있던 비크로스와 마주할 수 있었다. 비크로스는 마치 케일이 보이지 않는 사람처럼 굴었고, 케일도 별다른 말 없이 천막 안으로 들어왔다. 물론 옆구리에 뮐러를 끼고 있었다.

케일은 뮐러를 풀어주고는 소파에 앉았다. 뮐러는 말하지 않아도 그의 앞에 무릎을 꿇고 앉았다. 굳이 저럴 필요가 없었지만 케일은 신경 끄고 본론부터 말했다.

"내가 너에게 따뜻한 잠자리와 절대 죽지 않을 안전한 공간을 제공해 주마. 그리고 나중에는 자유도 줄게."

"정말입니까?"

"그래."

케일은 무릎 꿇은 뮐러 쪽으로 몸을 숙였다.

"먼저 이 위퍼 왕국을 떠나게 만들어줄게."

밀러의 눈동자에 이채가 서렸다. 그는 부족민들과 마법사들이 무서울 것이다. 이곳을 떠나는 것만으로도 행복할 터. 케일은 여유롭게 밀러의 옷깃에 브로치를 하나 달아주었다.

아까 전 밀러가 몰래 하나 가지려고 했던 그 황금 브로치였다. 케일이 이를 보지 못했을 리가 없었다. 밀러의 얼굴이 하얗게 질렸다.

"이런 보물도 줄 것이고. 그러니 내가 시킨 것, 잘할 수 있겠지?"

"네, 네! 반드시 잘합니다!"

"그럼 성과 배의 설계도를 만들어."

"……네?"

최고의 설계자가 될 자질을 가졌다는 밀러. 케일이 그에게 바라는 것 역시 설계였다.

"마탑만큼이면 돼."

안락한 스위트홈과 튼튼한 이동 수단이 필요했다.

"어떤 식으로 만들까요?"

밀러의 물음에 케일은 순간 가문의 상징이 떠올랐다.

황금 거북이.

배와 거북이 하니, 떠오르는 것이 있었다. 김록수는 위대한 해상전에 대한 기록이 떠올랐지만 섣불리 입 밖으로 내뱉지 않았다. 자신은 그저 이동과 편안함을 위한 배를 원할 뿐이었다. 가슴을 울리는 역사와 자신이 연관될 일은 없을 것이 분명했다.

"……우리 가문은 상징이 황금 거북이다. 네가 알아서 설계해 제출하도록."

밀러가 알아서 만들 터. 그 결과물이 무엇일지 알 수 없지만 케일은 단단히 일러두었다.

"네 목숨이 달렸다고 생각하고 열심히 하는 게 좋을 거야. 온, 홍. 감시해."

냐아아옹.

"감시는 재밌는데!"

뮐러는 아이들에게 약했다. 정말로.

"여, 열심히 하겠습니다!"

뮐러의 절박한 목소리를 들으며 케일은 오늘의 일과에 만족했다. 그의 귀에 부족민들의 노랫소리가 들렸다. 축배의 시간이 절정을 향해 치달아가고 있었다.

시끄러운 밤이었다.

축배는 새벽까지 이어졌고, 그다음 맞이한 아침은 고요했다. 하지만 그 고요함 속에서도 시간은 흘러가게 마련이었다.

"몸은 좀 괜찮으십니까?"

참모장 헤롤의 물음에 케일은 대충 손을 흔들었다.

"그냥 비슷해."

심장의 활력으로 늘 최상의 컨디션인 케일이었다.

"몸 걱정은 내가 아니라 자네들이 해야 할 것 같은데?"

헤롤을 비롯한 참모진들의 얼굴은 피로한 기색이 짙었다. 빌로스 역시 마찬가지였다.

"난 약하지 않아!"

술에 절어서 한쪽을 차지하고 있는 튼카도 그러했다. 케일은 튼카 쪽은 쳐다도 보지 않은 채 헤롤에게 입을 열었다.

"생각보다 빨리 일이 진행되었군."

"……피차 서로 미뤄봤자 좋을 것이 없으니까요."

단 하루. 헤롤과 빌로스는 단 하룻밤 새에 마탑에 대한 계약 건을 합의해 냈다. 이는 쉬이 이루어질 수 없는 일이면서도, 동시에 급하면 이뤄질 일이기도 했다.

"하긴. 많이 급하니까. 그렇지?"

이러나저러나, 없는 이들끼리 모여 내전을 벌인 비마법사 연맹은 늘 자금에 쪼들리고 있을 것이다. 왕가도 마법사 연맹에 휘둘리느라 돈이 없었고, 마탑 안에 돈이 될 만한 것도 없고. 그렇다고 왕국 내에 존재하는 마법 장치를 팔자니 그들의 명분이 무너지고.

무엇보다도 헤롤은 케일을 빨리 쫓아내 버리고 싶을 것이다.

"계약서 읽어보셨습니까?"

"받자마자 읽었지."

금액은 백억 겔론을 조금 더 넘어섰다. 인근 주변 땅까지 함께 구매했기 때문이다.

"1년 안으로 부술 테니 걱정 말도록."

마탑을 사지만 1년 안에 부순다.

타국으로 마탑 건물을 옮기지 않는다.

케일 헤니투스 이름 아래로 마법사들을 모으지 않는다.

거래 계약에 들어간 조항이었다.

"……난 도통 네가 이해가 안 간다."

툰카가 케일을 돈지랄하러 온 놈처럼 쳐다봤지만 케일은 가벼이 어깨를 으쓱여 보였다.

"그냥 제국 종탑 다음으로 가장 높은 건물의 최상층 풍경을 한번 가져보고 싶었거든."

툰카가 긴가민가한 표정으로 쳐다봤지만 더 이상 복잡한 생각을 하기 싫다는 듯 자신의 손에 들린 계약서를 내밀었다.

"서명이나 하자고. 오늘 네 부하인 힐스만과 한판 하기로 했거든. 크하하하!"

부단장 힐스만의 이름이 나오자 케일의 표정이 떨떠름해졌다. 부단장은 사회생활을 아주, 아주 잘했다. 지난 밤, 그와 부족민들 간에 대화합의 장이 열렸다고, 그 광경이 놀라웠다고 최한이 보고한 뒤였다.

"지장을 찍어주시면 됩니다."

헤롤은 케일에게 인주를 내밀었다. 그 순간 헤롤과 케일의 눈빛이 서로를 향했다. 헤롤은 케일의 속내를 탐색하듯 그를 빤히 응시했지만, 케일은 그저 미소로 답했다.

헤롤은 마음 같아선 마탑을 팔고 싶지 않을 것이다. 케일이 상당히 의심스러웠으니까. 그러나 어쩌겠는가. 상황상 파는 게 훨씬 이득인데. 그걸 무시하기도 힘들었다.

"자, 나는 찍었으니 너도 찍어라!"

툰카는 호쾌하게, 나쁜 표현으로는 무식하게 망설임 없이 계약서에 지장을 찍었고 케일 또한 두 장의 계약서에 지장을 찍었다. 그리고 자신의 계약서를 품에 넣었다. 이제 빌로스가 나설 차례였다.

"공증 및 대금은 플린 상단 소속의 저 빌로스 플린이 행하도록 하겠습니다."

툰카는 고개를 끄덕이며 손을 내밀었고 케일은 그 손을 잡았다.

"마탑 부술 때 필요하면 말해. 그 더러운 건물 부수는 건 얼마든지 도울 수 있으니까."

"그러지."

"넌 앞으로 위대한 일을 할 우리와 계약을 했다는 것에 큰 자부심을 느껴도 좋을 거야."

케일은 자신의 손을 힘주어 잡는 툰카와 시선을 마주했다. 툰카는 호탕한 웃음을 터트렸다.

"우리는 이 대륙에 역사를 남길 테니까. 앞으로 네가 이 몸과 아는 사이라고 말하고 다녀도 좋다! 하하하!"

역사는 무슨. 몰락의 역사도 역사라면 역사일 것이다. 곧 시간의 흐름상 5권의 내용이 끝난다. 그 이후는 정확히 모르겠지만. 어쨌든.

"기대하도록 하지."

케일은 툰카의 말에 예의상 답했다.

계약은 완전히 성사되었다.

케일은 참모진 천막을 빠져나와 자신의 천막으로 돌아왔다. 당연히 그 뒤는 빌로스가 따랐다. 그는 천막에 들어서자마자 음흉한 미소를 띤 빌로스가 내민 어음을 받아 들었다. 케일은 품에서 황금패를 꺼냈고 이를 살짝 돌리자, 달칵, 소리와 함께 황금패의 윗면이 뚜껑처럼 열렸다.

"오!"

왕가의 인장이 나타났고, 빌로스는 감탄을 흘렸다.

"뭘 그리 신기하게 봐."

케일은 그 모습에 픽 웃으며 인장을 어음 위에 찍었다. 총 두 번.

그 사용량을 넘기면 이 황금패 속의 인장은 사라진다. 케일은 황금패를 탐욕스럽게 바라보는 빌로스에게 마법 주머니를 하나 넘겼다.

"이건 제가 드렸던-?"

"열어 봐."

빌로스는 자신이 케일에게 팔았던 마법 주머니를 펼쳤다.

"……허."

아공간 속에서 작아진 마법 장치들이 자리해 있었다. 그것도 하나같이 귀족과 왕족용이었다. 빌로스의 귓가로 케일의 목소리가 스며들었다.

"앞으로 그런 주머니를 몇 개는 더 받을 거야. 한 달 뒤부터 서서히 풀어."

주머니를 쥔 빌로스의 손아귀에 힘이 들어갔다. 그는 조심스럽게 케일에게 물었다.

"전 얼마 가집니까?"

"3."

"그렇게 많이요?"

빌로스는 놀람을 감추지 못했다. 비율 3이 정말 많은 것은 아니었지만, 그가 아는 케일은 그런 부분에서는 꽤 철저했기에 많아도 2일 것이라 생각했다. 이제 없어서 못 파는 마법 장치일 테니까.

"상단주."

케일의 목소리가 빌로스의 귓가에 정확히 박혔다.

"네가 가지고 싶었던 자리, 빨리 얻어야 할 거야. 곧 북부와 해상로가 뒤집힐 테니까."

"……또 다른 전쟁이군요."

"너만 알아."

"이 귀한 정보를 왜 나눕니까."

빌로스는 마법 주머니를 품에 소중히 넣었다.

"더 주실 거면 언제든지 주십시오."

"그래. 될 수 있으면 네 큰아버지와도 연락하고 지내."

오데우스. 로운 왕국의 서북부 뒷세계를 장악한 자.

"큰아버지는 왜요?"

검은 용, 라온의 복수를 할 날이 머지않았다.

"있어. 궁금해하지 말고."

"알겠습니다."

빌로스는 더 이상 의문을 표하지 않으며 마법 영상통신구를 하나 내밀었다. 그가 힘들게 구한 귀한 것이었지만, 케일은 이를 받아 들어 침대 위로 가볍게 던졌다. 그다운 모습에 빌로스는 천막을 나가며 말했다.

"다음에는 영상통신으로 연락드리겠습니다."

"그래."

케일은 그가 나가자마자 온과 홍에게 지시했다.

"애들 데려와."

냐아아아옹.

케일은 잠시 뒤, 온과 홍이 데려온 이들을 보며 입을 열었다.

"기한은."

그는 말을 내뱉다 말고 한숨을 내쉬었다. 미간이 찌푸려질 대로 찌푸려져 있었다.

"힐스만."

"네!"

부단장 힐스만은 새벽까지 이어진 축배를 즐기느라 얼굴은 엉망진창이었고, 술 냄새를 많이 풍겼다. 그러나 컨디션은 말짱해 보였다. 비크로스의 보고로는 아까 새벽에 부족민들과 어깨동무를 한 채 즐거이 천막으로 실려 왔다고 한다.

"축배의 시간은 잘 즐겼나?"

"그럼요! 많은 친구들을 사귀었습니다!"

질투가 많아서 그렇지 사회생활은 참 잘했다.

'이런 놈을 라크와 같이 보내도 될까?'

케일은 의구심이 들었지만 이제 와서 무를 수도 없었다. 그는 라크와 늑대족 아이들, 그리고 힐스만을 보며 말했다.

"기한은 한 달이다."

케일은 라크와 하려던 거래를 지금 시작하고자 했다. 천막에 자리한 테이블 위로 지도가 펼쳐졌다. 케일은 위퍼 왕국 남부 끝에 위치한 산을 하나 가리켰다.

"옐리아산. 이곳에서 내가 말하는 물건을 찾아오면 돼."

이번 고대의 힘은 물건에 깃든 힘이었다.

"……저 공자님?"

"그래, 부단장."

"제가 그 산에 대해 들은 적이 있는데, 아주 높고 정상 근처는 늘 눈으로 덮여 있다고 합니다만. 험준하기로는 대륙에서 세 번째 안에 꼽히는 산이라 들었습니다."

"그래서?"

케일은 아무 대답을 못 하는 힐스만 대신 라크를 바라봤다.

"할 수 있나, 없나?"

"있습니다."

지체 없이 답이 들려왔다. 여전히 소심하고 어리숙한 라크였지만, 많이 달라져 있었다.

"메스."

"네."

"너희들은 설원 부근까지는 올라갈 필요가 없다. 그 근처에서 라크를 잘 보필하도록."

메스는 아이들과 눈빛을 교환하더니 힘차게 답했다.

"네! 저희도 제 할 일을 반드시 해내는 모습을 보여 드리겠습니다!"

"아니, 뭐. 그렇게 열정적일 필요는 없어."

케일은 손사래를 치며 힐스만에게 말했다.

"넌 길잡이다. 애들 안내 잘 시키고, 잘 먹이고, 잘 재우고 오면 돼."

"……그럼 산에 안 올라도 됩니까?"

힐스만은 머리를 긁적이며 우물쭈물 말했다.

"제가 고소공포증이 있어서요."

뭐 이런 놈이 부단장을 하고 있는 것일까. 케일은 헤니투스가 기사단에 대한 의문이 급격하게 차올랐다.

"알아서 해."

"네! 훌륭한 길잡이이자 경호원으로 아이들을 돌보겠습니다! 저, 그럼 공자님, 어디로 돌아오면 됩니까?"

힐스만의 물음에 케일은 지도의 한 부분을 가리켰다.

"……여기요?"

"그래."

"그, 잘못 짚으신 것 같은데요?"

힐스만의 눈동자는 케일이 가리킨 곳에서 떨어지지 못했다.

서대륙의 5대 불가사의 중 하나.

'나올 수 없는 길.'

우림雨林. 사시사철 비가 내리는 숲. 그리고 들어가기만 하면 길을 찾을 수 없다고 알려진, 수많은 여행자들이 길을 잃고 다시는 나올 수 없게 만들어 버리는 숲.

위퍼 왕국과 서대륙 남부의 경계가 되는 지점. 그 숲을 케일의 손가락이 가리키고 있었다.

"부단장, '나올 수 없는 길' 근처에 호이크 마을이 있다. 작은 마을이고, 나올 수 없는 길의 유일한 입구지."

위퍼 왕국 최남단에 위치한 아주 작은 마을이었다. 그곳은 출구가 없는 숲의 입구를 지키고 있었다.

"그곳으로 오도록."

한 달 뒤쯤 정글의 여왕이 자신의 수하들과 함께 '나올 수 없는 길' 우림 안을 헤집고 있을 것이다. 그때 케일은 그녀의 길잡이가 되어줄 작정이었다.

가만히 서 있던 최한이 다가와 물었다.

"그럼 다음은 호이크 마을이 목적지입니까?"

"그래."

케일은 호화로운 백수 라이프를 위한 첫 번째인 '돈'의 마지막 단계를 생각하며 입가에 미소를 그렸다. 이제 이 준비만 하면 로운 왕국으로 돌아가 자잘한 복수와 뒤처리를 하고 튼튼한 집을 만들 생각이었다.

"여기서의 일을 정리하면 바로 출발하도록 하지."

케일은 다가올 5권 이후의 미래를 착실히 준비해 나갔다.

3주 뒤, 케일은 호이크 마을에 도착했다. 부슬부슬 비가 조금씩 내리고 있었다.

"······여기 묘비들이 왜 이렇게 많죠?"

로잘린의 물음에 케일은 조용한 호이크 마을 입구부터 곳곳에 세워진 묘비를 보며 답했다.

"호이크 마을은 길을 잃은 여행자들의 가족이 그들을 기다리다 만들어진 마을입니다."

간절한 기다림과 실낱같은 희망이 만들어낸 곳이 이 마을이었다. 모험을 위해, 혹은 다른 이유를 위해 나올 수 없는 길로 떠나간 여행자들. 그들을 기다리는 이들은 결국 이 숲 앞까지 오게 되었다.

"하지만 사람은 지치게 마련이고. 희망이 체념으로 변하는, 그 상징이 저 묘비입니다."

돌아오지 못할 사랑하는 이를 기리는 묘비. 호이크 마을은 희망보다는 슬픔의 마을이었다. 케일은 호이크 마을 너머 거대한 숲을 바라봤다.

"슬픈 곳이군요. 그럼 여기서 우리는 무엇을 합니까?"

최한의 물음에 케일은 툭 던지듯 답했다.

"희망."

"네?"

"정글의 희망이 될 거다."

"정글이요?"

최한은 생각도 못 했던 단어에 의문을 표했지만, 케일은 그 의문에 답해주지 않고 걸음을 옮겼다. 그는 호이크 마을을 가로질러 걸었다.

호이크 마을은 조용했다. 군데군데 세워진 묘비가 눈에 띄었다.

"공자님, 우산이요."

부슬비가 내렸다. 우림. 비 오는 날이 더 많은 숲을 근처에 둔 마을도 비가 자주 내렸다. 케일은 부집사가 건네는 우산을 쓰고서 작은 마을의 끝으로 향했다. 그 뒤를 한스를 비롯한 일행 몇이 따랐다.

'여기군.'

나올 수 없는 길. 그 길의 유일한 입구가 마을의 끝에서 나타났다. 부슬비와 흐린 하늘 때문인지 숲으로 들어가는 길은 어두웠고 우중충해 보였다.

'돌아올 수 없는 길'. 그 글자가 새겨진 비석이 입구 앞에 자리하고 있었다.

"으음."

최한이 침음을 흘렸다. 하지만 케일은 비석 앞 풍경에 시선을 두었다.

비 오는 날, 우비를 입은 채로, 혹은 그냥 부슬비를 맞으며 입구 앞을 지키는 이들. 모두 실종자들의 가족이나 지인이리라. 케일은 그들 중 한 노인과 눈이 마주쳤다. 노인의 눈동자는 공허했다.

"……가지 마소."

노인은 케일에게 그리 말하며 비석에 기댔던 몸을 돌려 하염없이 숲 쪽을 바라봤다. 케일은 그 모습을 가만히 지켜봤다.

"케일 공자."

로잘린이 다가와 케일을 불렀다. 그녀는 노인뿐만 아니라 기도하듯 입구 앞을 지키고 있는 사람들을 슬픈 눈빛으로 바라봤다. 그때 케일이 앞으로 움직였다.

"노인장, 비 오는데 감기 조심해."

케일은 우비도 없이 비를 맞는 노인 옆에 우산을 두고는 한스에게 손가락을 까딱였다.

"공자님?"

"우산."

"저는요?"

"비크로스와 같이 써."

비크로스와 한스의 눈동자가 부딪쳤다. 비크로스의 눈빛이 구겨졌다. 한스는 입을 꾹 다물며 케일에게 우산을 내밀었다. 하지만 케일은 그 우산을 받을 필요가 없었다.

"같이 써요."

로잘린의 우산이 케일의 머리 위로 드리워졌다.

"감사합니다. 가자."

케일은 무심히 감사 인사를 하며 입구에서 등을 돌렸다. 일행은 그 뒤를 따랐고, 입구에 있던 마을 주민들은 케일과 일행을 눈에 담았다가 이내 다시 숲 쪽으로 시선을 돌렸다.

"한스."

"네, 공자님."

"여관 알아봐라. 여관은 많아도 아마 좋은 여관은 없을 테니, 대충 있는 대로 구해."

호이크 마을은 작은 크기에 비해 여관이 참으로 많았다. 또한 호이크 마을의 여관은 허름한 만큼 저렴했다. 가족을 찾아온 이들이 무슨 돈이 있겠는가.

"도대체 왜 저 우림에 다들 들어가는 겁니까?"

여관을 하나 정해 들어오자마자 최한이 건넨 말에, 케일은 1층 식당 한 자리에 앉으며 답했다.

"희망을 찾아서 들어가는 거지."

"희망이요?"

"나올 수 없는 길에 전설이 하나 있거든."

악명이 자자함에도 아직까지 한두 사람은 저 우림으로 들어갔다. 아까같이 노인이 막아도 소용이 없었다.

"나올 수 없는 길에는 용이 산다."

-그게 무슨 소리냐, 인간? 여기 용 없다! 어디든 네 근처에 용은 나쁘다!

가만히 투명화해 있던 라온이 발끈하며 소리쳤다.

안다. 케일도 여기에 용이 없는 걸 안다. 이 책을 읽은 사람이니까.

"그 용은 자신의 레어를 찾아온 인간에게 소원을 하나 들어준다. 부자가 되는 것이든, 불치병을 고쳐달라는 것이든, 혹은 누군가를 행복하게 해주는 것이든. 무엇이든 들어준다."

-용은 할 수 없다. 용은 위대하고 강하지만 신이 아니다! 무슨 헛소린가!

라온의 불만이 정답이었다. 그럼에도 전설은 절박한 이들의 마음을 뒤흔드는 법이었다.

"그 전설이 사람들을 끌어당기는 것이군요."

케일은 최한의 얼굴이 보기 드물게 일그러지는 것을 볼 수 있었다. 마음에 안 드는 것이리라. 저 선한 성격에 노인의 모습과 이 마을의 풍경이 슬프게 다가올 것이다.

"그럼 이 숲을 다 밀어버리면 되지 않을까요?"

그래서 살벌한 소리를 아무렇지 않게 내뱉었다. 케일은 그 말을 모른 척했다.

물론 이 숲에는 불이 일어난다. 그래서 4권 말미에 이 서대륙의 5대 불가사의는 4대 불가사의가 된다.

"확 불을 질러 버리면 다 태워져서 괜찮지 않겠습니까?"

점점 더 과격해지는 최한에게 케일의 목소리가 닿았다.

"전설이 거짓임을 밝히면 돼. 그러면 사람들이 저 안에 들어갈 이유가 없어져."

그때, 비크로스가 한숨과 함께 여관 안으로 들어섰다.

"왔습니다."

그의 뒤로 여러 사람들이 모습을 드러냈다.

"공자님! 이 힐스만 왔습니다!"

"공자님, 저희 왔어요!"

하나같이 꼬질꼬질한 모습으로 늑대족 아이들과 힐스만이 여관 안에 들이닥쳤다. 비크로스는 그 더러운 모습에 흰 장갑을 꺼내 꼈다.

"공자님."

마지막으로 여관 안으로 들어선 라크가 케일에게로 다가왔다. 그는 마법 주머니를 케일에게 내밀었다. 하지만 케일은 손으로 이를 막더니, 들어선 일행에게 말했다.

"고생했다. 다들 푹 쉬도록."

일행의 입가에 미소가 맺혔다. 케일은 그제야 라크에게 손을 내밀었다. 라크는 마법 주머니를 조심스레 건넸고, 케일은 그런 그에게 말했다.

"이 안의 물건은 거래 내용으로, 내 거다?"

"네."

일말의 망설임도 없는 대답이었다. 고대의 힘이라는 것을 알았을 텐데도 라크는 물건에 대한 욕심이 조금도 없어 보였다. 케일은 마법 주머니를 열어 그 내용물을 보며 일행에게 통보했다.

"난 저 숲에 들어간다."

–뭐라?

냐아오옹?

"네?"

"무슨!"

케일은 생각과 달리 격렬한 반응에 사람들을 쳐다봤다.

"왜 그래?"

최한은 얼굴을 일그러뜨린 채로 탄식을 해댔다.

"케일 님은 정말이지."

로잘린은 눈을 동그랗게 뜨고 그를 보고 있었고, 고양이들이 테이블을 탕탕 두드렸다. 더불어 용은 단호했다.

–나도 간다. 약한 인간, 잘 들어라. 나를 두고 가지 마라. 이건 경고다. 나 화나면 이 숲은 그냥 오 분도 안 돼서 없앤다.

라온의 살벌한 경고를 들으며, 케일은 마지막으로 힐스만의 흔들리는 눈동자를 볼 수 있었다.

"저, 공자님. 지금 '나올 수 없는 길'을 말씀하시는 겁니까? 거기 들어가면 다 길을 잃는다고-"

"누가 그래?"

케일은 저 멀리 여관 카운터의 주인장에게는 들리지 않을 정도의 아주 작은 목소리로 읊조렸다.

"난 아냐."

그의 손이 테이블 위를 향해 뻗어졌다. 온과 홍이 애매하게 떨어져서 앉아 있었다. 케일은 그 둘의 사이로 손을 뻗었다. 투명화한 채 웅크리고 있는 용이 만져졌다.

케일은 라온과 다른 한 존재, 온의 등을 쓰다듬으며 말했다.

"얘네들만 있으면 괜찮아."

온이 눈을 동그랗게 뜨고 케일을 바라봤다. 케일은 온과 눈을 마주하며 속삭였다.

"온, 나올 수 없는 길이 왜 위험한 줄 알아?"

"모르겠는데."

"안개."

온의 눈동자에 이채가 감돌았다.

케일은 온을 만나고 사실 조금 놀랐다. 홍도 마찬가지였다. 순혈 묘족. 그들은 각자의 특성이 있었다. 그중에서도 독은 아주 희귀했다. 하지만 더 희귀한 것이 안개였다.

이 중에 가장 희소성이 뛰어난 존재를 꼽으라면 케일은 라온보다 온을 택할 것이다. 안개를 조종할 줄 아는 소녀에게 케일은 우림의 비밀을 말해주었다.

"저 우림 안은 안개로 뒤덮여 있어."

그리고 라온에게 말해주었다.

"안개 속의 어떤 성분이 사람과 마나를 혼란시키지. 그래서 웬만한 마법도 힘들어. 마나 교란 장치와는 비교도 안 되게 강한 힘이야."

안개가 자욱이 깔린 숲.

"그래서 땅의 길은 힘들지."

그렇기에 케일은 온과 라온만 있으면 되었다. 이 귀하디귀한, 만나기 힘든 존재들이 있기에 케일은 정글의 지배자와 담판을 지을 계획을 세울 수 있었다.

"너희 둘이 있으면 난 저 안에서 무엇이든 할 수 있어."

온의 꼬리가 살랑거렸고, 라온의 날개가 파닥이는지 테이블 위에 작은 바람이 일었다.

이른 아침. 케일은 우림의 입구 앞에 섰다. 물론 품에는 고양이 온이 안겨 있었다. 케일의 명으로 오늘 그의 일행 중 어느 누구도 배웅을 오지 않았다.

"들어가면 죽어…… 못 나와."

어제의 그 노인은 입구에서 밤을 새운 것인지 비석 옆에서 힘없이 중얼거렸다. 이 노인이 기다리는 누군가도 전설에 혹해, 간절한 마음으로 숲에 들어갔을 터.

"노인장, 전설을 깨부수고 올 테니 기다려 보든가."

케일은 노인의 흔들리는 눈빛에 씩 웃어주곤, 우림 안으로 망설임 없이 들어섰다. 그는 빠르게 걸음을 내디뎠고 점점 숲의 시야가 좁아졌다. 안개였다.

안개가 그를 감쌌다.

"음, 내 앞발만큼 힘을 써야 마법을 쓸 수 있을 것 같다, 인간. 나 정도는 되어야 한다."

"역시 라온은 대단하구나."

"맞다. 난 위대하다. 그런데 여왕은 소원이 무엇인가?"

어젯밤 대충 설명을 들은 라온이 케일에게 물었고, 케일은 여상스럽게 답했다.

"정글의 불을 끄는 거."

"불?"

정글의 왕. 리타나. 제국보다 큰 남부 영토를 장악한 진정한 지배자.

'툰카 상위 호환이지.'

그녀는 강자에게는 절대 지는 모습을 보이지 않으며, 약자에게는 한없이 약한 이였다. 그런 이가 지금 이 숲에 비밀리에 온 이유는 드래곤이라도 만나고 싶은, 지푸라기라도 잡고 싶은 마음 때문이었다.

케일은 고개를 갸웃거리는 라온과 온에게 설명해 주기보단 다른 말을 했다. 그의 표정은 진지하고 심각했다.

"난 오늘부터 착한 사람이야."

"갑자기 왜 자기소개를 하는가?"

라온이 황당하다는 듯 쳐다봤다. 온도 마찬가지로 무슨 그런 당연한 사실을 말하냐는 듯 쳐다봤다. 케일은 잠시 말문이 막혔지만 이내 온에게 말했다.

"온, 길."

"네."

온이 눈을 반짝이며 앞발을 움직였다. 그 움직임을 따라 케일과 일행에게서 안개가 일정 거리 멀어졌다.

"여기 안개 신기한데. 진짜 그냥 안개 아닌데. 꼭 독을 탄 안개 같은데."

탐구심이 상승한 온이 중얼거렸고, 케일은 앞이 제대로 보이지 않는 안개 속으로 더욱더 깊숙이 들어갔다. 안개는 비가 와도 그대로였다. 케일은 우비의 빗물을 살짝 털어냈다.

"안개 사이로 길이 보여?"

"보이는데!"

케일은 온이 알려주는 길을 따라 숲 안으로 향했다. 그런 그의 모습은 산책이라도 나온 듯 평화로웠다.

"오늘 안에 만나면 좋을 텐데."

케일은 오늘 안에 정글의 지배자 리타나를 만날 수 있길 기대했다. 그리고 밤이 되었다.

정글의 왕이라는 수식어를 얻은 여인. 리타나는 동굴 밖을 바라봤다. 어둠이 짙게 깔려 빗소리만이 들려왔다.

"미안하다."

"폐하, 아닙니다!"

"대장, 아니에요!"

그녀의 말에 함께 온 수하 다섯 명이 아니라고 부정했지만, 그들의 수척한 몰골이 보여 리타나는 씁쓸한 미소를 지어야 했다.

벌써 이 '나올 수 없는 길'에 들어온 지도 2주가 흘렀다. 몬스터도 없고 적도 없건만 안개로 뒤덮인 숲은 아무것도 보이지 않았고, 식량은 줄어들어만 갔다. 독특한 숲의 식물들은 함부로 섭취할 수도 없어 하루에 한 끼만 먹으며 버틴 지가 일주일.

리타나는 수하들을 덮친 공포가 무엇인지 알고 있었다.

'이렇게 죽을지도 몰라.'

전사에게, 투쟁을 하는 이들에게 아무것도 하지 못하고 죽는 것만큼 끔찍한 일은 없었다.

'왜, 괜히.'

리타나는 처음으로 자신이 한 결정에 분노가 일었다.

그놈의 불. 정글 한 귀퉁이에서 번지지도 않고 타오르는 그 불 때문에, 그녀는 작은 해답이라도 찾기 위해 여기에 와야 했다. 리타나는 품 안의 유리병을 만졌다. 그 안에 불길이 조금 담겨 있었다.

'안 되면 숲을 태워 버려서라도 길을 만들어야지.'

숲을 훼손하면 안 되지만 그것이 수하들과 기다리는 이들의 목숨보다 귀하지는 않았다. 그녀는 주위를 둘러보았다. 우연히 발견한 동굴. 오늘은 이 동굴에서 밤을 보내야 할 터. 리타나는 무뎌지려는 정신을 가다듬으며 조만간 결단을 내려야겠다 생각했다.

바스락.

"음?"

리타나는 창을 잡았다. 동굴 밖에서 인기척이 들려왔다.

바스락, 바스락.

투둑투둑.

빗소리와 발자국 소리.

누군가 오고 있다. 동굴 모닥불 근처에 모인 리타나와 수하들의 눈빛이 달라졌다.

바스락.

소리가 가까워졌다. 곧 동굴 불빛으로 그림자가 하나 드리워졌다.

쉬익―

"누구냐?"

부하의 창끝이 들어선 이의 목젖으로 향했다.

"저, 그게."

부드러운 대륙 공용어가 들려왔다. 모닥불 불빛으로 들어선 이의 얼굴이 서서히 드러났다.

"불빛이 보여서 반가운 마음에 왔습니다."

겨눠진 창끝을 힐끗 보며 어색한 미소를 짓는 붉은 머리칼의 남자. 화려하게 생겼지만 선량함이 절로 느껴지는 표정의 남자는 창끝을 보며 침을 꿀꺽 삼키고는 조심스레 말했다.

"저기, 괜찮다면 하룻밤 불 좀 쬘 수 있을까요?"

냐아아옹.

품속 고양이가 처량하게 비에 젖어 바들거렸고 남자도 바들거렸다.

"우비가 찢어져서, 비를 맞았더니 너무 추워서요."

찢긴 우비와 처량해 보이는 남자와 고양이. 리타나는 경계를 하면서도 입을 열었다.

"담요 가져다줘라."

저 처량해 보이는 침입자들은 약자는 보호해야 한다고 배웠던 그녀의 마음을 자극했다. 붉은 머리칼의 남자, 케일은 오들오들 떨며 리타나의 일행 속으로 들어갔다.

－약한 인간, 감기 조심해라. 그런데 너 왜 평소와 다른 표정을 짓나? 많이 아픈가?

라온이 앞발만큼의 힘을 사용해 마법을 펼친 덕에 라온의 목소리가 케일의 머릿속에 울렸다. 하지만 그는 라온의 말에 반응하지 않고서 꿍꿍이를 숨긴 채 담요를 받아 들며 부드러운 미소와 예의 바른 태도로 인사했다.

"감사합니다."

망나니가 아닌 전형적으로 올바르게 자란 귀족가 모범생 같아 보였다. 고양이 온이 황당하다는 듯 케일을 쳐다봤다.

케일은 슬슬 밑밥을 까는 중이었다.

밑밥은 잘 깔리고 있었다. 부드러운 동작으로 동굴 안으로 들어와 한쪽 구석에 자리를 잡은 케일을 바라보는 시선들은 묘했다.

"머물 곳을 내어주셔서 감사합니다."

정중하면서도 다정한 어조였다. 당연히 목소리의 주인공은 케일이었다.

리타나는 전형적인 대륙 중앙인의 모습을 한 붉은 머리칼의 남자에게 고개를 저어 보였다.

"여행자들끼리 당연한 것이죠. 비를 많이 맞아 추우신 것 같은데, 불 쬐고 가세요."

그러면서도 그녀와 수하들은 케일과 일정 수준의 경계를 두었다. 아무리 비를 맞아 모습이 처량해 보여도 타인이었다.

-비는 무슨! 하나도 안 맞았는데! 그리고 따뜻한 물로 했다!

라온이 리타나의 말을 부정했다. 케일과 온은 동굴 근처에서 우비를 찢고 라온의 따뜻한 물과 체온 보호 마법을 사용해 동굴로 들어섰다. 케일은 연기를 꽤 잘해낸 온의 등을 쓰다듬었다.

냐아아옹.

온은 여전히 황당하다는 듯 케일을 바라봤다. 그런 두 사람을 리타나는 은밀히 매서운 눈빛으로 관찰했다.

'평범한 사람 같지 않은데.'

아까 전 부하가 창을 겨눴을 때는 몰랐지만, 이제 보니 눈앞의 이는 평범한 모험가나 여행자라기에는 그 분위기가 달라 보였다. 체격은 좋았으나 서 있는 자세, 걸음걸이, 그런 것들을 보았을 때 적어도 무를 익힌 자는 아니었다. 그렇다고 마법사나 다른 종류의 강자 같아 보이지도 않았다. 그녀의 느낌은 정확했다.

-오늘 또 발톱만큼 강해 보인다.

라온이 평가한 것처럼, 지배하는 아우라가 케일의 몸을 은은하게 감싸고 있었다. 케일은 리타나가 자신을 탐색하는 동안, 그 역시도 리타나를 스쳐보듯 관찰했다.

남부의 정글 사람들. 통칭 남부인들은 구릿빛 피부에, 운동 신경에 특화된 체격이 특징이었다. 정글이라는 대자연을 지닌 만큼 그들은 상당히 자연친화적 성향이 강했다.

자연친화적.

그 성향은 명백하게 다른 방향으로 나뉘어져 한쪽은 위퍼 왕국 부족민들의 문화로, 다른 한쪽은 남부인들의 문화로 발달했다.

위퍼 왕국 부족민들 쪽은 자연의 확고한 진리인 '적자생존'과 '투쟁'이 뚜렷하게 발달했다. 반면에 남부인들은 '상생'과 '우두머리와 집단' 개념이 발달했다.

어색한 침묵이 그들 사이에 흘렀다. 그 정적을 깬 이는 별다를 것 없다는 듯 흘러가는 목소리였다.

"어제보다 비가 거세진 게, 내일 숲을 나가야겠네요. 그렇지, 온?"

다정히 고양이에게 말을 건네는 남자의 모습은 모닥불만큼이나 따뜻했다. 온이 이를 기가 차다는 듯 바라봤다.

ㅡ……왜 저러나?

라온이 의문을 표했다. 그리고 리타나와 수하들은 굳은 얼굴로 케일을 응시했다. 리타나는 남자가 한 말로, 하나를 어림짐작할 수 있었다.

"그, 저기ㅡ"

"케일이라 불러주시면 됩니다."

"네, 케일 씨."

리타나는 남자의 행색이 그제야 제대로 눈에 들어왔다. 마법 주머니를 차고 있었지만 칼도, 무엇도 없이 그저 산책 나온 듯 간편한 옷차림이었다. 그리고 길을 아는 듯한 태도. 마지막으로 비상한 분위기.

순간 한 가지 생각이 머릿속에 떠올랐다.

'……용인가?'

전설이 떠올랐다. 소원을 들어준다는 용. 그 용이 어떤 모습인지,

어떻게 등장하는지는 전설에 나오지 않았다. 리타나는 자신의 생각이 황당하다고 느끼면서도 알 수 없는 긴장감이 차올랐다.

그때, 리타나와 케일이라는 남자의 눈빛이 맞닿았다. 남자의 눈꼬리가 휘었다.

"저 용 아닙니다."

아. 입에서 탄식이 흘러나옴과 동시에 그녀는 뜨끔했다. 리타나는 케일이 젖어서 얼굴에 달라붙은 붉은 머리칼을 쓸어 넘기는 것을 볼 수 있었다.

"하지만 길은 압니다."

"……어떻게?"

정글. 그 복잡하고 불규칙한 곳을 제집처럼 드나들던 자신과 수하들도 여기서는 길을 찾을 수가 없었다. 그런데 눈앞의 남자가 해냈다고?

의문을 여지없이 그대로 드러내는 리타나에게 케일은 미소를 지어 보이며 입을 열었다.

"이 아이는 묘족의 아이입니다."

케일은 온을 쓰다듬었다. 한없이 다정한, 꼭 성자와 같은 눈빛이었다.

"우연히 빈민가에서 이 아이를 만나, 지금처럼 비 오는 날 함께하게 되었지요."

그는 동굴 밖을 바라봤다. 꼭 그 비 내리던 날을 떠올리듯 우수에 젖은 눈빛이었다. 온은 그때를 떠올렸다. 이렇게 우수에 젖을 순간은 아니었다. 하지만 온은 입을 꾹 다물었다. 꼬리가 불안하게 흔들렸다.

"온, 이 아이가 안개를 조종할 줄 압니다."

"귀한 힘이군요."

리타나는 우림을 덮고 있는 안개를 떠올리며 감탄을 흘렸다.

"그렇죠. 귀한 힘입니다. 영지를 떠나 여러 곳을 전전하다가 이곳에 대해서 알게 되었습니다. 그러다가 우연히 발견한 고대 문서에서 이곳이 안개에 의해 조종된다는 문구를 하나 보게 되었습니다."

그녀는 온에게서 시선을 돌려 케일을 바라봤다. 보면 볼수록 행동과 말투에서 기품이 느껴졌다. 못해도 귀족으로 보이는 자였다.

"그래서 저와 이 아이는 함께 이곳으로 오게 되었습니다."

은은한 모닥불 불빛 사이로 케일의 눈동자가 반짝였다. 리타나와 수하들은 그 반짝임이 시야에 들어왔다. 케일의 차분하지만 열정이 담긴 목소리가 동굴 안으로 스며들었다.

"우리의 힘으로 이곳의 비밀과 길을 잃은 자들, 그리고 그들을 하염없이 기다리는 이들에게 하나의 희망을 줄 수 있지 않을까 싶어서요. 그래서 왔습니다."

─……이게 아닌데.

라온이 혼란스럽다는 듯 중얼거렸고, 온은 체념했다. 그저 가만히 꼬리를 살랑거렸다. 케일은 리타나의 눈빛이 변하는 것을 보며 입가에 은은한 미소를 띠었다.

"다행히 그 생각대로, 안개를 조종하니 길이 보이더군요."

곧 그는 안개의 비밀에 대해 설명해 주었다. 정신 착란과 길을 알 수 없도록 마나가 교란되는 구조라는 것을, 하나하나 다 설명해 주었다.

"그랬군요."

리타나는 씁쓸함을 감추지 못했다.

"전설은- 없는 것이겠군요."

안개와 마나의 작용이라면, 용의 힘이라던 전설은 거짓이나 다름 없었다. 허탈함이 리타나와 수하들 얼굴에 드리워졌다. 하지만 한편으로 리타나는 잘됐다 싶었다. 이대로 숲에 불을 내야 하나 고민하던 것보다는 상황이 나았기 때문이다.

"그럼 혹시 내일 나가실 때, 저희 안내도 부탁드려도 되겠습니까?"

"그럼요. 도움이 필요하신 분들은 응당 도와야지요."

케일을 바라보는 리타나의 눈길이 한층 부드럽고 따뜻해졌다. 인상대로 선한 이였다. 이런 마음가짐을 가졌으니 그에게서 비범한 분위기가 흘러나온 것일 터.

케일은 안타까운 표정으로 그녀를 바라봤다.

"간절한 소원이 있으셨을 텐데."

"괜찮습니다. 어쩔 수 없지요. 숲에 불이라도 질러서 빠져나가야하나 생각했는데. 그것보다는 낫죠."

불. 그 단어에 케일의 눈빛에 이채가 반짝이다 순식간에 사라졌다.

"불이라. 참 무서운 단어네요. 자연을 아끼는 남부인분들께서 얼마나 큰 기로에 서 있으셨는지 느껴집니다."

"남부에 대해서 아십니까?"

"잘은 모르고, 그저 책으로만 많이 접했습니다. 제가 여러 곳을 다니는 걸 좋아하고, 또 다양하고 아름다운 풍경들을 사랑하거든요."

-호오, 그렇구나. 약한 인간.

케일은 라온의 반응에 뒤통수가 싸해져 왔지만 최대한 밝게 말했다.

"정글의 산과 강, 그 모든 것들이 얼마나 아름다운지 책으로 많이 봤습니다. 이제 이 우림의 길을 벗어날 테니, 시간이 되면 가보려고 합니다."

"그러시군요."

미안함과 안타까움, 쓸쓸함. 그런 감정들이 리타나에게서 차올랐다. 그녀는 정글의 아름다움에 대해 말하는, 이 우림을 벗어나면 보일 그 아름다운 광경을 기다리는 이에게 차마 거짓을 말하거나 모른 척할 수 없었다. 수하들의 표정도 이미 어두워져 있었다.

"아쉽지만, 이 우림을 벗어나서 마주한 정글은 아름답지 않으실 겁니다."

"······그게 무슨?"

우림을 벗어나 하루 정도 더 가면 정글 지대가 펼쳐졌다. 남부 전역의 대부분을 차지하는 정글. 그 영역은 상당히 넓었다. 그런데 왜 하필 리타나가 여기 이 우림으로 왔겠는가.

불이 난 곳과 가까워서 그랬다.

"정글에 불이 났습니다."

"네? 그럼 당장 꺼야 하지 않습니까?"

"······꺼지지도 번지지도 않는 불이거든요."

혼란스러워하는 케일의 눈동자를 보며 리타나는 현재 정글 한구석에서 타오르는 불길에 대해 설명해 나갔다.

"어느 날부터 1구역 정글. 그러니까 이 우림을 벗어나면 나오는 정글이 1구역입니다. 거기에서 불길이 치솟더군요. 물, 마법, 주술, 온갖 방법을 써도 불이 꺼지지 않아 큰 걱정을 했는데, 1구역만 태우고 그 이상은 번지지 않았습니다."

그녀는 쓸쓸한 얼굴로 중얼거렸다.

"좋은 일인지, 나쁜 일인지 모르겠네요."

희한한 불길이었다.

하지만 케일은 이 불길의 정체를 알고 있었다.

마법, 주술로도 꺼지지 않는 불길.

정답은 연금술이었다.

마법보다 과학적인 연금술. 그 연금술이 가장 발달했지만, 어찌 보면 연금술뿐이라 할 수 있는 나라가 하나 있었다.

모고르 제국. 연금술 종탑을 보유한 제국에서 이 일을 저질렀다.

'정확히 말하면 황태자지.'

총 크고 작은 15구역으로 나뉜 정글을 통합한 리타나와 통합된 정글의 세력을 걱정한 황태자가 은밀히 진행한 일이었다.

하지만 세상의 비밀은 있을 수 없는 법. 4권 말미 우림에 불을 지른 리타나는 후에 황태자의 짓임을 깨닫고, 5권쯤 적자생존이라는 다른 개념을 내건 툰카와 모고르 제국의 황태자를 상대할 준비를 한다.

말 대신 흑표범을 탄 왕은 전사들을 이끌고 정글을 지키고자 했다.

'그것까지 내 알 바는 아니지.'

케일은 이 일에 결코 끼어들고 싶지 않았다. 그는 이번 정글 불 건만 해결하고 돈을 받은 뒤, 몇 가지 일을 처리하고 영지에 박혀 있을 생각이었다.

왜냐면 황태자를 썩 보고 싶지 않았기 때문이다.

'상성이 안 좋아.'

알베르 왕세자와 제국의 황태자는 비슷한 인물이었다. 때문에 케일과 동류라 볼 수 있었으나, 조금 달랐다.

왕세자는 기본적으로 대의를 따지는 인물이었다. 그래서 케일이

대하고 이용하기 편했다.

그러나 황태자는 그런 것이 없다. 오로지 자신의 이득만을 따졌다. 그리고 보다 음험했고 교묘했다.

케일과 비슷하면서도 달랐다. 그는 서대륙의 중앙에서 모든 것을 컨트롤하려던 황태자의 인상착의를 머릿속 구석으로 밀어버리며, 얼굴 근육을 움직였다. 비통한 표정이었다.

"불길이 큽니까?"

"······살면서 그렇게 큰 불길은 처음 보았습니다. 밤낮 할 것 없이 하늘을 향해 치솟을 듯 솟아오르는 불길은 마치 폭발이 매일 일어나는 것 같았어요."

"그럼 접근도 힘들겠군요."

"그렇죠. 동물도, 사람도 다들 그 근처에 가지도 못합니다. 다가가기만 해도 화상을 입을 것 같은 열기거든요."

"끔찍, 하, 정말로 끔찍한 일입니다."

리타나는 진심으로 그 사실을 안타까워하고 슬퍼하는 케일을 보며 고마움을 느꼈다. 남부인들의 일에 대해, 자연에 대해 이렇게 공감하는 중앙인을 보기가 힘들었기 때문이다.

"하지만 최선을 다해 그 불을 끄고자 합니다."

"그렇군요."

그녀는 자신의 말에 고개를 끄덕이던 케일이 고민이 생긴 듯 깊은 상념에 빠져드는 것을 볼 수 있었다. 하지만 그 시간은 길지 않았다. 짧았다. 그리고 그의 눈빛에 결연함이 드리워졌다.

"저를, 하."

그는 말을 하다 말고 한숨을 내쉬며 얼굴을 쓸어내렸다. 그러다가도 이내 비장한 눈빛으로 리타나를 바라봤다.

"저를 그 불길 속으로 데려다주십시오."

"네?"

케일이 아는 리타나는 약한 자에게 한없이 약하며, 선한 이에게 하나라도 더 주고자 하는 사람이었다. 그리고 복수는 열 배로, 은혜는 천 배로 갚는 여인이었다.

케일은 어느 때보다도 선하고 비장한 표정을 얼굴 위에 그려냈다. 그는 일부러 목소리를 살짝 떨며 말했다.

"그 불을 끌 수도 있을 것 같습니다."

"그게 무슨?"

검은 용이 케일의 머릿속에 외쳤다.

─약한 인간, 왜 그러나? 오늘 아주 이상하다! 넌 약하다! 왜 그러나?

그러거나 말거나, 케일은 여전히 결연한 표정을 짓고 있었다.

"제 힘으로 할 수 있을 것 같습니다."

동굴 안에 기묘한 정적이 내려앉았다. 리타나는 케일을 보던 시선을 돌려 수하들을 바라봤다. 자신이 제대로 들은 것이 맞나 싶어서였다. 수하들도 그녀와 비슷한 표정이었다.

"케일 씨, 무슨 말씀이신지 제대로 들어볼 수 있을까요?"

동굴 벽에 기대듯 앉아 있던 리타나가 몸을 바로 했다. 가죽 갑옷이 어느새 모닥불에 말라, 전사로서의 그녀를 잘 보여주었다.

"저는 로운 왕국 사람입니다."

"동북쪽 분이시네요. 저희는 정글에서 전사로 일하던 이들입니다."

"그러시군요. 전 로운 왕국 구석의 작은 영지 사람입니다, 음."

케일은 단지 '전사'라고 정체를 숨기는 리타나에게 살짝 난감하다는 듯 볼을 붉적이며 조심스레 말했다.

"작은 귀족 가문의 사람입니다. 그 덕에 어디 여행 다니기에 돈이 부족하지는 않죠. 일행도 있고."

"일행이요?"

"네. 숲은 온과 둘이서 들어왔지만, 저를 믿어주고 따라주는 이들이 있지요."

우두머리와 무리의 개념을 중시하는 리타나와 수하들의 눈빛이 한층 더 부드러워졌다.

"아무튼, 여러 곳을 다니다 보니 운 좋게 기연을 얻을 일이 있었습니다."

"기연이요?"

케일의 입가에 쓸쓸한 미소가 떠올랐다. 힘겨운 기억을 떠올리듯 눈가가 찡그려졌다.

"네. 바다 소용돌이에 휘말렸다가 간신히 빠져나온 뒤 한 동굴에서 발견한 기연이지요. 그때, 상처 입은 이를 발견해서 구할 수 있었는데. 그게 소용돌이에 휘말린 이유인 것 같아 얼마나 다행이던지, 아."

그는 말을 잇다가 어색한 미소를 지어 보였다.

"죄송합니다. 하려던 이야기는 그게 아니었는데."

"케일 씨는 많은 분을 구하신 것 같습니다."

리타나는 얌전한 묘족 아이 온을 보다가 케일을 바라봤다. 이 정중하고 예의 바른 귀족은, 귀족이라 뻗대지도 않았다.

"아닙니다. 그냥 지나칠 수 없어서."

참으로 겸손하고 선했다.

"아무튼 그때 제가 얻은 힘이 있습니다."

"무슨 힘이죠?"

리타나는 본론이 나올 것임을 깨닫고 케일의 입을 주시했다.

"불을 제압하는 물. 어떤 불이든 제압하는 성질이죠."

그녀와 수하들의 눈빛에 이채가 감돌았다. 확실히 일반적인 힘과 달라 보였다. 그리고 그 판단은 정확했다.

이 물은 일반 물과는 달랐다.

연금술이든 뭐든 어떠한 성질을 지녀도 '불'이면 제압할 수 있었다. 본래는 툰카가 발견했던 그 기연. 그는 그 물을 마심으로써 불 속에서도 말짱한 신체를 얻었다.

그러나 케일은 '심장의 활력'이 있었기에 화상 따위는 겁도 안 났다. 조금 아프겠지만, 바로 회복되는데 굳이 쓸 필요가 있겠는가. 대신 그는 그 물의 속성을 라크가 구해 온 고대의 힘 '스며드는 목걸이'에 그대로 부여했다.

케일은 조심스럽게 덧붙였다.

"하지만 사용하는 힘의 총량이 정해져 있어 얼마나 쓸 수 있을지 모르겠습니다."

"아."

리타나가 탄식을 흘렸다. 그녀는 몇 번 입술을 달싹이다가 물었다.

"귀한 힘일 텐데, 그걸 저희에게 써도 됩니까?"

케일은 올라가려는 입꼬리를 꾹 눌렀다.

그 힘에 총량이 있기는 했다.

'대략 서대륙 전체가 불바다가 됐을 때, 그 불을 제압할 정도?'

서대륙 전체에 나는 불을 케일 자신이 제압할 게 아니면, 평생 써도 부족하지 않을 총량이었다. 어쨌든 총량이 있기는 있으니 리타나에게 틀린 말을 한 것은 아니지 않은가?

"그, 뭐라고 불러야 할까요?"

"……리나라고 불러주세요."

수하 중 한 명이 살짝 멈칫했다. 케일은 이를 모른 척하며 리타나의 애칭을 불렀다.

"리나 씨."

"네."

"힘에 귀하고 천하고는 없습니다. 그 힘을 어디에 사용하느냐. 그것이 중요하다고 생각합니다."

리타나와 수하들은 어느 때보다도 또렷한 케일의 눈동자를 볼 수 있었다.

"제가 가진 힘으로 자연을 지키고 동식물, 그리고 사람들 목숨과 그들의 터전을 지킬 수 있다면 사용해야 한다고 생각합니다."

리타나는 저도 모르게 주먹을 쥐었다. 손아귀에 절로 힘이 들어갔다. 심장이 찌르르 울렸다.

"물론 제가 주인으로 인식된 힘이다 보니 직접 가서 사용해야 하는지라, 조금 시간이 걸리고 번거로우시겠지만."

"……불길 속에 들어가서 사용하셔야 합니까?"

"불길 속은 힘들 것 같고. 가까이에는 가야 할 것 같습니다."

케일은 리타나의 얼굴이 일그러지는 것을 볼 수 있었다. 고마움과 미안함, 모든 것들이 그녀의 눈동자 속에서 소용돌이쳤다. 리타나의 수하들도 마찬가지였다. 물론 그중에 두어 명은 케일을 아직 경계했지만, 그 경계 안에도 고마움이 있었다.

케일은 마지막 한 방을 날렸다.

"제 힘이 도움이 될 수 있다면 정말 행복할 것 같습니다. 모두를 구하고 돕고 싶네요."

─내가 알던 약한 인간이 아닌데. 아니지, 착하긴 한데. 그래도 이건 아닌데. 아무튼 구하는 건 위대한 일이다!

네 살의 혼란이 증폭되었다가 결론을 내려 버렸다. 온은 이제 아예 하품을 하며 케일을 외면했다.

"정말, 정말 고마워요."

케일은 그 고마워하는 얼굴에 부드러운 미소를 지어 보였다. 그러나 그의 눈동자는 냉철하게 리타나와 수하들을 살폈다.

2주. 이들은 보살펴야 하는 사람들과 정글을 놔두고, 단 하나의 희망만을 품고 이곳에 왔을 것이다. 그러나 그저 길을 헤매기만 하며 한계에 치달아 갔을 터. 그들에겐 케일이 전설 속의 용이나 다름없었다.

"어떻게 이 은혜를 갚아야 할지."

"아닙니다, 은혜라뇨. 아직 전 아무것도 하지 않았습니다. 그저 제가 이 일을 하기 위해 이 숲에 들어온 건 아닌가 하는 생각이 드네요."

리타나는 욕심 하나 보이지 않고, 오로지 선한 마음만이 가득한 케일의 모습이 감동스러웠다. 그녀는 어릴 적부터 신념으로 여겨온 것이 있었다.

복수는 열 배로, 은혜는 자신이 할 수 있는 만큼.

"케일 씨, 그래도 이 은혜를 어떻게든 보답하고 싶어요. 저희에게 길을 안내해 주고 불길에 가주시는 것만으로도 고마워요. 그리고 한계가 있는 힘을 써주시는데, 이렇게 그냥 받을 순 없어요."

"이거 참. 괜찮은데."

케일은 난감하다는 표정을 지었다. 그는 잠시 고민하는 듯하다가 무언가 떠올랐다는 듯 작게 손바닥을 부딪쳤다.

"아!"

그는 쑥스럽다는 듯 리타나와 수하들에게 말했다.

"정글과 관련된 책에서 1구역에 대한 글을 봤습니다. 그곳이 해안가로 울창한 정글과 어울려 참 아름답다고 들었습니다. 특히 석양이 아름답다고요. 그때 책을 읽으며 그런 곳에 별장이 하나 있으면 좋지 않을까 생각했었어요."

지금 불이 난 1구역. 그곳의 동쪽 끝에 있는 해안가에는 금광에 버금가는 물질이 묻힌 곳이 있었다.

한 달 뒤, 동대륙에서 건너온 주술사를 통해 불길은 겨우 잡힌다. 그 주술사는 해안가의 바닷물을 끌어들이러 갔다가 우연히 금덩어리를 발견한다.

그 금덩어리는 바로 '마정석' 동산.

진짜 광산은 아니고, 최상급 마정석이 무더기로 묻혀 있을 뿐인 곳. 주술사는 이를 혼자 몰래 알고 있다가 다 캐서 도망쳐 버린다.

"불을 모두 다 끄고 나면, 그곳에 석양을 보러 한번 가 봐도 되겠습니까?"

리타나는 순간 할 말을 잃었다. 아름다운 1구역 해안가. 하지만 그곳도 불타올랐다. 그래서 흉한 풍경일 것을, 눈앞의 남자는 알 것이다. 그럼에도 땅이나 돈을 원하는 것이 아니라 그저 그곳을 보고 싶다고 말하는 심성이, 그녀는 놀라웠다. 그래서 그녀는 먼저 말을 꺼냈다.

"구경으론 부족할 것 같아요."

"네?"

"별장을 지어드리겠습니다. 1구역이 싫으시면 다른 곳에라도 지어드릴게요."

"아, 아닙니다! 무슨 그런, 과한! 괜찮습니다."

케일은 위로 씰룩이며 올라가려는 입꼬리를 제어했다.

"아뇨. 별장, 지어드리겠습니다."

"아, 그러시면."

난감한 표정으로, 어쩔 수 없다는 표정으로 케일은 말했다.

"후에 제가 불을 끄는 데 도움이 되었다면, 별장은 너무 크고, 별장을 지을 만한 작은 터를 얻을 수 있을까요?"

리타나는 케일이 스스로를 작은 귀족 가문 소속이라고 했지만 보면 볼수록 그게 아님을 알 수 있었다. 옷 재질이나 착용하고 있는 마법 주머니의 외양, 그리고 그가 가진 기품. 분명 별장이나 땅 따위는 쉬이 살 수 있는 자일 것이다.

"네, 얼마든지요. 케일 씨가 원하는 만큼 터를 잡으세요. 꼭 그래주셨으면 합니다. 그래야 마음이 편할 것 같아요."

됐다.

케일은 내면에서 터져 나오는 환호를 참으며, 한숨과 함께 고개를 끄덕였다.

"네, 그러겠습니다."

물욕에 전혀 관심 없지만, 워낙 그러니 알겠다고 하는 모습이었다. 그 모습에 리타나는 이 모든 일이 잘 해결되면 더욱더 은혜를 갚아서, 케일이 원하는 이상의 것을 해줘야겠다 다짐했다. 그런 리타나를 케일은 아주 잘 알고 있었다. 케일은 온을 쓰다듬다가 눈이 마주쳤다.

'목표는 땅인데! 그렇죠?'

그렇게 온의 눈동자가 한가득 물어왔지만 케일은 모른 척하며 마법 주머니를 펼쳤다.

"일단 뭐라도 드시겠습니까? 다들 많이 수척해 보이시는데."

"아, 그게."

케일은 마법 주머니에서 비크로스를 닮달해 만든 음식들을 꺼냈다. 그는 자신의 편을 만드는 가장 기본적인 법을 알고 있었다.

밥 주는 놈이 착한 놈이다.

최한도 그렇게 꼬이지 않았던가. 케일은 리타나의 수하가 준 담요를 매만지며 부드러이 말했다.

"이 담요값입니다. 같이 나눠 먹고 내일 움직입시다."

분위기는 훈훈을 넘어 뜨끈뜨끈해져 갔다.

"제 일행이 있는 마을로 먼저 갔다가, 그다음에 이 숲을 가로질러 정글로 가는 것으로 하죠. 일단 어서 드세요."

케일은 리타나와 수하들을 더 구워삶았다.

"그래야 힘을 내어 다 구하러 갈 것 아닙니까?"

의지와 단호함이 담긴 목소리에 리타나와 수하들의 머릿속에 그들을 기다리고 있을 이들이 떠올랐다.

그리고 마정석이 케일을 기다리고 있었다.

리타나는 마법 주머니에 있어서 신선하고 따뜻한 음식들을 보며 케일이 내민 포크를 잡았다. 그녀는 중얼거렸다.

"전설은 먼 곳에 있는 게 아니었어."

"네?"

케일은 다 들었지만 못 들은 척 되물었다.

"아닙니다. 맛있네요, 케일 씨."

"다행입니다."

리타나와 수하들은 2주 만에 마음 편안하고 배부른 밤을 보낼 수 있었다. 온은 이를 흐뭇하게 바라보는 케일을 힐끗거리며 한숨을 내쉬었다.

"케일 씨, 신기하네요."

"그렇죠? 온이 대단한 거죠."

케일은 제 뒤를 따르는 리타나와 수하들을 힐끗 쳐다보았다. 아침이 되어 한층 밝아진 곳에서 마주한 여섯 사람은 확실히 무사로서의 기운이 그대로 풍겨왔다.

서대륙에서 무사와 전사는 조금 달랐다.

툰카는 전형적인 전사였고, 북쪽의 기사들은 무사에 가까웠다. 그리고 정글인들은 이 둘의 결합이었다. 무를 숭상하고 그들 나름의 무술에 전진하면서도 변칙적인 전투를 곧잘 해냈다.

"리나 씨, 조금만 더 가면 호이크 마을이 나올 겁니다."

케일은 자신의 말에 우비를 깊이 눌러쓰는 리타나와 수하들을 볼 수 있었다. 상황상 그들은 갑작스럽게 국경을 넘게 되었다. 때문에 남색의 우비로 최대한 외양을 가렸다.

특히 리타나는 자신의 검은 머리칼을 숨겼다. 왕족의 머리칼은 완전한 검은색이었다. 남부인 중 체격도 작은 편인 데다 신분을 숨기는 리타나에게서 강자의 모습은 잘 보이지 않았다.

하지만 케일은 안다.

'최한 한 수 아래.'

그녀는 툰카와는 차원이 다른 강자였다. 최한 한 수 아래란 소리는 아주 강하다는 소리였다. 특히 흑표범을 탄 그녀가 정글에서 펼치는 창술은 어느 누구도 따라잡을 수 없었다.

특히 환한 대낮에도 숲 그림자로 어두운 정글에서의 그녀는 적들에게 죽음의 사자와 같았다. 그러니 정글을 통제하는 우두머리가 된 것이다.

우두머리는 포용심과 더불어 강해야 했다. 자신의 무리를 지켜야 하니까.

"이제 곧 마을입니다."

케일은 조용히 뒤를 따르는 리타나 일행을 느끼며 걸음을 앞으로 내디뎠다. 온이 안개를 조종해 길을 열어주었다.

점점 안개가 옅어져 갔다.

"아."

뒤에서 수하들의 탄성이 들려왔다. 나올 수 없는 길을 점점 빠져나가는 것을 느낀 것이다. 케일은 묵묵히 걸었다. 느긋하게 걷는 그의 뒤를, 수하들과 리타나가 믿음을 가지고 따랐다.

투둑. 투둑. 케일이 리타나에게서 받아 새로 입은 우비를 빗방울이 두드렸다.

―다 왔다.

그리고 마침내 안개가 걷히며 호이크 마을의 입구가 나타났다. 케일은 입구로 다시 돌아왔다.

"하."

케일의 입에서 탄식과도 같은 웃음이 흘러나왔다.

냐아아옹!

온이 케일의 품을 벗어나 바닥에 내려서서 뛰어갔다.

냐아옹!

홍이 뛰어왔다. 남매는 서로에게 볼을 비벼댔다. 케일은 팔짱을 끼며 그 광경을 보다가, 입구의 비석 옆에 서 있는 이들을 보며 미간을 찌푸렸다.

"다들 비 오는데 뭐 하는 거야?"

한스와 최한, 로잘린. 그들이 케일을 기다리고 있었다. 그들은 케일의 타박에도 저마다 다른 반응으로 못 들은 척했다.

"공자님, 부집사로서 잠이 안 오더라고요."

"케일 님, 춥습니다. 뒤에 분들은 누구시죠?"

"공자, 잘 다녀왔어요?"

케일은 팔짱을 풀며 그들에게로 걸어갔다. 그리고 그들 앞에 서서 말했다.

"돌아왔어."

케일은 일행이 짓는 미소를 썩 보고 싶지 않아 시선을 돌렸다. 그곳엔 그를 쳐다보는 이들이 있었다. 바로, 돌아오지 않을 이들을 기다리는 사람들. 그들이었다.

케일은 숲으로 들어가는 자신을 말리던 노인에게로 다가갔다. 비석 옆에 앉아 있던 노인의 앞에 쭈그려 앉았다. 노인의 눈동자가 믿을 수 없다는 듯 흔들리고 있었다.

"노인장."

기다리는 것. 다시 돌아오지 않을 이들을 그리워하는 것을 케일은, 김록수는 해보았다. 돌아가신 부모님을, 그는 부질없음을 알면서도 기다려 본 적이 있었다. 그는 노인의 눈동자를 바라봤다.

"용은 없었어."

전설은 깨졌다.

노인의 눈동자에 서서히 물기가 차올랐다. 노인은 아무 말도 못하고 땅바닥을 내려다보며 연신 고개를 끄덕였다. 그는 노인과 사람들을 지나치며 무심히 덧붙였다.

"숲 안에 옷가지들과 유골들이 있더군. 원하면 챙겨 오도록 하지."

그것이 케일이 해줄 수 있는 바였다. 그는 일행 앞에 서서 리타나 일행과, 그를 번갈아 바라보는 일행에게 말했다.

"짐 싸."

그는 숲을 가리켰다.

"정글에 간다."

정글 1구역을 통째로 태우는 불길. 그 불길을 케일이 홀로 제압할 차례였다.

17장
당황했다

17장
당황했다

두 시간 뒤, 케일의 일행은 모두 '나올 수 없는 길' 숲 입구 앞에 모였다. 물론 그들만 있지 않았다. 케일은 한스에게 지시했다.

"네가 명단을 받도록."

"네."

한스는 케일을 바라보는 마을 사람들을 상대하러 멀어졌다. 그는 이번 참에 아마 고양이들의 비밀에 대해 알게 될 것이다.

케일의 눈짓에 메스와 늑대 아이들, 힐스만이 일렬로 정렬했다. 기사단과 같은 절도 있는 모습이었다.

"온은 우리를 데려다주고 홍과 함께 돌아올 거다. 그러면 너희들과 온이 함께 유품을 모으는 일을 하도록."

메스를 비롯한 늑대 아이들은 비장한 표정으로 고개를 끄덕였다. 그 모습을 꽤 흡족하게 바라보던 케일의 아래에서 한이 가득 담긴 목소리가 들려왔다.

"고, 공자님, 저는 왜? 설계를 해야 하는데."

뮐러가 케일과 힐스만, 비크로스 사이에서 오들오들 떨며 케일을 올려다봤다. 케일은 그 모습이 띨해 보였다. 이 띨한 놈은 혼자 두기 걱정스러웠다.

"그냥 좋게 말할 때 따라와라."

또 이놈의 목덜미를 잡거나 이놈을 옆구리에 끼고 데려가고 싶지는 않았다. 뮐러는 케일의 말을 어떻게 알아들은 것인지 하얗게 질려 고개를 끄덕였다. 그의 품에는 설계를 위한 종이와 펜이 담긴 커다란 가방이 안겨 있었다.

케일은 자신과 조금 떨어진 곳에 있는 리타나에게로 다가갔다. 그는 부드러운 미소를 입가에 매달았다.

"이제 출발하면 될 것 같습니다. 두 시간 동안 기다리느라 많이 초조하셨을 텐데."

"아뇨. 괜찮아요."

리타나는 그렇게 답하면서도 케일과 그의 일행을 살폈다. 케일은 무력을 지니지 않은 평범한 수준으로 보였기에, 그의 일행은 적당한 힘을 지닌 기사들일 줄 알았다.

'비범한 사람이야.'

하지만 그건 명백한 착각이었다. 그녀로서는 도저히 깊이를 알 수 없는 강자와 수많은 인재들이 케일의 곁에서 그의 명을 듣고 있었다.

리타나는 조금 떨어져 있었기에 그들 간의 대화를 듣지 못했지만, 자신들을 대할 때와 달리 케일은 일행을 카리스마 있게 통솔하는 것처럼 보였다.

반면에 케일의 일행은 리타나에게 부드러운 케일을 보며 각자 다른 표정을 지었지만 별다른 티를 내지 않았다. 케일이 일행에게 미리 말해둔 것이다.

'나한테 맞춰.'

알아서 잘들 맞출 것이다. 눈치 없는 사람은 또 없으니까.

"온, 가자."

냐아오옹.

온이 앞장섰고, 케일과 다른 이들이 따랐다.

"저, 케일 님."

온과 함께 제일 앞에서 걸어가고 있던 케일의 곁으로 최한이 다가왔다. 그는 무슨 할 말이라도 있는 듯 조심스러웠다. 케일은 리타나와 일행이 로잘린 뒤, 조금 떨어진 곳에 있는 것을 확인한 후 다시 최한을 바라봤다.

"왜?"

"혹시 이번 정글 불도 그들의 짓입니까?"

조심스러우면서도 날카로운 눈빛. 케일은 최한이 말하는 그들이 누구인지 바로 알아챌 수 있었다.

마법 폭탄 테러를 일으켰던 비밀 단체. 그들을 말하는 것이리라.

"아니. 그들의 짓이 아냐."

최한은 수도에서 비밀 단체와 얽힌 후, 원래라면 브렉 왕국에서도 다시 한번 살짝, 아주 살짝 그들과 엮인다. 하지만 이번에는 그들과 얽힌 것 같아 보이지 않았다.

"그렇군요. 저번 수도 때처럼 공자님이 부분적으로 아는 정보인가 싶어서."

"난 아직 맹세를 기억해."

케일은 최한에게 한 번 더 주지시켜 주었다.

"나는 그들의 정체를 알면 너에게 말해줄 거야. 그러니 걱정 마."

"네."

최한은 평소와 같이 담담한 얼굴로 안개를 헤치며 길을 만드는 케일에게 시선을 고정했다. 그는 몇 번이고 입술을 달싹이다 비장하게 말했다.

"힘든 일을 혼자서 짊어지려고 하지 마십시오."

뭐라는 거야? 케일은 최한을 황당하다는 듯 쳐다봤다.

"저도 그 말에는 동의해요."

리타나 일행과 케일 중간에 서 있던 로잘린이 싱긋 미소 지어 보였다. 케일은 두 사람의 말을 이해하기 힘들었다.

힘든 일? 내가?

"도통 무슨 말인지 모르겠습니다만. 힘든 일을 할 생각은 없습니다."

힘든 일을 내가 왜 하나? 시킬 이들이 주변에 깔려 있는데. 케일이 영문을 모르겠다는 듯 로잘린을 바라보며 두 사람의 물음에 황당하다는 듯 답했다.

최한과 로잘린은 서로를 보더니 어쩔 수 없다는 얼굴로 웃어 보였다. 그 표정이 케일은 상당히 찝찝했다. 그러나 시간을 지체할 수 없어 더 묻지 않고 앞으로 걸어갔다.

그리고 마침내, 잠깐의 휴식만 빼면 밤까지 지새우며 펼친 강행군으로 그들은 다음 날 '나올 수 없는 길'을 빠져나올 수 있었다.

"음."

"……세상에."

케일의 일행은 숲을 빠져나오자마자 보이는 것에 저마다 탄식을 내뱉었다.

검은 연기가 보였다.

또다시 하루를 더 가야 볼 수 있는 정글. 그 자리가 있을 법한 곳에서 검회색의 연기가 하늘을 물들이고 있었다. 또한 평지에서도 저 멀리 붉은 불길이 조금씩 보였다.

리타나는 입술을 깨물었다. 자신이 다스리는 땅이어서 그런 것이 아니다. 저 불로 터전을 여전히 못 찾고 있는 자신의 식구, 백성들이 떠올랐다.

"서두릅시다."

그녀는 고개를 돌려 케일에게 시선을 두었다. 분명 이 귀족은 힘들 것이다. 곱게 자라온 것이 보였으니까.

"네. 여기부터는 저희가 안내하겠습니다."

그럼에도 리타나는 서둘러야 했다. 그래서 고마웠다.

그녀의 손짓을 따라 수하 다섯 명이 앞으로 나섰다. 리타나는 제일 선두에 섰다. 원래 무리의 우두머리는 제일 앞에 서야 했다.

"빠르게 이동해야 해서, 최단 길이라 험할 수도 있습니다."

"상관없습니다."

부드럽지만 단호한 그의 대답.

"갑니다."

리타나는 고맙단 말 대신 앞으로 걸음을 내디뎠다. 그렇게 그들은 검은 연기로 다가갔다. 그리고 하루가 다시 지났을 때, 강행군으로 지친 그들의 눈앞에 거대한 불이 나타났다.

정확히 말하면, 거대한 불길을 경계로 형성된 여러 천막들도 함께 모습을 드러냈다. 하지만 그것들은 일행의 시야에 잡히지 않았다.

"무슨 불이-"

늑대 소년 라크는 저도 모르게 뒤로 한 걸음 물러섰다.

마치 화산이 폭발해 용암이 산을 뒤덮은 것 같았다. 불이 산처럼 하늘을 향해 솟아오르고 있었다. 이런 광경을 일행은 처음 보았다.

"크흠."

최한은 저도 모르게 헛기침을 하며 숨을 들이마셨다.

숨이 막혀왔다.

어둠의 숲에서 살아왔어도, 그렇게 강한 그도 이런 불길은 처음 보았다. 정글 1구역. 그 넓은 영역을 모두 뒤덮으며, 성처럼 하늘을 향해 거대하게 몸집을 불려 그 높이가 어마어마한 불.

자연은, 자연의 재앙은 인간의 상상을 쉬이 뛰어넘었다.

"저 불이?"

마법사 로잘린은 리타나 일행을 보며 물었다. 그녀의 눈동자는 믿을 수 없다는 듯 흔들리고 있었다.

그럴 수밖에 없었다.

지금은 비가 오고 있었으니까.

하루에도 몇 번이나 소나기가 오는 정글은 여름을 향해 가고 있었다. 장마 시기였다. 하늘은 흐렸고 비는 내리고 있었다.

그러나 불은 그대로였다. 흐린 세상에서 유독 붉었다.

그것이 파괴적이었다.

"저 불이 맞아요."

리타나는 씁쓸한 얼굴로 타오르는 불길을 바라봤다. 여전히 더 번지지 않고 그 자리에서 1구역의 숲을 삼키고 있었다.

"······정글이 죽어가고 있죠."

그녀는 조금 전 라크가 뒤로 물러서는 것을 봤다. 입술을 깨물었다.

상상을 뛰어넘는 무서운 재해는 사람들에게 두려움을 안겨주었다. 남부인들도 두려워서 다가가지 못한 채, 그저 경계선만 펼친 채 지켜보고 있지 않았던가.

리타나는 케일에게로 시선을 돌렸다. 그는 불길을 가만히 바라보고 있었다.

'저 불길을 보고도 그는 불에 다가가려고 할까?'

그녀는 차마 얼른 가자고 말할 수가 없었다.

그때.

"덥네."

케일의 목소리가 들려왔다. 그는 우비와 상의 재킷을 벗었다. 귀족임을 드러내듯 간소하지만 고급스러운 재킷을 벗은 그는 흰 셔츠의 소매를 걷었다. 그는 뒤돌아서서 일행을, 정확히는 리타나를 바라봤다.

"가죠. 저는 불 가장 가까이에 가야 할 것 같습니다. 경계선을 넘어야 할지도 모르겠습니다."

산책이라도 온 듯 평온한 모습이었다. 리타나는 주위를 둘러보았다. 케일의 수하들은 이럴 줄 알았다는 표정이었다. 리타나의 시선이 움직였다. 그녀는 자신의 수하들을 바라보다 마지막으로 케일과 다시 눈을 마주했다.

"제가 모셔다 드리겠습니다."

"혼자 갈 수 있습니다만."

케일은 그냥 혼자 가고 싶었다. 리타나가 어떻게 모셔다 줄지 예상이 되었기 때문이다.

"안 됩니다. 위험합니다."

리타나는 고개를 가로저으며 시선을 돌렸다. 경계선 밖에 형성된 수많은 천막들. 거기서 이리로 뛰어오는 이들이 보였다.

"여왕 폐하!"

"폐하!"

"대장님!"

저 멀리 그녀를 부르는 목소리가 들려왔다. 리타나는 여왕이라는 말에 놀란 듯한 케일의 모습에 부드러운 미소를 지었다.

물론 케일은 놀란 척 중이었다. 그리고 진짜 놀라기도 했다. 당연히 리타나가 여왕이라서 놀란 것은 아니었다.

'이야, 진짜 크네.'

어마어마한 생물이 리타나에게로 뛰어오고 있었다.

"크르르르!"

"텐!"

리타나의 부름에 거대한 흑표범은 날아오르듯 그녀의 앞까지 달려왔다. 리타나는 자신의 앞에 내려서는 흑표범의 등 위에 유려하게 올라탔다.

정글의 지배자 리타나와 흑표범 텐. 케일은 이들을 가리키는 '죽음의 사자'라는 별칭이 이해되었다.

짙은 남빛에 가까운 흑표범은 웬만한 성인 남자 두셋의 크기만큼 커다랬다. 그 위에 올라탄 그녀는 케일에게 말했다.

"저와 텐이 데려다 드리겠습니다."

그때 안전지대에서 뛰어온 수하들이 그녀와 케일을 번갈아 바라봤다.

"폐하, 이분들은?"

리타나는 수하들의 물음에 바로 답하지 않았다. 대신 그녀는 자신이 온 것을 알고 안전지대 천막에서 하나둘 나오는 사람들, 동물들을 볼 수 있었다. 1구역이 터전이었던 자들. 저들은 자신을 기다렸을 것이다. 그래서 그녀는 전설 속 용을 데려와야만 했다.

"용이지."

"네?"

의아하게 쳐다보는 수하에게 리타나는 씩 웃어 보였다. 그녀는 케일에게 손을 내밀었다.

"타세요, 케일 씨."

크르르.

케일은 흑표범이 크르르거리는 것을 보자, 썩 올라타고 싶지 않았다. 반면에 흑표범 텐은 라크를 노려보고 있었다.

케일과 함께 온 리타나의 수하 중 한 명이 앞으로 나섰다. 그는 다른 수하들에게 대표로 설명했다.

"불을 끌 수도 있을 것 같아 모셔온 분이다."

"정말로 불을 끌 수 있다고요?"

놀란 눈동자들이 케일에게로 향했다. 그런 케일의 앞을, 최한을 비롯한 다른 일행이 막아섰다.

"케일 님, 위험합니다. 제가 근처까지 모시겠습니다."

"됐어."

케일은 최한의 말에 고개를 가로저었다.

"저 열기면 가까이 다가가도 화상이야. 위험해. 다들 안전지대에 있도록."

괜히 따라오면 짐이었다. 다른 이들의 힘은 불길에 소용없었으니까.

"로잘린 씨, 실드 부탁드립니다."

"……네."

로잘린은 한숨과 함께 케일과 리타나, 텐에게 실드를 쳐주었다. 로잘린은 리타나의 정체를 이미 알고 있었다. 리타나는 로잘린을 모르는 것 같았지만.

"정글의 지배자이시니, 우리 중 누구보다 공자를 안전하게 모셔다 드릴 거예요. 공자, 잘 다녀오세요."

아니, 흑표범 타기 싫다니까? 케일은 그냥 고대의 힘 바람의 소리로 빠르게 가면 되었다.

그는 여전히 자신에게 손을 내민 비장한 얼굴의 리타나와 지켜보는 일행, 의문이 가득한 정글인들 등 모두를 바라보다가 결국 한숨과 함께 리타나의 손을 잡았다. 그리고 흑표범 위에 올라탔다. 흑표범의 털을 움켜쥐자 조금 무서웠다. 떨어지고 싶지 않았다.

"가죠."

리타나는 꼿꼿이 허리를 편 채 저 멀리 불길을 바라보는 케일에게서 시선을 돌렸다. 그러고는 몸을 숙여 텐에게 말했다.

"텐, 우리를 불까지 데려다줘."

"크르르!"

리타나가 허리를 편 순간, 거대한 흑표범이 움직이기 시작했다. 흑표범과 검은 여인은 붉은 머리칼의 남자를 태운 채 불로 향했다. 그들은 안전지대를 가로질러 경계선으로 향했다.

"폐하!"

"텐!"

"무슨 일이십니까?"

리타나는 빠르게 안전지대 천막을 가로지르며, 자신을 부르는 사람들을 볼 수 있었다. 모두 초췌한 몰골이었다. 그녀는 입술을 깨물었다.

"더 빨리 가죠."

그런 그녀에게 케일의 목소리가 들려왔다.

"텐, 더 빨리."

텐은 리타나의 말에 답하듯 안전지대의 나무와 수풀을 빠르게 헤쳐 달렸다. 케일의 일행과 수하들이 그 뒤를 따랐지만 역부족이었다.

사사삭, 사삭. 나뭇잎과 비, 수풀들이 케일의 셔츠에 닿으며 머금고 있던 물방울을 옮겼다. 하지만 그 물기는 순식간에 사라졌다.

"엄청나군요."

케일은 흑표범에서 내렸다. 경계선 앞까지 도달했다. 엄청난 열기가 느껴졌다. 경계선 안으로 5m 떨어진 곳에 불길들이 거대한 해일처럼 불타오르고 있었다.

'황태자 이 미친 새끼.'

실제로 마주하니, 케일은 황태자가 정말로 미친놈이라는 것을 깨달았다.

─……이 불 이상하다.

검은 용 라온의 목소리가 머릿속에 들려왔다. 케일은 다가오려는 리타나에게 단호히 말했다.

"리나 씨, 물러서세요."

"하지만!"

"저는 저 불길 앞까지 가야 할 것 같습니다."

이 정도 불길이면 불을 제압하는 물의 힘을 3분의 1 정도 사용해야 할 것 같았다. 실제로 마주하니 그냥 일반 산불과는 차원이 달랐다.

'물과 목걸이 힘이 어느 정도인지 모르니. 넉넉하게 쓰지, 뭐.'

모자라면 또 힘을 쓰면 될 일이었다. 케일은 간단히 생각하며 함께 온 두 존재에게 말했다. 앞으로의 일에 리타나와 텐이 거슬렸다.

"물러서세요."

리타나는 단호한 케일의 모습에 입이 떨어지지 않았다.

"크르르."

텐이 그녀의 옷깃을 잡고 뒤로 끌었다.

"텐?"

리타나는 의아한 눈빛으로 텐을 바라봤다. 흑표범 텐은 도망치지 않는 아이였다. 그런 아이가 케일을 두고 물러서자는 것이 리타나는 의아했다. 그 순간 케일의 목소리가 들려왔다.

"저 아이는 날 믿는군요."

"네?"

불길처럼 붉은 남자는 씩 웃어 보였다. 여유로운 미소였다.

"전 안 다칩니다. 불을 끄고 나갈 테니, 떨어져서 지켜보세요. 뭐, 위험할 거 같으면 구해주든가요."

그리 말한 케일은 미련 없이 경계선 안으로 들어가 버렸다. 리타나는 그 광경을 바라보다가 뒤로 몇 걸음 물러섰다. 텐이 몸을 숙였고, 그녀는 텐의 등 위에 올라탔다. 텐처럼 그녀도 케일이 위험하겠다 싶으면 바로 뛰어들어 구하기 위해서였다.

케일은 그런 텐과 리타나를 모른 채 불길 바로 앞까지 걸어갔다.

'심장의 활력이 없었으면 큰일 났겠네.'

열기가 장난 아니었다. 그러나 아픈 줄은 잘 몰랐다. 어떤 자연의 힘이든 그대로 담아낼 수 있는 고대의 힘인 '스며드는 목걸이'에 담긴 물의 힘과 재생력 때문이었다.

─약한 인간, 저 불은 조금 미친 불 같다! 자연의 법칙을 어겼다!

라온이 시끄럽게 말해댔지만 케일은 불길 바로 앞에 서서 뒤를 돌아보았다. 리타나와 텐이 보였고, 조금 더 멀리 시선을 두자 저 멀리 천막이 보였다. 천막에서부터 다가오는 이들이 있었다. 오지 말래도. 분명 일행일 것이다.

케일은 혀를 차며 두 팔을 벌렸다.

쏴아아아─

화르르─

비 내리는 소리, 불타는 소리. 두 소리를 흘려들으며 케일은 '스며드는 목걸이'의 힘을 사용했다.

우우우우─

알 수 없는 울음소리가 케일에게서 울려 퍼졌다. 동시에 목걸이가 푸른빛으로 빛나기 시작했다. 케일은 목걸이 속 물의 힘을 느끼며 눈을 감았다.

'불길이 해일 같다면.'

진짜 해일을 만들면 될 터.

불을 제압하고 지배하는 물.

케일은 넉넉하게 그 힘의 3분의 1을 꺼내 들었다.

촤르르르르르─

물길이 케일의 바로 위에서 치솟아 올랐다.

우우우우- 우우- 우우우-

울음소리가 점점 더 커지며 케일의 위로 거대한 장벽이 생겨났다. 물의 장벽이었다. 그는 눈을 감은 채 해일을 상상하며 최대한 큰 물길을 만들었다.

"······세상에."

리타나는 무심코 탄성을 흘렸다. 동시에 텐이 저도 모르게 뒤로 물러섰다. 둘의 앞에 거대한 파도가 만들어졌다. 그녀는 온몸에 소름이 돋았다.

우우우- 우우-

쏴아아아-

비와 울음소리가 공존하듯 치솟은 물길은 짙은 푸른빛이었다. 경계선을 향해 달리던 이들도, 천막에서 이를 지켜보던 이들도 멈춰 서서 그 광경을 눈에 멍하니 담았다.

하늘에 닿을 듯 높이 치솟아 오른 불길. 파도는 그 불길만큼 높아져 갔다. 그리고 당장에라도 휩쓸어 버릴 듯 거대한 물길을 허공에 만들었다.

케일은 눈을 떴다. 그는 고개를 들었다.

"음."

3분의 1은 너무 많았나?

케일은 조금 당황했다. 생각보다 자신이 만든 파도가 경이로워 보이고 엄청났다. 자신이 보기에도 그랬다. 그때 라온의 목소리가 들렸다.

-그래! 이런 미친 불은 휩쓸어 버리자, 인간!

케일의 입꼬리가 올라갔다.

그래, 휩쓸자고.

우우우-

울음소리가 뚝 끊겼다.

콰아아앙-!

거대한 파도가 휘몰아쳤다. 푸르른 물의 장벽이 불과 땅을 뒤덮어 버렸다.

성난 해일이 밀어닥쳐 대지를 덮었다.

불을 지배하는 푸른색의 물은 화마를 씻어 삼켰다. 그리고 일대의 모든 것들을 집어삼켜 버렸다.

"케일 님!"

"공자-!"

그 물은 케일도 삼켜 버렸다.

최한은 멈췄던 발을 빠르게 내디뎠다. 로잘린이 가속 마법을 사용해 그를 제치고 먼저 앞으로 달려 나갔다.

케일이 보이지 않았다. 거대한 파도는 적아의 구분 없이 모든 것을 삼켜 버렸다.

취이이이이익-

엄청난 양의 수증기가 1구역에서 피어올랐다. 앞이 보이지 않을 정도의 수증기였다. 그것은 하나를 의미했다.

불이 꺼진다.

검은 연기 대신 하얀 수증기가 비를 내리는 하늘 위로 치솟아 올랐다. 늑대 소년 라크는 이를 굳은 채로 멍하니 바라봤다. 그는 발이 차가워져 고개를 숙였다.

거대한 물이 1구역을 덮친 후 다시 흘러내려 라크에게까지, 그리고 안전지대까지 빠르게 흘러넘쳤다. 하지만 라크의 발에 닿는 물은 파도처럼 폭력적이지 않았다.

"아."

라크는 옆에서 들려오는 탄성에 고개를 돌렸다. 리타나를 향해 달려가던 그녀의 수하들이었다. 그들은 멍하니 바닥의 물을 내려다보고 있었다. 천막에서 고개를 내밀고 있던 정글인들과 궁금해서 천막 앞에 있던 정글인들. 그들이 모두 밖으로 나왔다.

쏴아아아-

그들은 쏟아지는 빗속에서 자신들의 터전을 바라봤다.

취이이이익-

여전히 수증기가 피어오르고 있었으며 앞이 잘 보이지 않았다. 그러나 붉은 불길 또한 보이지 않았다.

"고, 공자님!"

라크는 그제야 정신이 들었다. 그도 최한과 로잘린을 따라 1구역으로 달려갔다. 로잘린과 최한은 이미 리타나와 텐이 있는 곳까지 도달했다. 그들이 당도하자, 리타나는 비로소 정신을 차렸다. 그녀는 이미 물에 흠뻑 젖어 있었다. 그리고 분명히 보았다.

"케일 님!"

"케일 공자-!"

최한과 로잘린이 저렇게 외치는 케일이 어떻게 되는지 보았다.

파도가 불보다 먼저 집어삼킨 것은 케일이었다. 그 남자가 먼저 휩쓸렸다.

"테, 텐!"

그녀가 텐을 부르자 텐이 곧바로 움직였다. 텐은 수증기가 피어오르는 경계선 안으로 네 발을 움직였다. 그때였다.

취이이익—

쏴아아아—

수증기와 빗소리. 그 두 가지 소리 사이로 다른 소리가 들려왔다.

휘이이잉—

바람 소리였다.

마치 봄의 바람과 같았다. 부드러운 바람이 텐과 리타나를 스쳐 지나갔다. 바람은 최한과 로잘린에게까지 닿았다. 그 바람에 그제야 두 사람은 달려가던 것을 멈췄다.

"아, 맞다."

하. 로잘린은 탄식과 같은 웃음을 흘렸다. 순간 당황해 잊고 있었다. 이성적인 생각을 하지 못했다. 그녀는 두 손으로 눈가를 쓸어내리며 새로운 광경을 눈에 담았다.

"케일 님."

최한은 부드러운 바람이 수증기 사이로 하나의 길을 만드는 것을 볼 수 있었다. 그 사이로 은빛이 나타났다. 저 빛을 최한은 알고 있었다.

희미한 바람이 거대한 수증기 사이로 작은 길을 만들며 그 안의 풍경을 얼핏 보여주었다.

검은 대지. 불에 타버리고 남은 흔적들.

그 흔적들을 밟으며 서 있는 한 사람.

이제는 보이지 않는 불과 닮은, 붉은 머리칼의 남자.

거대한 은빛 날개와 방패가 남자를 감싸고 있었다. 리타나는 텐이 멈춘 것도 모른 채 그 광경에서 눈을 떼지 못했다.

파아앗.

은빛 날개가 활짝 펼쳐지며 방패와 함께 사라졌다. 그 자리에는 남자, 케일만이 서 있었다. 케일이 살짝 비틀거렸다.

리타나의 눈동자가 커졌고 흑표범 텐이 움직였다. 최한과 로잘린은 경계선을 뛰어넘으며 케일에게 다가갔다. 케일은 손으로 머리를 부여잡은 채 인상을 찡그리고 있었다. 그의 머릿속으로 검은 용 라온의 목소리가 들려왔다.

-물 구경한다고 순간 실드를 까먹었다! 그래서 조금 늦었다! 미안하다, 인간!

피차일반이었다. 케일도 자신이 만든 파도를 보고 감탄하느라 부서지지 않는 방패를 까먹어 버렸다.

-아, 맞다. 실드!

그러다가 검은 용 라온이 외치는 말과 펼쳐진 실드에 케일은 정신을 차리고 황급히 방패를 펼쳤다. 그 탓에 순간 물폭탄을 잠시 맞았고, 그는 띵한 머리를 부여잡아야 했다.

'쓸데없이 힘을 많이 써버려 가지고.'

이게 무슨 일인가. 홀딱 젖어서 으슬으슬 추웠다.

-정말 미안하다! 내, 내가 위대하지 않았다!

4살의 처절함이 담긴 목소리에 케일은 어지러운 머리를 부여잡으며 작게 속삭였다.

"그래도 네 덕에 살았다."

-이, 이런 약한 인간 같으니라고! 나는 바보다!

케일은 라온이 저러는 것을 말리고 싶었으나, 그럴 수 없었다. 가까이에 최한과 로잘린, 그리고 리타나와 텐이 다가왔기 때문이다.

최한이 바로 케일을 부축했다.

"괜찮으십니까?"

"괜찮아요?"

로잘린은 홀딱 젖은 케일에게 곧바로 체온 유지 마법을 사용했다.

"내가 설마 다칠까. 로잘린 씨도 잘 알면서."

태평한 목소리에 최한과 로잘린은 서로를 바라봤다. 케일의 곁에는 라온이 있었다. 그리고 케일에게는 부서지지 않는 방패가 있었다. 그 사실이 지금에서야 떠올랐다.

퉁명스럽다 느껴질 만큼 심드렁한 목소리가 두 사람에게 닿았다.

"뭘 그리 내 이름을 크게 계속 불러요. 그러니 빨리 나와야 했잖아."

투덜거리는 케일은 젖은 머리칼과 헝클어진 옷을 바로 했다. 한없이 여유로운 태도였다. 하지만 그가 서 있는 자리는 모든 것이 다 타버린 대지 위였다.

'나랑 물이랑 상성이 안 좋나?'

케일은 저번에 위타라와 처음 만났을 때도 그렇고, 물 근처에만 가면 홀딱 젖는 것이 썩 마음에 들지 않았다. 축축해져서 들러붙는 옷자락이 꽤 거치적거렸기 때문이다.

케일은 자신을 부축하고 있는 최한에게서 떨어지며 똑바로 섰다. 어차피 다친 곳도 없고 심장의 활력으로 컨디션은 좋았다.

"가자."

그는 걸음을 내디뎠고, 그 뒤를 최한과 로잘린이 따랐다. 두 사람이 웃고 있었지만 케일은 딱히 신경 쓰지 않은 채 자신들과 조금 떨어진 곳에서 우뚝 멈춰 서 있던 리타나에게 다가갔다. 그녀는 흑표범에서 내려선 상태였다.

"리나 씨."

부드러운 목소리에 리타나는 퍼뜩 정신을 차리며 케일을 똑바로 볼 수 있었다. 그녀는 케일이 괜찮은 것을 확인한 후, 다른 것들을 보느라 정신을 차릴 수가 없었다.

위퍼 왕국을 넘어서면 시작되는 푸르른 숲. 정글. 아름답다고 책에 실릴 만큼 유명한 1구역 정글이 지금은 까맣게 변해 있었다.

그 광경에 숨이 턱 막혀왔다.

"크르르르."

케일을 보던 리타나는 텐의 울음소리에 그쪽으로 시선을 돌렸다. 흑표범 텐이 검게 변한 땅과 재만 남은 자연을 보며 제 머리를 검은 땅에 비벼댔다. 리타나는 입술을 깨물었다.

그때, 다시 케일의 목소리가 들려왔다.

"가보셔야 할 것 같습니다만."

"……네?"

케일을 바라보자 그가 가리키는 곳을 볼 수 있었다.

"아."

수하와 안전지대, 정글인들과 동물들. 차례로 그 모습들이 그녀의 눈동자를 채웠다. 지금 자신이 보아야 할 곳이 어딘지 그녀는 바로 깨달았다. 자신은 검은 숲이 아니라, 저쪽을 바라봐야 했다. 그녀의 귓가로 케일의 목소리가 닿았다.

"이제 저는 할 일이 없을 것 같습니다."

그녀는 다시 케일과 시선을 마주쳤다. 부드러우면서 강한, 그리고 여유로운 모습의 케일. 그녀는 그가 한 일을 모두 보았다. 지금도 잔불을 끄며 수증기를 피우는 물을 만든 장본인.

그녀는 인정했다. 자신이 착각했다. 눈앞의 이 사람은 약한 사람이 아니었다. 누구보다도 강한 사람이다.

"……얼마만큼의 힘을 사용하셨나요?"

케일이 사용한 힘은 양이 한정되어 있다고 했다. 리타나는 힘이 얼마나 남았는지 그것이 궁금했다.

"그럭저럭 남았습니다."

케일은 쓸 때는 좋았으나 쓰고 나니 쓸데없이 힘을 너무 많이 쓴 것 같아 속이 쓰렸다. 그의 입가에 저도 모르게 씁쓸한 미소가 생겼다. 아까웠다.

"……알겠습니다."

케일이 애써 씁쓸함을 감추며 짓는 미소에 리타나는 경계선을 넘지 못하고 서 있는 수하들, 그리고 안전지대에서 다가오는 정글인들 쪽으로 시선을 두며 그에게 물었다.

"케일 씨, 같이 가시겠어요?"

이 자리의 영웅은 그였다. 그가 한 일만큼 찬사와 박수를 받을 수 있어야 한다. 그런데 리타나의 생각과 케일의 반응은 달랐다.

"폐하."

"리나."

그녀는 호칭을 바로 해주었다.

"아뇨, 지금 필요한 건 여왕 폐하, 바로 리나 씨 당신입니다."

케일은 안전지대 쪽으로 고개를 돌렸다. 리타나도 그를 따라 움직였다. 비를 맞으며 울고 웃는 정글인들. 수증기가 사라지며 검은 대지가 보였음에도 그들은 감정을 그대로 드러내며 서로를 얼싸안았다.

케일은 저들의 앞에 설 생각을 하니 피곤함이 몰려왔다. 때문에 케일은 좋게 좋게 마무리하고 싶었다.

"이 모든 건 모두가 함께 이 주간 버틴 간절함의 힘이 만든 것이라 생각합니다. 전 주목받고 싶지 않습니다."

물에 젖어 창백한 얼굴의 남자는 말했다.

"석양이 뜨는 그 아름다운 곳, 그곳으로 가보고 싶습니다. 얼른 석양을 보고 싶네요."

빨리 마정석만을 챙겨서 떠나고 싶다. 이번 정글 일은 평소보다 많이 움직였다.

"……로운 왕국이 부럽네요."

"네?"

케일은 리타나의 말을 제대로 듣지 못하고 되물었지만 리타나는 잔잔한 미소를 띠며 고개를 가로저었다.

"아닙니다."

리타나는 텐 위에 가벼이 올라탔다. 그리고 경계선을 넘었다. 흑표범 위에 올라타 꼿꼿이 허리를 편 그녀는 작은 체구였지만 정글인들보다 높은 자리에 있었다. 그녀는 목에 힘을 주며 외쳤다.

"불은 꺼졌다! 모두 그 광경을 보았을 것이다!"

그녀는 외쳤다.

"자연은 시간처럼 공평하다! 시간이 지나면 우리는 다시 우리의 숲을 얻을 수 있을 것이다! 그러니 오늘은 새로운 시작을 축복하는 날이 되리라!"

크아아아!

흑표범 텐이 뒤따라 동조하듯 커다란 울음소리를 터뜨렸다.

쏴아아아—

빗소리가 잠시 정적을 채웠다. 그리고 잠시 뒤.

우와아아아!

불이 사라진 자리를 사람들의 함성이 가득 채웠다. 지금도 케일이 만든 물길이 1구역의 시작 지점에서 해안가까지 계속해서 흘러가며 잔불들을 꺼나갔다.

-인간, 감기 걸린다! 빨리 가서 쉬어라!

케일은 라온의 보챔을 흘려들으며 리타나 수하들의 호위를 받았다. 수하들이 데려다준 곳은 급히 그를 위해 따로 마련된 조용하고 나름 깨끗한, 좋은 천막이었다.

"필요한 것은 무엇이든 말씀해 주십시오."

"필요한 것은 따로 없고. 조용히 쉬고 싶습니다. 그리고 될 수 있으면 내일이라도 떠나고 싶군요."

케일과 함께 우림을 넘어 정글로 왔던 수하는 도저히 믿을 수 없다는 표정을 지으면서도 케일에게 긍정의 답을 건넸다.

"네. 최대한, 무엇이든 최대한 잘 준비해 놓겠습니다."

케일은 수하들이 나가자, 천막 안을 둘러보았다. 최한을 비롯한 다른 이들은 다른 천막으로 안내받았다. 하지만 케일을 따라온 이도 있었다.

"라온."

그의 부름에 투명화하고 있던 검은 용이 모습을 드러냈다.

쯧. 케일은 혀를 찼다. 그는 수건을 집어 들어 홀딱 젖은 검은 용을 벅벅 닦았다. 파도 구경하느라 제 몸에도 실드를 두르는 걸 까먹은 용이었다.

"너나 닦아라, 인간! 감기 걸린다!"

얼씨구. 케일은 4살의 행동에 코웃음을 치며 얼굴을 거칠게 닦아 댔고 라온은 어푸푸거리며 가만히 닦였다.

케일은 수건을 휙 던져 버리고는 다른 수건으로 대충 머리칼을 털 어내며 품에서 빌로스에게 받았던 구슬을 하나 꺼내 던졌다.

"연결."

"알았다, 인간."

라온은 무엇이 좋은지 씩 웃으며 군말 없이 구슬, 마법 통신구를 연결했다. 케일은 나무 의자에 걸터앉았다. 마법 통신구가 케일의 앞에 날아와 놓이더니 영상통신이 연결되었다.

곧 마법 통신구 위로 한 사람이 나타났다.

―뭐야? 꼴이 왜 그래?

왕세자 알베르였다.

―물에 젖은 생쥐 꼴이군.

비웃듯 올라간 한쪽 입꼬리를 보며, 케일은 리타나에게 짓던 미소 를 지어 보였다.

―그런 미소 짓지 말지?

역시 안 통했다. 케일은 곧바로 평소의 미소를 지으며 나무 의자 에 몸을 기댔다. 그 한가하고 나태해 보이는 모습이 알베르는 익숙 했다.

"로운 왕국의 별이신 저하, 스텐 후작가는 어떻게 되었습니까?"

3주. '나올 수 없는 길' 우림이 있는 호이크 마을에 도착하기까지 걸린 시간. 그 시간 동안 케일은 여러 가지를 진행해 왔다. 그중에 하나.

―어떻긴. 주인이 바뀌어가는 중이지. 도대체 이걸 왜 궁금해하는

것이지?

그때 영상통신구 음성이 아닌, 케일의 머릿속으로 검은 용 라온의 목소리가 들려왔다.

-드디어 복수의 때인가!

스텐 후작가와 베니온, 그들이 검은 용 라온에게 행한 짓들.

라온이 온전히 과거의 학대에서 벗어나기 위해선, 후작가 관련자들에 대한 복수가 필요했다. 케일은 라온의 복수 계획을 둘이 남게 될 때마다 자장가처럼 들어야 했다.

용은 당한 것을 결코 잊지 않았다. 망가진 시간과 뭉개진 자존감을, 용은 보상받고자 했다. 그것이 난폭한 지배자라 불리는 용의 본성이었다.

알베르는 탐색하는 눈초리로 케일을 지그시 응시했다.

-받은 게 있어서 그냥 가르쳐 준다만. 도통 알 수가 없군.

"저하가 좋아하실 만한 일을 하기 위해서지요."

입에 침 하나 바르지 않고 거짓을 말하는 케일을 보며 알베르는 코웃음을 쳤다. 그러나 케일은 진심이었다.

"진짜입니다만."

겸사겸사 알베르에게도 좋은 일이었다. 알베르는 케일의 저 표정이 찝찝했지만 일단 자신도 그에게 볼일이 있었다. 그렇기에 말했다.

-빨리 왕성으로 오도록.

"네."

왕성으로 가긴 갈 생각이라 순순히 답했다. 물론 케일은 제 볼일다 보고 피로도 풀며 돌아갈 생각이지만.

그는 왕세자와 몇 가지 대화를 나눈 뒤 영상통신을 종료했고, 식

사 후 푹 잠이 들었다. 물론 라온의 복수 계획을 자장가처럼 들어야
했다.

꧁꧂

그리고 다음 날.

"리나 씨, 가보고 싶습니다만."

케일은 리타나에게 해안가로 떠나고 싶다고 말했다. 더 있을 이유
가 없었다.

현재 케일은 리타나의 천막 안이었다. 그는 오랜만에 늦잠을 자고
느지막이 일어나 어슬렁어슬렁 그녀의 천막을 찾아왔다. 리타나는
케일을 빤히 바라보다가 입을 열었다.

"빈!"

리타나의 부름에 그녀의 수하 중 한 명이 케일의 앞에 섰다. 그는
동굴에서부터 케일과 안면이 있던 이였다. 케일은 책 속에서 리타나
의 가장 충실한 수하이자 문보다는 무에 특출한 빈을 본 적이 있었다.

"빈과 함께 가시면 돼요. 그가 안내할 겁니다."

리타나는 케일에게 문서를 하나 내밀었다. 이를 받아 든 케일은
표정 관리를 해야 했다.

"리나 씨, 이런 내용은 곤란합니다. 너무 과합니다."

그녀는 떠나고 싶다고 말할 때와 달리 흐려진 케일의 얼굴을 보며
이 사람은 어쩔 수 없다는 듯 미소를 지었다.

"아뇨. 하나도 과하지 않아요."

케일이 받아 든 서류에는 리타나의 이름이 적혀 있었고, 그녀의 직인이 찍혀 있었다. 케일이 본인 사인만 남기면 계약서로서 효력이 발생했다. 계약서는 케일의 서명 자리와 함께 한 곳이 더 비워져 있었다.

땅 위치와 크기. 그 자리도 비어 있었다.

리타나가 입을 열었다.

"구역 내 개인 소유 땅이면 곤란하지만, 아닌 곳은 제가 책임을 질 테니 원하는 만큼 가지세요."

케일은 단어들의 나열이 노랫소리같이 아름다웠다. 역시 돈 들어오는 소리는 아름다운 법이었다.

리타나. 그녀는 통이 컸다.

"제가 해안가를 다 가지면 어쩌려고 이런 계약서를 내미시는 겁니까."

"그렇게 말할 줄 알았어요. 하지만 상관없어요. 마음대로 하세요."

역시 은혜는 천 배로. 케일은 리타나가 왜 자신의 수하 중 참모나 재정관이 아닌 제일 단순한 빈을 안내자로 선정한 것인지 알 수 있었다.

'제대로 다 퍼줄 생각인가 보네.'

케일은 난감한 표정을 지었다.

"많은 땅은 거추장스럽다고 생각합니다. 그저, 가끔 정글이 생각 날 때 제가 쉴 수 있는 작은 터만 있으면 됩니다."

리타나는 문득 이 올곧은 사람에게 어찌 보답을 해야 하나 하는 생각이 들었다. 케일이 명을 내렸는지, 그의 수하들은 이른 아침부터 1구역으로 가 복구를 돕고 있었다.

물론 케일은 늦게 일어나 지금 일행이 뭘 하는지도 몰랐다.

"케일 씨, 가문의 이름을 알 수 있을까요?"

케일은 순간 뒷목에 서늘함이 끼쳤다. 잘못하다간 코 꿰일 것 같은 그런 예감이었다. 그래서 반사적으로 내뱉었다.

"전 그저 조용히 떠나고 싶습니다. 어제 일은 잊고 미래만 보십시오."

"……도저히 보은을 하고 싶어도 못 하게 하시는군요."

보은은 무슨. 마정석만 한 보은이 없었다.

그곳에는 그냥 중하급 마정석도 아니고 최상급 마정석이 다량 묻혀 있었다. 그것도 세공이 모두 다 된 형태로. 도대체 누가 정글에 그것을 묻었는지 모르겠으나, 책 속에서는 '몇백 년은 된'이라는 설명이 있었다. 그 말은 주인이 없다고 보아도 무방했다.

리타나가 천막 밖을 보며 외쳤다.

"텐!"

텐? 흑표범?

"크르르르."

"함께 가세요. 텐이 최단 길을 찾아드릴 겁니다."

케일은 등 뒤가 서늘해 몸을 돌렸다. 흑표범이 히죽 웃는 것인지 케일 팔뚝만 한 송곳니를 한껏 드러내고 있었다.

"텐도 케일 씨를 안내할 수 있어서 기쁜가 봅니다. 타고 가시면 돼요. 제 성의 표시이니 이 정도는 받아들여 주세요."

"……네."

크르르!

흑표범이 기쁘다는 듯 케일에게 다가왔다. 케일은 이를 외면했다.

하지만 잠시 뒤, 그는 텐의 등 위에 올라타 있었다. 리타나는 감탄했다.

"텐이 먼저 올라타라고 몸을 숙인 건 저 빼고 처음 봐요. 텐이 역시 사람을 볼 줄 아네요!"

"그런가요."

케일은 거대한 흑표범이 그르릉거리는 소리가 전혀 반갑지 않았다. 리타나와 함께 탈 때야 주인이 있어서 괜찮았지, 이건 뭐, 호랑이 굴에 얼굴을 들이미는 느낌이었다.

"공자, 곧 뒤따라갈게요."

로잘린이 건네는 말에 케일은 고개를 끄덕였다.

"부탁합니다."

케일과 함께 가는 이는 늑대 소년 라크, 여왕의 수하 빈, 비크로스, 그리고 투명화한 검은 용 라온이 전부였다.

"아니에요. 복구 작업을 돕다가 한스 씨와 온이 건너오면 그때 함께 갈게요."

로잘린과 최한에게는 마을 사람들에게 유품을 전달하고 숲을 넘어올 일행을 해안가까지 데려와 달라 부탁했다.

'로잘린은 곤란하거든.'

뛰어난 마법사 로잘린. 그녀와 함께 갔다가 그녀가 마정석을 발견해 버리기라도 한다면 케일은 상당히 곤란했다.

"그럼 가지."

케일의 말에 나머지 일행이 말고삐를 잡아당겼다. 다들 말에 짐을 한가득 싣고 있었다.

"잘 가요. 고마웠어요."

"별말씀을."

케일은 리타나의 인사에 부드럽게 답했다. 마지막까지 방심하지 않아야 하는 법이다.

"다음에 봐요."

무슨 그런 끔찍한 말을. 만약 리타나를 다음에 보게 된다면 그건 전쟁터일 확률이 매우 높았다. 그렇기에 케일은 사양이었다. 그는 그저 미소로 답을 대신했다.

"텐, 갈까?"

케일이 정중하게 묻자 흑표범이 움직였다. 그 옆을 다른 말들이 따랐다. 리타나는 그 광경을 지켜보았다.

"괜찮으십니까, 폐하?"

"괜찮아."

그녀는 수하의 물음에 담담히 답했다. 그녀가 처음으로 구한 생명이 흑표범 텐이었다. 그 뒤로 둘은 늘 함께했다. 잠시지만, 리타나는 처음으로 텐을 다른 이에게 맡겼다.

이를 모른 채 케일은 텐을 탄 채로 1구역으로 향했다. 그런 케일에게 정글인들이 복구를 멈추고 인사를 건네 왔다. 다들 저마다 다른 방식으로 케일에게 허리를 숙였다. 리타나가 뭐라 말을 해둔 것인지 환호나 격한 반응은 없었다.

'역시 빨리 뜨는 게 정답이야.'

일을 저지르고 최대한 빨리 뜨는 것. 케일은 그것이 귀찮은 일을 제일 잘 피하는 방법이라 깨달으며, 검은 재만이 남은 1구역을 빠르게 이동했다.

케일은 흑표범의 등에서 내려섰다. 검은 용의 목소리가 머릿속에 울렸다.

—이야! 진짜 아무것도 없다!

다 불타 버린 1구역의 해안가에는 아무것도 없었다.

—바다도 시꺼멓다!

해안가 근처의 바다는 재로 인해 시꺼멨다. 케일은 그 바다와 풍경을 가만히 바라봤다. 시원하면서도 짠내 나는 바람이 그를 감싸고 지나갔다.

함께 온 여왕의 수하는 그런 케일을 눈에 담았다. 리타나는 빈에게 케일에 대한 모든 것을 보고하라 했다.

"여기는 정말 아름다웠을 것 같군."

수하는 케일이 자신을 보며 건넨 말에 멈칫했다. 그의 말대로 이곳은 정말로 아름다운 곳이었다.

"곧 석양이 질 테니, 주위 좀 둘러봐도 되겠나? 땅을 고르면 말해 주겠네."

"……알겠습니다."

곧 석양이 질 시간이었다.

케일은 라크의 머리를 쓰다듬으며 속삭였다.

"텐과 함께 둘이서 놀고 있어. 따라오지 말고."

"네."

이제는 척하면 척이었다.

케일은 퉁한 얼굴로 서 있는 비크로스에게 다가갔다. 검은 재들을 보며 있는 대로 인상을 구기고 있었다. 며칠째 흰 장갑을 벗지 않은 비크로스는 케일이 다가오는 것을 보자마자 입을 열었다.

"저 빈인가, 비인가 하는 녀석은 제가 붙들고 있죠."

"역시 넌 말이 통해."

케일은 흘러가듯이 그에게 물었다.

"비크로스, 로운 왕국 서북부에 가본 적이 있나?"

"없습니다만."

"그래? 보고 싶지 않아?"

"백작가 주방에 가봐야 합니다."

비크로스는 떨떠름한 얼굴로 케일을 바라봤다. 그런 그에게 케일은 씩 웃어주었다.

곧 고문 전문가가 필요했다. 신체 고문이든 정신 고문이든.

그리고 신체 고문은 비크로스가 최고였다.

'정신 고문은 지금쯤 스텐 후작가의 장남과 함께 있을 미친 신관이 좋을 것 같고.'

케일은 영 찝찝해하는 비크로스의 어깨를 몇 번 두드려 주고 해안가에서 보이는 가장 높은 동산으로 향했다. 흑표범과 여왕의 수하는 이를 지켜보았지만, 곧 라크와 비크로스를 상대해야 했다.

그래서 케일은 발걸음이 가벼웠다. 아니, 마정석 생각에 발걸음이 가벼웠다. 마탑주 방을 발견할 때도 그렇고, 케일은 백수 라이프에 한 걸음씩 다가갈수록 마음이 설렜다.

-약한 인간, 엄청 신나 보인다!

라온의 말은 정확했다. 케일은 신났다. 그는 일행의 위치를 확인하며 이 해안가에서 가장 높은 곳으로 향했다. 동산의 완만한 경사를 올라가 도착한 꼭대기.

모두 다 타고 남은 이곳.

-어?

라온의 반응에 케일의 입꼬리가 올라갔다.

'영웅의 탄생'에서 마정석은 우연히 발견된다. 원래 이 동산은 높은 키를 지닌 나무들이 자라 있는 곳이라 땅 밑 상황을 알 수 없었다. 하지만 다 타버린 후 검은 재만이 남겨지고, 그 재와 흙이 비에 흘러내려 우연히 그 자리가 드러났다.

"이쯤인가."

-인간! 여기서 다섯 걸음 왼쪽으로 뭐가 있다!

케일은 훌륭한 내비게이션의 말대로, 다섯 걸음 왼쪽으로 내디뎠다. 검은 용은 만능이었다. 마나 감응도가 가장 높은 존재, 용.

용의 말대로 이동한 케일은 쪼그리고 앉았다. 그리고 마법 주머니에서 고대의 힘 '바람의 소리'를 얻을 때 사용했던 장비, 호미를 꺼내 들었다.

퍽. 퍽. 호미가 검은 재와 흙을 팠다. 비가 온 후에 재까지 뒤섞여 땅은 질척질척했다. 하지만 케일은 이보다 귀한 것은 없다는 듯 조심스럽게 땅을 팠다.

그리고 마침내.

"크-"

감탄이 그의 입에서 절로 흘러나왔다.

평범하지만 아주 커다란 철제 상자가 흙에 파묻혀 있었다. 하지만 그의 눈에는 그 녹슨 상자가 영롱해 보였다. 케일은 상자 주위를 열심히 팠다.

-인간, 왜 이리 열심히 하나? 처음 본다!

라온의 말을 가벼이 무시하며, 케일은 상자 입구가 드러나게끔 호미질을 했다. 워낙 커서 최대한 빨리 움직여야 석양이 지기 전까지 마무리할 터. 그는 설렜다.

-그냥 나한테 치워달라고 하면 되는데.

케일은 잠시 멈칫했다.

-내가 치운다!

파스스. 아주 작은 소리와 함께 검은 마나가 공중에서 흘러나와 흙과 재들을 치워 버렸다. 케일은 자신이 너무 들떠 있었음을 깨달았다. 그는 심호흡을 하며 자물쇠를 가리켰다.

"부숴."

-알았다, 인간.

자물쇠는 아주 손쉽게 부서졌다.

케일은 여전히 심호흡을 하며 천천히 상자의 뚜껑을 잡았다. 최상급 마정석. 돈도 돈이지만 안락하고 튼튼한 스위트홈과 그에 못지않게 튼튼한 이동 수단을 위한, 귀한 재료였다. 평생 써먹을 재료들.

끼이이익, 달캉.

천천히 뚜껑이 열렸다.

"으음."

케일은 침음을 삼켰다. 너무 좋아서 그랬다.

진심으로 영롱한 빛깔들이 눈앞에 드러났다. 몇백 년이 지나도 변하지 않는 돌. 마정석이었다. 그것도 최상급임을 드러내는 그 빛깔들은 선명하고 참으로 아름다웠다.

케일의 입꼬리가 씰룩이며 위로 올라갔다.

"오! 좋은 물건이다! 인간, 또 보물이다!"

라온이 투명화를 풀고 케일의 옆에 내려섰다. 그리고 까치발을 들어 상자 안으로 고개를 숙였다. 그 행동에 케일은 주위에 아무도 없음을 알아채고는 마정석 하나를 집어 들었다.

이 돈 덩어리들.

위퍼 왕국에서 생산되는 마법 장치에 쓰인 마정석들은 보통 하급, 좋으면 중급이었다. 왕족 정도면 상급 마정석을 사용했다. 그렇게 생각하면 이 최상급의 가치를 판단할 수 있을 터.

아마 전란이 심해질수록 이 마정석의 가치는 커질 것이다. 팔 데가 무궁무진했다. 특히 왕세자 알베르가 좋은 구매자가 될 터.

"인간."

상자에서 고개를 든 라온이 케일을 올려다봤다. 날개를 파닥이고 있었다.

"나도 가지고 싶다!"

케일은 멈칫했지만 이내 넉넉하게 마음을 가지기로 했다. 그는 라온의 머리를 쓰다듬으며 수백 개는 담긴 최상급 마정석 상자를 가리켰다.

"이 중에서 네 마음에 제일 드는 거 하나 줄게."

"진짠가? 인간, 고맙다! 너는 참 착하다!"

하나 준다고 해도 좋아하는 네 살이 케일은 흐뭇했다.

"그러니까 아공간에 잘 숨겨놔. 알았지?"

"알았다! 씨앗도, 마정석 하나도 내 거다!"

"그래, 그래."

케일은 라온이 익숙해진 것인지 갈수록 용답게 깔끔히 현장을 뒤처리하는 것을 확인한 후, 석양을 한참 동안 바라보다가 해안가로 다시 내려갔다.

아직 지지 않은 노을의 붉은빛이 케일과 어우러져 한 폭의 그림과 같았다. 그는 부드러운 미소를 입가에 매단 채 여왕의 수하 빈에게 동산을 가리켰다.

"저기 꼭대기가 주변 풍경이 잘 보이더군. 저기에 조그마한 땅을 얻을 수 있을까?"

"당연히 됩니다."

여왕 리타나의 수하 빈은 케일이 기입하는 땅의 크기를 보며 감탄했다. 딱 작은 별장이 세워질 정도의 아담한 땅이었다. 케일은 자신 몫의 서류를 챙기며 말했다.

"일행 오기 전까지 여기서 지내면 될 것 같은데."

빈과 비크로스, 라크는 케일의 명에 따라 가져온 짐을 풀어 천막을 쳤다. 여기서 케일은 일행을 기다릴 심산이었다.

그리고 일주일 뒤, 모든 일행이 모였다. 천막 앞의 그늘에 의자를 펼친 채 몸을 기대고 있던 케일은 일행의 시선에 슬쩍 눈을 떴다.

"돌아갈까?"

그 태평한 말에 그답다 생각하면서도 부집사 한스는 나설 수밖에 없었다. 돌아간다. 그 단어의 의미는 헤니투스 영지뿐이었다.

"그럼 다시 위퍼 왕국 쪽으로 돌아갑니까?"

"그럼 왜 여기로 오라고 해?"

"그러면 어디로 돌아갑니까?"

한스뿐만이 아니었다. 다들 여유를 넘어 나태로워 보이는 케일의 모습에 의문을 표했다. 그러나 단 한 사람, 마지막까지 케일을 배웅하기 위해 남은 여왕의 수하 빈만이 담담했다.

케일은 의자에서 몸을 일으켜 세웠다. 그는 손을 들어 한 곳을 가리켰다. 일행이 그 손을 따라 시선을 옮기자 바다를 볼 수 있었다.

"아! 설마?"

로잘린이 탄성을 질렀다가 '혹시?' 하는 표정으로 케일을 바라봤다. 케일은 로잘린을 비롯한 일행의 시선을 받으며 답했다.

"여긴 바닷가야."

그 순간.

뿌우우우우-

저 멀리 바다에서 뿔피리 소리가 들려왔다. 일행이 있는 곳으로 한 척의 배가 다가오고 있었다. 익숙한 배였다. 자신들이 타고 온 그 배였다.

"이제 떠나시는 겁니까?"

"그래. 그동안 고마웠어."

케일과 여왕의 수하 빈은 태연하게 대화를 주고받았다. 그는 배를 보고 있는 일행을 지나쳐 해안가로 걸어갔다.

"공자님!"

빠르게 다가오는 배의 뱃머리에서 빌로스가 오랜만에 간신 같은 표정으로 손을 흔들어댔다. 과하게 반가워하는 모습에 케일은 픽 웃으며 마법 주머니를 들어 흔들어 보였다.

빌로스는 배가 해안가 근처에서 멈추자마자, 작은 보트를 타고 해안가로 다가왔다.

"옜다."

"하하! 감사합니다!"

마법 장치가 담긴 두 번째 마법 주머니를 받아 든 빌로스는 싱글 벙글이었다. 케일은 뒤돌아서 자신을 바라보는 일행에게 말했다.

"가자."

그 순간 살벌한 목소리가 들려왔다.

-인간, 이제 내 복수인가?

라온이었다. 케일은 고개를 끄덕였다. 그는 배 위로 올라타며 뜨거운 여름 햇볕과 달리 시원한 바닷바람에 눈을 살짝 감았다 떴다.

바닷바람이 참 좋았다.

케일은 다시 헤니투스 영지, 고향으로 향했다.

"잘 돌아왔다."

데르트 백작은 돌아온 케일을 따스히 맞이했다. 별다른 말 없이 조용히 돌아온 케일은 가장 먼저 영주실에 도착해 아버지 데르트 백작과 마주했다.

"걱정해 주신 덕분에 잘 다녀왔습니다."

"그래. 크게 아픈 곳은 없어 보이는구나."

데르트는 가장 먼저 자신을 찾아온 아들이 고마우면서도 반가웠다. 하지만 그는 곧 묘한 표정을 지었다. 그의 시선이 케일의 왼쪽 아래로 향했다.

"음, 이자는 누구지?"

"인사."

케일이 무뚝뚝하게 말했고, 곧 커다란 목소리가 영주 집무실 안에 울려 퍼졌다.

"안녕하십니까!"

잘 먹었는지 그새 볼살이 오른 밀러가 잔뜩 얼어붙은 채 외쳐댔다.

"저는 설계와 제작을 전문으로 하는 200년 이상 전통의 혼 가문 후계자 밀러 혼이라고 합니다! 시켜만 주시면 뭐든 착실하게 하겠습니다!"

울부짖듯 격렬한 외침이었다. 데르트의 표정에 의문이 나타났다.

'설계? 제작?'

그는 영문을 알 수 없어 아들을 바라봤다.

"영주님."

케일은 데르트를 아버지라고도, 백작이라고도 부르지 않았다. 그 행동에 데르트의 표정이 진지해졌다. 영주로서의 데르트는 케일을 마주했다.

"성을 보수하신다고 들었습니다. 이유가 있겠지요?"

데르트는 케일이 처음 수도로 갈 때쯤부터 성벽을 보수하고 있었다. 그 이유가 아들의 입에서 흘러나왔다.

"곧 전쟁의 시대가 펼쳐질 것이라고, 영주님도 그렇게 예상하시는 거지요?"

케일은 아버지의 눈동자가 깊이 가라앉는 것을 볼 수 있었다. 케일은 밀러를 앞으로 내세웠다.

"이 친구는 마탑 설계자 집안의 후손입니다."

케일은 멈칫하는 데르트를 볼 수 있었다. 성 보수, 마탑. 데르트라면 바로 알아들었을 것이다.

"아버지."

아들 케일은 아버지 데르트에게 말했다.

"한번 해봅시다."

18장

또 만났네? I

18장
또 만났네? Ⅰ

"무얼 말이냐?"

데르트는 알면서도 되물었다. 그걸 모를 케일이 아니었다.

"아버지, 아버지는 무엇을 두려워하십니까?"

갑작스럽게 던진 물음에 데르트는 미처 답하지 못했다. 하지만 조금의 틈을 두고 아들이 답했다.

"전 우리가 다칠까 봐 무섭습니다."

데르트의 눈빛이 살짝 풀어졌다. 같다. 자신이 두려워하는 것이 아들과 같았다. 이기적이든 말든 데르트는 자신의 영지와 가족들이 다치는 것이 두려웠다.

"지금 서대륙 정세가 폭발 직전임을 아실 겁니다."

갑작스럽게 성벽을 보수하고, 어찌 되었든 해군 부지 건설에 투자하는 귀족이 아무것도 모른다는 것은 말이 되지 않았다.

5권까지 헤니투스 영지는 어떠한 전쟁에도 휘말리지 않았다. 하지만 미래에도 그런다는 보장이 없었다.

"아버지께만 말씀드립니다. 왕세자 저하께서 저를 위퍼 왕국에 보내서 시키신 일은 한 가지와 관련되어 있습니다."

케일은 일부러 이렇게 말했다. 이렇게 말하면 아들을 아끼는 데르트는 왕세자의 명으로 비밀리에 일한 케일에게 불똥이 튀지 않도록, 그 내용을 왕세자에게 물어보지 않을 것이다.

케일은 데르트에게 한 단어를 내뱉었다.

"북부."

데르트는 물론 밀러도 멈칫했다. 두 사람이 케일을 바라봤다.

"북부가 대연합을 이루었습니다."

"무슨!"

데르트 백작의 미간이 깊게 파였다. 케일은 그 마음이 충분히 이해되었다. 서대륙 정세에 영향을 미칠 중요한 내용이었으니까.

북부에는 총 3개의 왕국이 있다. 그중 최북단에 위치한 파에른 왕국. 그곳의 수호 기사. 그가 기사단을 이끌고 풍족한 땅으로 내려오고자 마음먹었다.

데르트는 얼굴을 쓸어 넘기며 한숨처럼 중얼거렸다.

"……위퍼 왕국이나 모고르 제국이 아니라?"

순간 케일은 속으로 살짝 감탄했다. 구석 영지에 있음에도 데르트는 위퍼 왕국은 물론이거니와 컨트롤 타워가 되길 원하는 제국의 동세까지 눈치채고 있었다.

왜 제국이 컨트롤 타워를 원하겠는가. 동부와 북부가 달라지니 이러는 것이었다.

"케일, 북부는 협곡을 어떻게 지나서 온단 말이냐? 그리고 어둠의 숲도 있거늘."

5대 불가사의 중 유일하게 불가사의하지 않은 곳이 하나 있었다. 하지만 그 형세가 대규모 이동을 '거의 불가능'하게 만들어 불가사의에 포함된 곳이었다.

죽음의 협곡.

그 이름대로 대륙에서 가장 험한 협곡은 북부와 중부를 나누는 선이 되었다. 그리고 그 선이 끝나는 지점에 어둠의 숲이 존재했다. 때문에 북부는 중부로 내려오는 것이 힘들었다.

그러나 케일도, 제국도, 왕세자 알베르도 다른 방법을 알고 있었다.

"아버지, 땅만 있는 게 아니잖습니까?"

그때, 잊고 있던 이의 목소리가 들려왔다.

"……배?"

뮐러였다.

쥐족과 드워프의 혼혈인 그는 하얗게 질린 얼굴로 재빠르게 제 커다란 백팩을 앞으로 돌려세웠다. 가방에는 입구 밖으로 삐져나온 돌돌 말린 종이가 두 장 들어 있었다.

하나는 성 설계도. 하나는 배 설계도.

그 종이와 케일을 번갈아 바라보는 서른의 혼돈 가득한 눈동자에, 케일은 담담히 고개를 끄덕였다.

"그래. 배가 있지."

하. 깊은 한숨이 데르트의 입에서 흘러나왔다. 그는 집무실 내 소파로 걸어가 앉았다. 케일도 다가가 맞은편에 앉았다.

'하지만 배가 끝이 아니지.'

케일은 왕세자도, 아버지도 모르는 한 가지를 더 알고 있었다.

왜 다른 두 왕국이 파에른 왕국과 연합을 하게 되었을까. 따뜻한 땅을 향한 전쟁을 단념하고 오로지 강인한 무의 정신만을 추구하던 기사들의 나라에서, 수호 기사는 전설로 치부되던 것을 실제로 재현해 냈다.

와이번 기사단.

하늘을 지배할 수 있는 수단이 생겼다. 협곡은 물론이거니와 어둠의 숲도 가뿐히 지나갈 수 있는 중형 규모의 이동 수단. 로잘린이나 용 정도 되어야 가능한 장거리 비행 마법을 제외하면 최적격이었다.

그 순간부터 3국은 해상까지 지배하기 위한 배를 비밀리에 축조한다. 이에 들어간 시간이 벌써 5년이 넘었다. 이제 그 끝이 2년도 채 남지 않았다.

왜 케일이 우바르 영지에 해군을 두는 것을 돕고자 했겠는가.

곧 머지않아서였다. 그리고 그때쯤, 케일이 모르는 미래가 온다.

'먼치킨물이라서 문제지.'

'영웅의 탄생'은 먼치킨물이다. 분명 달걀이었는데 책 한 장을 넘기면 치킨이 되는 그런 이야기였다. 그 속에서 버티려면 케일은 최대한 준비를 해놓아야 했다.

"케일."

"네."

한참 만에 데르트 백작은 입을 열었다. 그는 아들을 똑바로 응시했다.

"난 아버지로서 네 말을 믿지만, 영주로서 네 말이 사실인지 확인해야 한다. 그 확인은 분명 쉽지 않겠지. 너는 왕세자 저하께 들은 말이었으니까."

당연히 그럴 것이다. 케일이 책을 읽어서 알 수 있는 부분이었지, 일개 귀족이 알 수 있는 영역은 아니었다. 그럼에도 데르트는 큰일에 앞서 최대한 모든 것을 알아보려 노력해야 했다.

"최대한 빨리 확인을 해보마. 확인을 해도 이 아버지의 능력이 부족해 아무것도 못 찾으면 나는 네 말을 믿을 것이다."

데르트는 자리에서 일어서 자신의 집무 책상으로 걸어갔다.

"아들아, 내가 돈을 만지기 시작하면서 하나 깨달은 것이 있단다."

몇 대에 걸쳐 헤니투스 백작가는 부를 축적만 해왔다. 물론 쓰기도 했지만 이는 버는 금액에 비해 아주 미미했고, 데르트 백작은 아직까지 자신이 돈을 제대로 썼다고 생각해 본 적이 없었다.

그는 아들에게 깨달은 것을 말했다.

"그건, 돈을 써야 할 데가 생기면 놀랄 정도로 써야 한다는 거다."

전쟁 때 돈은 큰 힘이 되지 못한다. 하지만 전쟁이 일어나기 전 돈이 만든 결과는 힘이 된다.

"조만간 연락 주마."

"네. 충분합니다."

데르트는 여유로이 답하며 집무실 문으로 향하는 아들을 불렀다.

"케일."

"네."

뒤돌아보는 그에게 데르트는 얼마 전 차남 바센과 나눴던 대화를 떠올리며 입을 열었다.

"후계자 문제에 대해서 생각해 본 적이 있나?"

"없습니다."

조금의 틈도 없이 단호한 대답이었다. 데르트는 바센과 똑같은 반응에 절로 웃음이 흘러나왔다.

"그래. 그런 문제는 생각하지 말거라."

"네."

당연히 케일은 생각하지 않을 참이었다. 후에 후계자로 말이 나오면, 자신은 포기한다고 말한 후 그냥 떠나면 될 일이었다. 무엇보다도 아직 데르트 백작이 정정해 십오 년 이상은 더 영주로 있을 텐데, 성급히 생각할 필요가 없었다.

"바센이 나에게 와서 너를 걱정시킬 일은 만들지 않을 거라고 하더구나."

"그렇죠. 바센이라면 이 영지를 위해 잘 해낼 겁니다."

바센은 아주 적합한 영주감이었다.

"그래. 푹 쉬거라."

케일은 데르트 백작의 표정이 좋은 것을 확인하고는 저도 밝은 미소와 함께 집무실을 빠져나왔다.

"저, 공자님."

"왜?"

뒤따라 나온 뮐러는 주변 눈치를 보며 케일에게 조심스레 물었다.

"그, 성과 배를 짓는 목표가 아까 안에서 말씀하시던 그런 이유로─"

"맞아. 그런 이유."

굳이 길게 듣기 싫어 뮐러의 말을 자르며 답해주었다.

그런 성과 배를 지어 안락하게 전쟁을 피하는 것이 케일의 목표였다. 싸움은 싫었다. 삶은 전쟁의 연속이라고 하나, 진짜 전쟁 속에서 살고 싶지는 않았다.

"네가, 우리가 절대로 죽지 않을 공간을 만든다고 생각해."

뮐러의 눈동자에 복잡함이 서렸다. 케일은 그런 그의 목에 선물을 하나 걸어주었다. 금목걸이였다.

"그러면 너는 살아 있으면서 이런 선물도 많이 받을 테니까."

"기, 기필코 안전하고 죽지 않을 공간을 만들겠습니다!"

뮐러는 고양이보다, 드래곤보다 케일을 마주할 때 얼굴이 더 하얗게 질렸다. 케일은 그 우렁찬 대답에 만족했다. 역시 선물도 주고, 상냥히 대하는 게 답이었다.

일주일 뒤, 데르트 백작은 케일에게 허탈한 미소를 지어 보였다.

"북부 정보를 얻을 수가 없더구나."

정보를 돈으로 얻지 못하는 이유는 없는 정보거나, 혹은 돈 따위와는 비교가 안 되는 귀한 정보일 확률이 높았다. 데르트는 후자를 택했다.

'어차피 쌓아놓은 돈도 많으니.'

아끼는 것도 정도가 있는 법이었다.

데르트는 이렇게 될 줄 알았다는 듯 편안한 안색의 아들에게 말했다.

"아들아, 해보자."

케일의 입가에 미소가 어렸다. 그는 옆으로 시선을 돌렸다.

데르트는 케일 한 명만을 부르지 않았다. 아직 막내 릴리는 어려 영지 일에 뛰어들 수 없지만, 한 명은 가능했다.

"저도 열심히 하겠습니다, 형님."

"그래. 네가, 그리고 부모님, 릴리가 살 곳이다. 열심히 해보자."

물론 케일은 나중에 영지가 아닌 다른 시골에서 한가로이 살 생각이었다. 그러니 자신은 빼고 말했다.

바센은 힘껏 고개를 끄덕였다.

"네. 저는 끝까지 가족과 영지를 위해 살고 싶습니다."

바센과 달리 자신을 위해 살고픈 케일은 그러려니 하며 대충 고개를 끄덕였다.

이 순간 직후, 황금 거북이 인장이 찍힌 비밀문서 하나가 관련자들에게 전해졌다. 기한을 최소 1년, 최대 2년으로 잡은 계획이 시작되었다.

그 계획의 시작 지점을 지켜보는 케일의 눈동자는 영 떨떠름했다.

"정말 쥐 수인족과 드워프의 혼혈이십니까?"

"크흠, 그렇죠."

뮐러가 홀로 의자 위에 올라가 서서 헛기침을 하며 건축가의 물음에 답했다.

"오, 세상에! 손재주가 엄청나시겠군요!"

"대단하네. 쥐족의 섬세함에 드워프의 능력이면."

"실력을 한번 보고 싶습니다!"

뮐러의 어깨가 한없이 위로 올라가고 있었다.

케일은 뮐러와 영지 내 몇몇 건축가들의 만남을 뒤편에서 몰래 지켜보고 있었다. 그의 곁에는 백작 부인 바이올란이 있었다.

"능력 있는 이들이고 입도 무거우니 믿고 맡기기 좋을 거야. 서약서도 모두 작성했고."

영지 내 예술가들을 보살피는 바이올란이었으나, 조각과 예술, 그 사이에 건축이 빠질 수는 없었다. 바이올란이 고르고 골라 뽑아낸 건축가들이 현재 손재주와 만들기에 있어 장인 격인 두 종족의 혼혈, 뮐러를 보며 감탄하고 있었다.

"마탑 설계자 집안이시라니. 그런 위대한 분을 어디 소개도 하지 못하고 우리끼리 알아야 하는 게 참으로 아쉽습니다!"

"그러게 말일세. 세상에, 드워프의 힘을 실제로 보게 될 줄이야. 잘 부탁드립니다."

크흠, 크흠!

뮐러는 연신 헛기침을 해댔다.

"제가 올해로 서른입니다. 그리고 경력이 29년. 저는 1살 때부터 설계도를 보며 살았고, 5살 때부터 망치를 쥐었지요. 드워프와 쥐족에게는 일상인 일이었습니다."

뮐러의 말에 케일은 헛웃음을 터뜨렸다. 황금 브로치에 제일 좋은 옷을 입고서 당당한 모습의 뮐러는 처음 보았다.

"관리하기 편하겠구나."

무심하다 느껴질 정도로 담담한 바이올란의 목소리에 케일은 안심하며 부탁했다.

"뮐러를 부탁드립니다."

"그래. 걱정 마렴."

바이올란의 냉철한 눈빛이 뮐러를 향했다. 호랑이가 없으니 여우가 왕이 된다고, 뮐러는 아무것도 모른 채 왕 노릇을 해댔다.

"설계도는 확인하고 떠날 거니?"

"네. 최대한 빨리 다녀오겠습니다."

"그래."

걱정이 담긴 바이올란의 눈빛에 케일은 그저 미소로 답해주었다. 그는 곧 다시 한번 떠나야 했다.

케일은 영지에서 처리해야 할 일들을 대강 정리하고는 자신의 침실로 돌아와 푹신한 소파에 몸을 파묻고 있었다. 그는 맞은편에 서 있는 최한을 슬쩍 쳐다보며 툭 내뱉었다.

"최한."

"네."

"가자."

"……지금 영지 도착한 지 4일째입니다만. 벌써요?"

최한은 말을 이었다.

"일단 일행을 다 불러 모으겠습니다."

"아니."

케일이 최한만 부른 것은 이유가 있었다.

"이번에는 우리만 간다."

그 순간 케일의 침실에 늘 상주하는 존재들이 모습을 드러냈다.

냐아아옹.

"우리끼리는 오랜만인데!"

홍과 온이 가볍게 침대 위에서 폴짝 뛰어내려 최한의 곁으로 다가왔다.

"나도 당연히 간다."

투명화를 풀며 검은 용 라온이 소파 옆 탁자 위에 내려앉았다. 최한은 함께 가는 일행을 쳐다봤다. 케일의 목소리가 들려왔다.

"여기에 비크로스가 나중에 따로 뒤따라올 거야. 하지만 일단은 이 인원으로 움직이지. 이 인원으로 해결해야 할 일이 있으니까. 너라면 알 거야."

"······스텐 후작가입니까?"

역시 머리가 잘 돌아가는 놈이었다. 케일의 한쪽 입꼬리가 살짝 올라갔다.

"눈치 빠르긴. 준비해."

검은 용을 처음 만나러 갔던 인원. 라온을 구했던 인원들이 다시 한번 모였다. 이들은 이번에도 용을 위해 움직이기로 했다.

그날 밤, 헤니투스 백작가의 뒷문으로 아무런 인장도 매달지 않은 평범한 마차 한 대가 조용히 빠져나와 로운 왕국 서북부로 향했다.

헤니투스 영지에서 로운 왕국 서북부의 중심인 스텐 후작가로 가는 길은 꽤 시간이 걸리는 편이었다.

"인간, 텔레포트 마법으로 빨리 가면 안 되나?"

검은 용 라온은 마법을 쓰고 싶어 안달이었다. 안 그래도 로잘린과 좀 오래 붙어 있더니 인간계 마법에도 익숙해져 실력이 어마어마하게 성장해 버렸다.

케일은 로잘린이 했던 말을 떠올렸다.

'확실히 드래곤께서는 1차 성장기가 오지 않았음에도 최고네요. 정말 능력도, 습득력도 다 무서울 정도예요.'

용은 아주 오래 산다. 때문에 통상적인 용의 1차 성장기까지 라온은 시간이 꽤 많이 남아 있었다. 물론 충격을 받거나 용이 강하게 힘을 원하면 1차 성장기가 빨리 찾아오기도 한다.

용은 총 세 번에 걸쳐 변화한다.

그중 1차 성장기는 외부 신체적 변화가 아주 적었다. 그리고 2, 3차 성장기에 폭발적으로 성장해 덩치가 20m에 육박하는 성룡으로 자라나게 된다. 반대로 1차 성장기에는 신체 내부가 변화한다. 2, 3차의 성장을 위한 토대를 닦는다고 보면 되었다.

케일은 소박하지만 꽤 넓은 마차의 한구석에서 꽤 큰 원형 유리알을 툭툭 굴리고 있는 라온을 빤히 바라봤다. 그 시선에 라온은 한 번 더 외쳤다.

"인간, 텔레포트!"

"지금 가봤자 기다려야 돼."

케일의 무심한 대답에 라온은 코를 찡긋거리며 케일이 준 유리알 속 씨앗을 관찰했다. 마탑에서 가져온 그 유리알과 씨앗이었다. 라온은 유리알의 크기를 줄여 씨앗과 매일 같이 다니면서 열심히 키우고 탐구 중이었다.

"그런데 케일 님."

"어."

씨앗이 얼른 싹을 틔우면 이를 빼내 갈 생각을 하던 케일은 최한의 부름에 그를 바라봤다.

"그, 스텐 후작가에서 그 계획이 가능할까요?"

최한도 케일과 마찬가지로 요 며칠 새 자장가 대신 라온의 복수 계획을 들어야 했다. 4살이지만 역시 용인지라 그 계획에는 감금, 폭력, 고문이라는 살벌한 단어들이 등장했다. 하지만 모두 4살의 라온이 4년 동안 겪은 일이었다.

"왜? 계획이 별론가?"

케일의 물음에 라온이 휙 고개를 돌려 최한을 쳐다봤다. 그러나 최한의 입에서 곧바로 흘러나온 답은 단순했다.

"아뇨. 계획은 무난하단 생각이 듭니다. 다만 어떻게 스텐 후작과 베니온 스텐을 건들 수 있나 싶어서요."

라온은 무난하다는 말에 미간을 찌푸렸다.

더 극적인 것을 원하는 라온의 고민이 깊어져 가는 것을 모른 채, 케일은 입을 열었다.

"지금 스텐 후작가는 버려졌던 장남 테일러 스텐이 그 세를 넓혀 가고 있어."

왕세자를 등에 업고 두 다리가 회복된 장남 테일러 스텐은 무서울 정도로 세를 넓혀갔다. 그 이면에는 왕세자의 도움이 컸지만, 유약하기만 하던 테일러에게 강단이 생기고 영악함이 생겼기에 가능한 일이었다.

그리고 테일러는 베니온은 상상도 못 할 짓을 저질렀다. 그건 바로 스텐 후작가의 현 가주인 후작에게도 그 날을 세운 것이다.

"그의 세력은 단순히 가문 안에서만이 아냐."

"서북부의 몇이 그를 밀기로 한 것입니까?"

역시 최한은 똑똑한 편이었다. 케일은 찰떡같이 알아듣고 되묻는 최한에게 고개를 끄덕였다.

"그리고 스텐 후작가의 가신 가문들도. 방계도 테일러 스텐을 원하는 이들이 늘었다고 하더군."

그들이 테일러를 미는 이유는 간단했다. 테일러 아래라면 조금 더 편하게 살 수 있을 것 같았을 테니까.

과거에는 다른 후계자들에 비해 테일러가 유약한 편이라, 가신과 방계 쪽에서는 그가 스텐 후작가의 위상을 떨어뜨리지 않을까 걱정했을 것이다. 하지만 나약함이 사라지고 왕세자까지 끌어들이니, 믿음이 생긴 이들이 서서히 나타나고 있는 실정이었다.

물론 케일은 그 과정은 아직 잘 몰랐다. 그간 미친 신관 케이지와 장남 테일러와는 연락을 하지 않았으니까.

다만 왕세자를 통해 대강의 진행 결과는 들을 수 있었다.

"그걸 후작이 두고 봅니까?"

"말리면 후작은 가주가 아니게 돼."

최한의 얼굴 위로 의문이 서렸다.

케일은 그에게 그간 후작가가 잔인하고 냉정하지만 유능하다 평을 받을 수 있었던 부분에 대해 말해주었다.

"스텐 후작가는 적자생존이 그들의 가훈이나 다름없어. 후계자는 반드시 가장 강한 자가 되어야 하지. 그 후계자는 자신의 형제들을 죽여야만 하고."

강한 자는 무력과 지력을 뜻하지 않았다. 살아남는 자. 그게 강한 자였다. 베니온이 제 형의 다리를 망가뜨렸을 때도 후작은 가만히 있었다.

"그런데 그 강한 자를 후작이 강하다고 죽인다? 테일러 스텐이 대놓고 후작을 죽이려고 한 적도 없는데?"

후작은 지금 방관하며 자신의 세를 늘리는 수밖에 없었다. 물론 뒤에서 살짝살짝 베니온을 돕겠지만 들키면 스텐 후작가의 방침을 어기는 것이기에 크게 도울 수도 없었다.

"……이해가 힘들군요."

"이해하지 마."

굳이 그런 걸 이해할 필요는 없었다. 케일은 빤히 쳐다보는 최한에게 이어 말했다.

"우리는 우리 할 것만 하면 돼."

"그럼 무엇부터 하면 됩니까?"

그러자 검은 용 라온의 곁에 있던 홍이 외쳤다.

"납치!"

케일은 그 살벌한 단어에도 그런가 보다 하고 고개를 끄덕이려는 최한에게 재빨리 말했다.

"준비부터 해야지."

"준비요?"

"어. 장소와 사람의 도움이 필요하니까."

"사람은 누굽니까?"

"너도 아는 사람이야."

최한은 자신도 아는 사람이라는 말에, 저번에 수도에서 케일이 폭탄을 막았을 때 옆에 있던 귀족들을 떠올렸다. 그때 테일러 스텐도 함께 있었던 것이 떠올랐다. 그를 바로 만나는 것일까?

그때 케일의 목소리가 들려왔다. 전혀 생각지도 못한 이름이 그의 입에서 흘러나왔다.

"오데우스 플린."

"······네?"

낯선 듯 익숙한 이름이었다.

최한은 곧 처음 라크를 만났던 순간을 떠올리고, 동시에 자신을 고용했던 상단주를 떠올렸다.

"상단주요?"

"그래. 그 사람을 봐야 돼."

오데우스 플린.

플린 상단의 서자인 빌로스의 큰아버지이자, 플린 상단 후계자 자리를 포기한 인물. 더불어 현재 비밀리에 서북부의 뒷세계를 장악한 사람.

최한이나 다른 이들에게는 그저 라크와 푸른 늑대족을 챙기고 보살피던 좋은 사람일 것이다. 케일은 그 좋은 사람을 먼저 만날 생각이었다. 그래야 좋은 일이 올 테니까.

"뭐, 길게 볼 사이는 아니지만."

최한은 케일이 짓는 미소에 입을 꾹 다물었다. 저런 음흉한 미소를 지을 때는 그냥 조용히 따라가는 쪽이 편하다는 것을, 최한은 이제 깨달았다.

조금 부유한 평민들이 탈 것 같은 소박한 마차가 로운 왕국 동북부를 벗어나 막 서북부 지역에 진입했다.

탕. 탕. 바람이 가벼이 창문을 두드렸다. 유독 바람이 많이 부는 밤이었다.

스텐 영지에 밤이 찾아오면 그제야 일을 시작하는 그는 오늘도 여유로이 소파에 기대앉았다. 그의 얼굴 위에는 가끔 꺼내 드는 사람 좋아 보이는 미소가 지어져 있었다.

"참, 궁금하네."

어찌 된 일인지, 그 연유가 남자는 궁금했다. 그는 소파 팔걸이를 두드렸다.

톡. 톡. 톡.

그 속도에 맞추듯, 창문이 덜컹거렸다. 바람이 아주 세차게 불었다. 그 소리에 잠시 귀를 기울이려던 순간.

똑똑똑.

문을 두드리는 소리가 들려왔다. 그는 소파에서 일어섰다. 오데우스 플린은 문으로 다가가 바로 문고리를 돌렸다. 입가에 환한 미소가 걸렸다.

"아이고, 공자님. 그리고 최한. 이렇게 두 분을 뵐 줄은 몰랐습니다. 빌로스에게 연락받고 어찌나 놀랐던지."

케일은 역시나 호감형인 오데우스의 환영을 받으며 방 안으로 들어섰다.

"뭐. 놀랄 정도야."

무던하게 답한 케일은 방 안을 둘러보지도 않고 소파가 놓인 곳으로 다가가 그중 하나에 앉았다.

오데우스는 그 광경을 가만히 바라보다가 열린 문으로 시선을 돌렸다. 그곳엔 최한이 있었다.

"전 밖에 있겠습니다."

"최한은 안 들어오려고요?"

"네."

최한은 문지기처럼 문 앞을 지키고 섰다. 문 밖에는 복도가 있었고, 그 복도 난간 너머 아래층에는 시끄러운 술판이 여럿 펼쳐져 있었다.

스텐 영지에 위치한, 주점을 겸하는 여관의 2층. 낮이든 밤이든 사람들로 북새통인 이곳이 케일이 빌로스를 통해서 오데우스에게 만나자고 한 장소였다.

"힘들면 들어오도록 해요."

"네, 힘들면 그렇게 하겠습니다, 오데우스 님. 대화 나누십시오."

"그래요."

오데우스는 아무렇지도 않게 천천히 문을 닫았다. 이제 이 방에는 케일만이 남아 있었고, 자연히 오데우스는 케일의 맞은편에 다가가 앉았다. 문과 등진 채로 앉은 그는 편안하게 흘러가듯 케일과의 대화를 시작했다.

"공자님, 정말 반갑네요."

"그래?"

"네, 이렇게 찾아오실 줄은 꿈에도 몰랐습니다."

"그런가."

"그렇죠. 빌로스도 제가 어디 있는 줄 몰랐는데, 어찌 공자님은 제가 이 스텐 영지에 있는 걸 아셨습니까?"

케일은 오데우스의 물음에 바로 답하지 않고 소파에 기댔던 몸을 일으켜 살짝 앞으로 숙였다. 그러고는 자신을 탐색하듯 바라보는 오데우스의 눈빛을 온전히 받았다. 케일은 이딴 탐색에 쓸데없는 시간을 쓰고 싶지 않았다.

"오데우스, 의뢰를 하나 하지."

그 말에 순간 오데우스의 입꼬리가 올라갔다.

"역시 알고 오셨네요. 빌로스가 아주 무서운 분을 모시고 계셨어."

그리 말하는 오데우스의 눈빛이 날카로워졌다.

'어떻게 나에 대해 안 것일까. 그럴 만한 능력이 있나?'

하지만 오데우스는 그런 것에 큰 의미를 두지 않았다. 이는 지켜보는 케일이 가장 크게 느낄 수 있었다.

'역시 다르긴 다르네.'

지금껏 케일에게 정체를 들켰던 이들과 오데우스는 확실히 달랐다. 그는 조금도 놀라지 않았다. 그저 예상한 범위라는 듯 평온했다.

60대의 산전수전 다 겪은 뒷세계의 상인은 케일에게 물었다.

"무슨 의뢰를 하시려는 겁니까?"

"역시 말이 잘 통해."

이곳이 제 침실이라도 되는 듯 케일은 아주 편안해 보였다. 오데우스는 그 모습에 바람 빠지는 웃음이 흘러나왔다. 하지만 웃음은 곧바로 사라졌다.

"스텐 후작가를 없애고 싶지?"

대신 사람 좋은 미소가 입가에 자리했다.

"무슨 말씀이신지."

"정확히 말하면 서북부 뒷세계를 완전히 장악하고 싶은데, 스텐 후작가가 걸리적거리지?"

오데우스는 그저 가만히 미소만을 지었다. 그러나 그의 입가에 지어진 미소가 서서히 사라지고 있었다. 케일은 느긋하게, 어찌 보면 가벼운 대화를 하듯 여유로웠다.

"일반 왕국민들이 들으면 놀랄 거야. 그렇게 콧대 높고, 누구보다도 귀족임을 중요시 여기는 스텐 후작가의 누군가가 뒷세계에서 더러운 짓을 참 많이 한다는 걸 알면 말이야. 그렇지?"

"공자님."

그래도 세월이 쌓은 경험은 어디 가지 않았다. 오데우스는 만만치 않게 여유로웠다.

"의뢰가 무엇입니까?"

흐트러짐 없는 물음에 케일도 망설임 없이 답했다.

"내 수발."

"······네?"

이번에는 오데우스의 얼굴에 황당함이 나타났다. 수발이라니? 내가 아는 그 수발의 뜻이 맞나?

"들은 그대로야. 내 수발을 들어. 내가 스텐 영지에서 하는 일의 모든 뒤처리와 사전 준비, 필요한 모든 것을 하란 소리지. 내가 잠들 곳, 먹을 것, 모두 포함해서 말이야."

오데우스의 입꼬리가 올라갔다. 그는 평온히 물었다.

"지금 제 정체를 안다고 약점을 잡은 줄 알고서, 이 나를 종 부리듯 하겠다는 겁니까?"

하지만 분위기는 차갑다 못해 날카로웠다. 오데우스의 눈빛에 황당함을 넘어 분노가 담겼다. 그런 그에게 케일이 말했다.

"내가 뭘 할 줄 알고?"

"······무슨 소리십니까?"

"내가 뭘 할지 자네가 아는가?"

똑똑똑.

그때 오데우스는 자신의 등 뒤에서 문을 두드리는 소리를 들었다. 하지만 그는 뒤돌아볼 수 없었다. 케일이 입을 열었기 때문이다.

"참고로 오늘 대화 인원은 셋이야."

한 명이 더 온다는 소리였다.

끼이익. 누가 들어오라 말하지도 않았건만 문이 천천히 열렸다. 오데우스는 소파에서 일어나 뒤돌아섰다.

끼이이-익. 마침내 문이 열리고 로브를 쓴 한 사람이 방 안으로 들어섰다. 그는 방 안에 발이 닿자마자 로브의 모자를 벗었다.

"허!"

오데우스의 입에서 탄식이 흘러나왔다. 요즘 그가 가장 촉각을 곤두세우고 있는 정보의 중심에 있는 이들 중 한 명이 지금 눈앞에 나타났다.

반면 케일은 놀란 오데우스와 달리 소파에 기댄 채로 들어선 이에게 인사를 건넸다.

"오랜만입니다, 신관님."

현재 스텐 후작의 미래를 차지하려 드는, 버려졌던 장남 테일러 스텐. 그의 곁에 늘 함께하는 이가 있었다. 짧은 머리칼에, 모시는 신의 문양은 없지만 신관복을 입고 있는 여인. 오늘은 그 신관복이 로브에 감싸여 보이지 않았다.

그녀는 미친 신관 케이지였다.

"아, 맞다."

케일은 제 인사를 수정했다.

"이제는 신관이 아니시지요. 오랜만입니다, 케이지 씨."

"네, 공자님 . 반가워요."

케일은 자신을 바라보는 오데우스와 시선을 마주했다. 탐욕에 가득 찬 눈동자가 보였다.

책 '영웅의 탄생'에서 검은 용 에피소드가 나왔을 때, 스텐 후작가와 베니온에 대한 설명이 몇 줄 나왔다. 그중 베니온이 어떻게 스텐가 후계자들 중 유독 세력이 강해졌는지에 대한 내용이 두 줄 있었다.

베니온 스텐은 귀족적인 겉모습과 달리 뒤에서 온갖 더러운 일을 자행했다. 때문에 그는 스텐 영지의 뒷세계와 떼려야 뗄 수 없는 사이였다.

케일은, 김록수는 이 두 줄로 책을 읽는 동안 장남의 다리를 불구로 만들고 그를 암살했던, 그리고 다른 자식들보다 앞섰던 베니온에 대해 납득했다.

이번 케일의 계획은 그 두 줄에서 시작됐다. 단 두 줄의 글이지만, 그 속에는 무수히 많은 인과와 과거가 담겨 있는 법이었다. 그는 오데우스에게 물었다.

"어때? 내 의뢰가 궁금하지?"

오데우스는 대답 없이 케일의 맞은편에 도로 앉았다. 그리고 케이지가 남은 자리에 앉았다. 이제 대화를 하기에 적합한 순간이 찾아왔다.

대화의 물꼬는 당연히 궁금한 것이 많은 사람이 트는 법이었다. 오데우스, 그가 먼저 대화를 시작했다.

"이렇게 두 분이 아는 사이이실 줄은 꿈에도 몰랐습니다."

"그 부분이 많이 궁금한가?"

케일의 물음에 오데우스는 당연하다는 듯 답했다.

"아니요."

케일 또한 그 대답을 당연히 받아들였다. 오데우스 정도면 이런 친분의 이유는 본인이 알아봐야 했다. 정보를 의뢰인으로부터 얻는 판매자가 어디에 있겠는가.

"오데우스, 베니온이 언제 이곳을 방문하지?"

5년. 그 시간 동안 오데우스는 자신의 세력 확장을 방해하는 존재가 있다는 것을 알았다. 그러나 그 배경을 찾을 수가 없었다. 그리고 최근이 되어서야 가까스로 알게 된 정보가 케일의 입에서 흘러나왔다.

"뒷골목 말이군요."

베니온이 뒷골목에 온다는 사실을 눈앞의 공자는 알고 있었다. 물론 케일은 '영웅의 탄생'에서 오데우스에 대해 설명한 정보를 그저 제 식대로 말할 뿐이었다.

스텐 영지의 어두운 면을 통상적으로 뒷골목이라 불렀다. 도박, 술, 사채, 밀거래, 불법 경매, 노예, 폭력. 그 모든 더러운 일들이 일상처럼 벌어지는 곳이었다.

다만 오데우스는 노예와 폭력은 사용하지 않았으며, 최소한 거래 당사자가 서로 보호받을 수 있는 장치를 마련해 두고 거래를 했다. 그래서 케일이 그를 찾아온 것이었다. 또한 스텐 후작가의 장남 테일러도 같은 생각일 터였다.

물론 조금 다른 면이 있었다.

테일러는 자신의 다리를 불구로 만든 흉수가 베니온인 것은 알았지만 그가 가진 힘은 제대로 파악하지 못했다. 그만큼 베니온은 은밀히 움직였다.

그런데 이번에 그 힘의 정체를 케일의 연락으로 알게 되었다. 그리고 그 정보는 상당히 중요했다.

그런 테일러의 생각이 파문된 신관 케이지, 그녀의 입을 통해서 나왔다.

"테일러 공자님은 스텐 후작가와 서북부의 모든 면을 알고자 하십니다."

케이지와 오데우스의 시선이 마주했다. 케일의 연락을 받고, 테일러와 케이지는 곧바로 그에게 오데우스와의 선을 만들어달라 부탁했다.

"테일러 스텐 공자님께서는 귀족으로서, 그리고 한 영지를 다스리는 가문의 사람으로서 뒷세계를 싫어하십니다."

"맞습니다. 저도 싫어하지요."

케일도 대놓고 싫어한다고 말했지만 오데우스는 고개를 끄덕였다.

"맞습니다. 백성을, 영지민을 아끼는 귀족이라면 그리해야지요. 헤니투스 영지는 뒷세계가 없지 않습니까?"

맞다. 헤니투스 영지는 양아치나 건달 정도는 있어도 뒷세계 거래 방식은 존재하지 않았다. 데르트 백작은 평범하고 특출한 부분은 없었지만, 정석적인 귀족이었다. 적어도 책임감을 아는 인물이었고, 돈이 많아 절대 그런 부분을 허용하지 않았다. 그리고 시골이라 그런 시장이 형성될 만큼 큰 영지도 아니었다.

"그러면 테일러 공자님께선 뒷세계를 없애고 싶어 하시겠군요?"

"네."

케이지의 단호한 답에 오데우스는 입가에 미소를 그렸다. 그는 그녀가 아닌 케일에게로 시선을 돌렸다.

"테일러 공자님께서는 진정한 귀족이시네요."

덧붙인 말이 중요했다.

"명분을 놓치지 않으시려 하네."

'영웅의 탄생'에서 스텐 후작가가 2권 말미쯤에 망하는 계기는 다양했다. 최한과 엮이며 그에게 시비를 걸었다가 사이다 진행으로 망가진 것도 있었고, 검은 용의 폭주도 있었다.

더불어 오데우스도 영향을 끼쳤다. 그는 서북부 뒷세계를 지배하려 한 베니온 스텐을 막기 위해 베니온의 정체를 밝혔고, 그 결과로 스텐 후작가의 명분을 부숴 버렸다. 가장 귀족적이다 여겨지던 가문이 귀족의 명예를 저버리는 짓을 하며 영지민을 괴롭혔기 때문이었다.

물론 이 사실을 밝히기 위해 오데우스도 양지로 모습을 드러내야 했다. 그래서 그는 상당히 위험해진다. 최한도 푸른 늑대족 라크 사건으로 그를 알고 있었지만, 차마 돕지 못한다.

하지만 이번엔 그럴 필요가 없었다.

케일은 그들의 대화를 깔끔히 정리해 주었다.

"치고받고 싸우는 건 나중에 하고. 일단은 공통의 적부터 없애야 겠는데?"

그 말에 오데우스는 의문이 들었다. 케이지도 마찬가지였다.

도대체 케일 헤니투스가 베니온을 미워할 일이 있는가? 두 사람이 공통으로 느끼는 의문이었다.

"저, 그런데 베니온에게 어떤 짓을—?"

오데우스는 말꼬리를 흐리며 케일을 바라봤다. 그런 그와 달리 케일은 단호했다.

"죽이는 것."

"그건 곤란-!"

미친 신관 케이지가 놀란 얼굴로 저도 모르게 케일의 말을 막아버렸다. 하지만 케일은 이어 말했다.

"보다 더한 것이지 않을까?"

"……네?"

그녀는 멍하니 되물으며 케일이 한 말을 천천히 되새겼다.

죽이는 것.

보다 더한 것이지 않을까?

순간 그녀는 소름이 돋아 케일을 바라봤다. 그는 여전히 느긋해 보였다. 하지만 그녀는 자신들에게 돈을 빌려주고 수도로 들여보내주던, 그러면서도 죽음의 맹세로 비밀 유지를 시킨 케일의 면모를 알고 있었다.

그는 말한 것은 지키는 사람이었다.

"하, 하하-"

오데우스가 웃음을 터뜨리고 있었다. 그는 고개를 끄덕였다.

"암요, 죽이는 것보다 무서운 게 많지요."

"으음."

케이지는 침음을 삼키며 입을 열었다.

"그럼 어떻게 그 짓을 하실 생각입니까?"

그녀는 대답 대신 케일의 시선이 향하는 방향을 바라봤다. 오데우스가 있었다. 그는 케일의 눈빛에 자신이 해야 할 일이 무엇인지 알 수 있었다.

"제가 공자님의 수발을 들 생각이니, 걱정하지 않으셔도 됩니다."

오데우스는 기꺼이, 즐겁게 수발을 들기로 했다. 그럴 수밖에 없었다.

"그럼 오데우스의 시중을 받으며, 일은 내가 알아서 처리하도록 하지."

직접적으로 베니온을 건드는 일은 케일이 하겠다고 나섰으니까.

'물론 내가 아니라 용이 하지만.'

케일의 입장에서야 본인이 하는 일은 아니었다. 본인은 판만 만들고 그 상황을 주도하는 것은 라온의 몫이었다.

"아이구, 오랜만에 바삐 움직여야겠습니다."

60대의 오데우스는 앓는 소리를 하는 것과 달리 표정이 좋았다. 아주 신이 나다 못해 환갑 파티라도 열 기세였다.

"그럼 빨리 움직이든가. 나는 여기에 묵고 있을 테니까."

"뭐, 그러죠."

중년과 노인 그 사이의 오데우스는 가볍게 소파에서 일어섰다. 그는 곧바로 문으로 향했다.

그런 그에게 케일의 목소리가 들려왔다.

"오데우스, 집을 하나 알아봐."

"집이요?"

오데우스는 뒤돌아서서 케일을 봤다.

"그래. 그리고 내 수발도 잘 들어야 돼. 나는 고급만 취급하는 사람이야."

아주 태평하다 못해 진짜 수발까지 들어달라는 케일의 태도에 오데우스는 흔쾌히 받아들였다.

"육십 평생 살면서 들어본 적 없는 의뢰지만, 영광으로 알겠습니다."

"그래. 의뢰비도 충분하잖아? 걸리적거리는 걸 없애주는 것이니."

"충분합니다."

오데우스는 문을 열었다. 최한이 부드러운 눈인사를 건넸다. 오데우스는 왜 최한이 문 앞을 지켰는지 이해했다. 이 정도 사안이니 최한이 감시를 해야 했다.

"최한, 나중에 보도록 합시다."

"네, 상단주님."

오데우스가 떠나고 나자, 최한은 다시 문을 닫았다. 이제 방 안에는 케일과 미친 신관 케이지뿐이었다. 둘만 남게 되자 케일은 궁금했던 것 하나를 그녀에게 물었다.

"케이지 씨."

"네, 공자님."

"왜 후계자를 죽이면 안 되는 겁니까?"

그 질문이 들어올 줄 알았다는 듯 그녀는 곧바로 답했다.

"내일모레 안으로 테일러가 다른 동생들에게 선언을 하나 할 예정입니다."

케일은 왠지 그 선언이 무엇일지 알 것 같았다.

"아무도 죽이지 않겠다?"

"……역시 눈치채시네요."

그녀는 감탄이 이는 마음을 다스리며 말을 이었다.

"스텐 후작가의 법칙을 어겼다고 생각할 수도 있는 부분이지만, 후계자는 다른 핏줄들이 후계자 자리를 넘보지 못하도록 하기만 하면 돼서 법칙을 완전히 어기는 것은 아니게 됩니다."

다른 이들이 들었다면, 살려두는 이상 다른 형제들이 후계자를 넘볼지 안 넘볼지 어떻게 확신하냐고 물을 수도 있었다. 그래서 그녀는 그 의문을 해소해 주려 입을 열었다. 하지만 케일은 이미 답을 알아챘다.

"죽음의 맹세를 사용하면 되겠군요."

"……맞아요. 공자는 설명이 필요가 없네요."

"역시 죽음의 신은 케이지 씨를 버리지 않았군요."

죽음의 신 신전은 그녀를 파문했지만 죽음의 신은 그녀를 버리지 않았다. 케이지는 씩 웃어 보이며 케일의 말에 반박을 하지 않았다.

"뭐, 저 좀 버려주셨으면 좋겠는데 말이죠."

오데우스가 나가자, 케이지는 한결 가벼워진 어조로 이전처럼 과감한 말을 내뱉었다. 아마 다른 신관들이 들으면 기함을 할 말이었다.

"세상만사가 마음 편한 대로 되겠습니까?"

하지만 그런 말을 무심히 흘려 넘기며 답하는 케일도 만만치 않았다.

"그럼 다음에 더 대화를 하든가 하죠. 오늘은 피곤해서 말입니다."

케일이 대화의 끝을 알려왔다. 그는 케이지가 완전히 여관을 빠져 나간 것을 확인한 후 최한과 투명화하고 있던 라온에게 말했다.

"느긋하게 기다리자고."

하지만 그리 오래 기다릴 일은 없었다.

3권에 계속